POÉTICOS PARA TODOS

POÉTICOS

PARA TODOS

POÉTICOS PARA TODOS

JÓ

JOHN GOLDINGAY

Título original: *Job for everyone*
Copyright © 2013 por John Goldingay
Edição original por Westminster John Knox Press, Louisville, Kentucky.
Todos os direitos reservados.
Copyright da tradução © Vida Melhor Editora S.A., 2022.

As citações bíblicas são traduções da versão do próprio autor, a menos que seja especificada outra versão da Bíblia Sagrada.

Os pontos de vista desta obra são de responsabilidade de seus autores e colaboradores diretos, não refletindo necessariamente a posição da Thomas Nelson Brasil, da HarperCollins Christian Publishing ou de sua equipe editorial.

Publisher	*Samuel Coto*
Editor	*André Lodos Tangerino*
Tradutor	*José Fernando Cristófalo*
Copidesque	*Josemar de Souza Pinto*
Revisão	*Carlos Augusto Pires Dias*
Diagramação	*Sonia Peticov*
Capa	*Rafael Brum*

DADOS INTERNACIONAIS DE CATALOGAÇÃO NA PUBLICAÇÃO (CIP)
(Benitez Catalogação Ass. Editorial, MS, Brasil)

G571p Goldingay, John
1.ed.   Poéticos para todos: Jó/ John Goldingay; tradução José Fernando
Cristófalo. – 1.ed. – Rio de Janeiro: Thomas Nelson Brasil, 2022.

Título original: Job for everyone.
ISBN 978-65-56893-70-9

1. Bíblia. A.T. Jó – Comentários. I. Cristófalo, José Fernando.
II. Título.

05-2022/138   CDD: 223.7

Índice para catálogo sistemático:
1. Bíblia: Antigo Testamento: Comentários   223.7

Aline Graziele Benitez — Bibliotecária — CRB-1/3129

Thomas Nelson Brasil é uma marca licenciada à Vida Melhor Editora LTDA.
Todos os direitos reservados à Vida Melhor Editora LTDA.
Rua da Quitanda, 86, sala 218 — Centro
Rio de Janeiro — RJ — CEP 20091-005
Tel.: (21) 3175-1030
www.thomasnelson.com.br

⌐SUMÁRIO⌐

Agradecimentos	7
Introdução	9
Mapas	16
Jó 1:1-5 • O homem de integridade	19
Jó 1:6-12 • Aliança ou contrato?	24
Jó 1:13-22 • Quando a vida desmorona	30
Jó 2:1-8 • Pele por pele	36
Jó 2:9-13 • O silêncio dos amigos	40
Jó 3:1-26 • Pereça o dia em que nasci	45
Jó 4:1-21 • Pode um mortal ser justo aos olhos de Deus?	51
Jó 5:1-27 • Para onde mais eu poderia ir, exceto para o Senhor?	56
Jó 6:1-30 • Amizade	62
Jó 7:1-21 • O que são os seres humanos para merecerem tamanha atenção?	68
Jó 8:1-22 • Sobre aprender com o passado	74
Jó 9:1-35 • O Deus da ira	79
Jó 10:1-22 • Sobre nascimento e morte	85
Jó 11:1-20 • O mesmo de sempre	91
Jó 12:1-25 • Soberania sem princípio?	96
Jó 13:1-28 • Você irá apenas ouvir?	102
Jó 14:1-22 • No meio da vida, estamos na morte	107
Jó 15:1-35 • Elifaz tenta novamente	113
Jó 16:1-17 • Consoladores? Parecem mais causadores de problemas	118
Jó 16:18—17:16 • Uma testemunha nos céus?	124
Jó 18:1-21 • Jó contesta a fundação moral do mundo?	130

Jó 19:1-29 • Eu sei que o meu Restaurador vive — 136

Jó 20:1-29 • Como os ímpios obtêm a sua recompensa — 142

Jó 21:1-34 • Se apenas os ímpios obtivessem a sua recompensa! — 147

Jó 22:1-30 • Elifaz reescreve a vida de Jó em vez de revisar a sua própria teologia — 153

Jó 23:1-17 • Quem se moveu? — 158

Jó 24:1-25 • Por que os tempos não são cumpridos por Shaddai? — 164

Jó 25:1—26:14 • Um gemido e um sussurro — 169

Jó 27:1-23 • Odeio as pessoas que te odeiam — 175

Jó 28:1-28 • O discernimento está na submissão ao Senhor — 181

Jó 29:1-25 • Como éramos e como eu pensei que seríamos — 186

Jó 30:1-31 • Como nós somos — 192

Jó 31:1-12 • Como eu tenho andado (I) — 198

Jó 31:13-23 • Como eu tenho andado (II) — 204

Jó 31:24-40 • Como eu tenho andado (III) — 209

Jó 32:1-22 • O jovem irado — 215

Jó 33:1-33 • O cuidado pastoral que piora a posição do sofredor — 221

Jó 34:1-30 • Deus não é bom ou soberano? — 226

Jó 34:31—35:16 • Provado até o limite — 232

Jó 36:1-25 • O Deus que sussurra em nossos ouvidos — 237

Jó 36:26—37:24 • O assombroso Criador — 243

Jó 38:1-15 • O Deus que ordena o amanhecer — 249

Jó 38:16-38 • Sobre aceitar a própria ignorância — 254

Jó 38:39—39:30 • Os mistérios da natureza — 260

Jó 40:1-24 • Quando o silêncio não é suficiente — 265

Jó 41:1-34 • O Leviatã — 270

Jó 42:1-17 • E todos viveram felizes para sempre — 276

Glossário — 284

Sobre o autor — 287

⌐ AGRADECIMENTOS ⌐

A tradução no início de cada capítulo (e em outras citações bíblicas) é de minha autoria. Tentei me manter o mais próximo do texto hebraico original do que, em geral, as traduções modernas, destinadas à leitura na igreja, para que você possa ver, com mais precisão, o que o texto diz. Similarmente, embora prefira utilizar a linguagem inclusiva de gênero, deixei a tradução com o uso universal do gênero masculino caso esse uso inclusivo implicasse dúvidas quanto ao texto estar no singular ou no plural — em outras palavras, a tradução, com frequência, usa "ele" onde em meu próprio texto eu diria "eles" ou "ele ou ela". Às vezes, adicionei palavras para tornar o significado mais claro, colocando-as entre colchetes. Ao final do livro, há um glossário de alguns termos recorrentes no texto (expressões geográficas, históricas e teológicas). Em cada capítulo (exceto na introdução), a ocorrência inicial desses termos é destacada em **negrito**.

As histórias presentes na tradução, em geral, envolvem meus amigos, assim como minha família. Todas elas ocorreram, de fato, mas foram fortemente dissimuladas para preservar as pessoas envolvidas. Em algumas, o disfarce utilizado foi tão eficiente que, ao relê-las, levo um tempo para identificar as pessoas descritas. Nas histórias, Ann, minha primeira esposa, aparece com frequência. Dois anos antes de eu começar a escrever este volume, ela faleceu, após negociar com a esclerose múltipla durante 43 anos. Compartilhar os cuidados, o desenvolvimento de sua enfermidade e a crescente limitação, ao longo desses anos, influencia tudo o que escrevo, de maneiras facilmente perceptíveis ao leitor, mas também de formas menos óbvias.

Pouco antes de começar a escrever este volume, apaixonei-me e casei-me com Kathleen Scott e sou muito grato por minha nova vida ao lado dela e por seus lúcidos comentários sobre o manuscrito, tão criteriosos e elucidativos que ela, na realidade, deve ser creditada como coautora. Minha gratidão, igualmente, a Matt Sousa por ter lido o manuscrito e me indicado o que precisava ser corrigido ou esclarecido no texto, e a Tom Bennett por ter conferido a prova de impressão.

⌐ INTRODUÇÃO ⌐

No tocante a Jesus e aos autores do Novo Testamento, as Escrituras hebraicas, que os cristãos denominam de Antigo Testamento, *eram* as Escrituras. Ao fazer essa observação, lanço mão de alguns atalhos, já que o Novo Testamento jamais apresenta uma lista dessas Escrituras, mas o conjunto de textos aceito pelo povo judeu é o mais próximo que podemos ir na identificação da coletânea de livros que Jesus e os escritores neotestamentários tiveram à disposição. A igreja também veio a aceitar alguns livros adicionais, como Macabeus e Eclesiástico, tradicionalmente denominados "apócrifos", os livros que estavam "ocultos" — o que veio a implicar "espúrios". Agora, com frequência, são conhecidos como "livros deuterocanônicos", um termo mais complexo, porém menos pejorativo; isso simplesmente indica que esses livros detêm menos autoridade que a Torá, os Profetas e os Escritos. A lista exata deles varia entre as diferentes igrejas. Para os propósitos desta série que busca expor o "Antigo Testamento para todos", consideramos como "Escrituras" os livros aceitos pela comunidade judaica, embora na Bíblia judaica eles sejam apresentados em uma ordem distinta, classificados como a Torá, os Profetas e os Escritos.

Elas não são "antigas" no sentido de antiquadas ou ultrapassadas; às vezes, gosto de me referir a elas como o "Primeiro Testamento" em vez de "Antigo Testamento", para não deixar dúvidas. Quanto a Jesus e aos autores do Novo Testamento, as antigas Escrituras foram um recurso vívido na compreensão de Deus e dos caminhos divinos no mundo e conosco. Elas foram úteis "para o ensino, para a repreensão, para a correção e para a instrução na justiça, para que o homem de Deus seja apto e plenamente preparado para toda boa obra" (2Timóteo 3:16-17). De fato, foram para todos, de modo que é estranho que os cristãos pouco se dediquem à sua leitura. Assim, o objetivo, com esses volumes, é auxiliar você a fazer isso.

Meu receio é que você leia a minha obra, não as Escrituras. Não faça isso. Aprecio o fato de esta série incluir grande parte do texto bíblico, mas não ignore a leitura da Palavra de Deus. No fim, essa é a parte que realmente importa.

UM ESBOÇO DO ANTIGO TESTAMENTO

Embora o Antigo Testamento cristão contenha os mesmos livros da Bíblia judaica, eles são apresentados em uma ordem diferente:

- Gênesis a Reis: Uma história que abrange desde a criação do mundo até o exílio dos judaítas na Babilônia.
- Crônicas a Ester: Uma segunda versão dessa história, prosseguindo até os anos posteriores ao exílio.
- Jó, Salmos, Provérbios, Eclesiastes, Cântico dos Cânticos: Alguns livros poéticos.
- Isaías a Malaquias: O ensino de alguns profetas.

A seguir, há um esboço da história subjacente a esses livros (não forneço datas para os eventos em Gênesis, o que envolve muito esforço de adivinhação).

1200 a.C.   Moisés, o êxodo, Josué
1100 a.C.   Os "juízes"
1000 a.C.   Saul, Davi

INTRODUÇÃO

900 a.C. Salomão; a divisão da nação em dois reinos:
Efraim e Judá

800 a.C. Elias, Eliseu

700 a.C. Amós, Oseias, Isaías, Miqueias; Assíria, a superpotência; a queda de Efraim

600 a.C. Jeremias, rei Josias; Babilônia, a superpotência

500 a.C. Ezequiel; a queda de Judá; Pérsia, a superpotência; judaítas livres para retornar para casa

400 a.C. Esdras, Neemias

300 a.C. Grécia, a superpotência

200 a.C. Síria e Egito, os poderes regionais puxando Judá
de uma forma ou de outra

100 a.C. Judá rebela-se contra o poder da Síria e obtém a
independência

0 a.C. Roma, a superpotência

JÓ

Logo após o meio do Antigo Testamento, começa uma sequência de livros poéticos que lidam com aspectos da vida diária,
a saber: relacionamentos pessoais, dinheiro, amor, dúvidas,
sofrimento e oração. Pode parecer estranho iniciar com o
tema do sofrimento (Jó) e, então, abordar a oração (Salmos)
e, depois, as questões da vida cotidiana (Provérbios), as dúvidas (Eclesiastes) e, por fim, o amor (Cântico dos Cânticos),
mas a ordem reflete a ordem cronológica das personagens às
quais os textos estão associados. A história de Jó pode levar as
pessoas a pensarem que a sua vida está situada na época dos
ancestrais de Israel, como Abraão. Davi é o santo padroeiro
da salmodia. Salomão é o santo padroeiro da sabedoria, como
expresso em Provérbios, Cântico dos Cânticos e Eclesiastes.

Seguindo a narrativa de Gênesis a Ester, a história de Jó
também constitui uma surpresa, pois ela não foca as tratativas

de Deus com Israel, ao longo dos séculos, como os livros anteriores. Na realidade, o texto de Jó não faz nenhuma referência ao êxodo, à aliança, à Torá, aos profetas ou ao Dia do Senhor. Nesse aspecto, ele pertence ao grupo formado por Provérbios, Eclesiastes e Cântico dos Cânticos. Esses quatro livros não focam os atos de Deus na história, mas as questões sobre a compreensão do mundo, da vida humana e a experiência da nossa vida cotidiana. Os livros anteriores, tais como Êxodo e Deuteronômio, também eram preocupados em nos ajudar a compreender o mundo e a vida humana, além de saber como viver a nossa vida diária. Todavia, Jó, Provérbios, Eclesiastes e Cântico dos Cânticos abordam essas questões de uma forma distinta. Em vez de apelarem para o modo com que Deus agiu em eventos como o êxodo, eles recorrem à forma como a própria vida é; refletem sobre a natureza da experiência humana cotidiana. Isso não significa que deixam Deus ou a moralidade de fora — os livros os incluem como parte da experiência humana. No entanto, com o objetivo de mostrar como compreender e viver a vida com Deus, eles olham empiricamente sobre o modo pelo qual a vida funciona. Ao fazer isso, Jó, Provérbios e Eclesiastes, com frequência, usam palavras como "sabedoria" ou "conhecimento" para descrever o seu foco. Mas, embora toda a Bíblia esteja envolvida com sabedoria ou conhecimento, esses livros são, em geral, chamados de "literatura de sabedoria".

Há, então, dois aspectos em relação ao modo de esses livros retratarem esses temas. Por um lado, eles podem ver que a vida possui regularidades, padrões e lógica. Existem maneiras pelas quais isso normalmente funciona. Com base nesses padrões, pode-se descobrir como viver a vida. Por outro lado, contudo, eles também podem ver que a experiência humana nem sempre se encaixa nesses padrões. Algumas vezes, tem-se a impressão de que há tantas exceções à regras quanto experiências que se encaixam nelas. Provérbios e Cântico dos Cânticos, então, concentram-se nas regras, na ordem que caracteriza a vida humana, embora eles igualmente reconheçam que a vida não é totalmente previsível. Jó e Eclesiastes focam as experiências que fogem às regras, apesar de também reconhecerem essas regras.

Jó discute uma experiência que não se encaixa nas regras, ao contar a história de um homem que era plenamente comprometido com Deus, mas cuja vida desmoronou por meio de uma série de catástrofes; ele, no entanto, foi restabelecido. O livro discute as questões que essa classe de experiência suscita, ao adotar a forma de uma peça teatral, na qual diferentes personagens apresentam percepções distintas sobre como podemos compreender a experiência de Jó. Esse dispositivo possibilita expressar as diferentes percepções sem se obrigar a definir uma delas como correta. Embora algumas dessas percepções possam lançar mais ou menos luz sobre a história particular de Jó, nenhuma delas contém toda a verdade, do mesmo modo que nenhuma delas está totalmente errada.

Apesar de a história de Jó estar ambientada em um período similar ao de Abraão, isso, claro, não significa que foi escrita nessa época. A exemplo de muitos livros do Antigo Testamento, o texto nos fornece poucas indicações concretas sobre quando foi escrito, e muitas datas têm sido sugeridas. Essa questão tem menos relevância do que em relação a outros livros do Antigo Testamento precisamente porque o assunto discutido por ele é de escopo humano eterno. A exemplo de outros livros independentes, tais como Rute e Jonas, presumo que Jó seja baseado em uma história real, mas, caso o livro fosse pura ficção, isso em nada diminuiria a sua importância. Os discernimentos que o livro sugere são independentes de a história ser real ou fictícia. Um dos motivos para duvidar que seja uma obra de ficção é o fato de a vida de uma pessoa boa desmoronar, como ocorreu com Jó, ser uma experiência suficientemente comum. Embora a restauração plena da vida dessa pessoa seja menos comum, isso pode ocorrer. Assim, não há motivos para duvidar de que a história não seja baseada em uma pessoa real. Por outro lado, aqueles que passam pela mesma classe de experiência de Jó, normalmente, não discutem as suas reações por meio de poesia, e isso, por si só, sugere que a história de algum indivíduo se tornou a base para a discussão das questões que ela aborda, as quais são questões humanas comuns.

Jó é o primeiro livro do Antigo Testamento cuja maior extensão é constituída de poesia, e será de grande auxílio em sua leitura ter ciência de um ou dois aspectos da poesia do Antigo Testamento. Primeiro, ela geralmente apresenta-se em linhas que incluem cerca de seis palavras hebraicas, embora a tradução das seis palavras, regularmente, exija o dobro de palavras em nosso idioma. Habitualmente, cada linha constituirá uma sentença completa, mas que irá se dividir em duas, de algum modo — a segunda metade da linha reafirmará ou esclarecerá a primeira; mas é possível, ainda, que a contraste, a elabore ou, simplesmente, a complete.

Segundo, como a maioria das poesias, a poesia do Antigo Testamento é mais sucinta que a prosa — ela é propensa a deixar de fora as pequenas palavras que preenchem sentenças comuns e as tornam mais fáceis de compreender. Essa característica a torna mais concentrada e significa exigir um esforço maior de nossa parte, os leitores — o que nos atrai a ela e nos envolve. Por outro lado, essa característica também dificulta a compreensão, o que, somado ao fato de o livro de Jó usar palavras hebraicas mais incomuns do que os demais livros, significa que o livro contém mais linhas que podem ser compreendidas em mais de uma maneira ou que são, simplesmente, mais intrigantes do que vemos nos outros livros. Portanto, se você comparar um número de traduções do livro de Jó, encontrará mais diferenças de substância entre elas do que ocorre com outros livros bíblicos. Isso não afeta a floresta, mas, com efeito, afeta as árvores.

Terceiro, a exemplo de grande parte da poesia, a poesia do Antigo Testamento usa imagens — símbolos, retratos, metáforas e símiles. "As flechas de Shaddai estão em mim; o veneno delas o meu espírito bebe", Jó afirma. "Sua confiança é uma casa de aranha", afirma Bildade. As imagens intensificam o impacto das coisas que poderiam ser ditas em prosa, bem como possibilitam dizer coisas que seriam impossíveis de ser ditas em linguagem prosaica. Na leitura, temos de ter atenção às imagens para compreender o significado delas e permitir que exerçam o devido impacto.

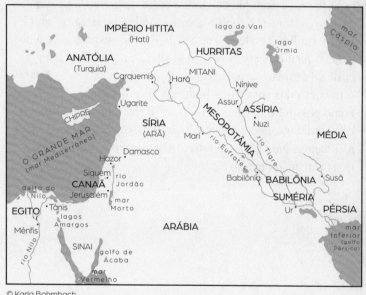

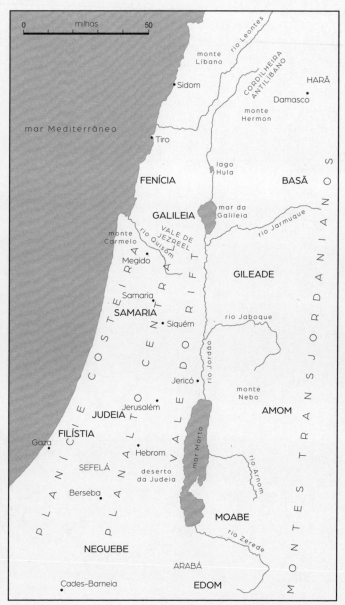

JÓ

JÓ 1:1–5

O HOMEM DE INTEGRIDADE

¹Havia um homem na terra de Uz, chamado Jó. Aquele homem era íntegro e reto, submisso a Deus e que se desviava do mal. ²Nasceram a ele sete filhos e três filhas. ³Suas posses incluíam sete mil ovelhas, três mil camelos, quinhentas parelhas de bois, quinhentos jumentos e inúmeros serviçais. Aquele homem era maior do que todas as pessoas do Oriente. ⁴Seus filhos costumavam dar banquetes na casa de cada um em seu dia, e enviar convite às suas três irmãs para comerem e beberem com eles. ⁵Quando os dias do banquete tinham completado o seu turno, Jó os chamava e os santificava, e levantava cedo de manhã e fazia ofertas queimadas [de acordo com] o número de todos eles, porque Jó dizia: "Talvez meus filhos tenham cometido ofensa e 'louvado' a Deus em seu coração." Assim, Jó agia todas as vezes.

Esta manhã, na capela do seminário, nos dedicamos ao estudo devocional do salmo 23, que envolveu refletir sobre que sentença do salmo falava a nós de modo especial. A expressão que saltou aos meus olhos foi "o meu cálice transborda". Estou casado há quatro meses e amo a minha nova esposa e a minha nova vida. Acabamos de comprar uma bicicleta e, pela primeira vez, fomos pedalando até a escola juntos; tenho um emprego que amo; meus dois filhos, minhas duas noras e meus dois netos na Inglaterra estão indo bem; e o sol está brilhando. No entanto, agora, deparo com Jó, e isso me faz lembrar de que já estive nesse caminho antes; quarenta e cinco anos atrás, estava recém-casado, desfrutando uma nova vida e um emprego que eu amava, mas a minha esposa teve uma enfermidade que, com o passar do tempo, a incapacitou e tirou a sua vida. O seu cálice pode transbordar, mas, então, ele pode secar. (Mas, talvez, o raio não caia duas vezes no mesmo lugar.)

O cálice de Jó estava transbordante. Ele tinha uma família repleta de filhos, a aljava dele também estava cheia, como expressa o salmo 127. Jó possuía um rebanho fantástico de ovelhas, camelos, bois e jumentos. Na realidade, Jó é bem-sucedido nos negócios. Ele é o Paul Getty ou o Bill Gates ou, ainda, o John D. Rockefeller de Uz. Ele precisava de todos os sete filhos para administrar as suas posses, bem como necessitava das três filhas para ajudá-lo a lidar com a vida social que resultaria de suas responsabilidades. Além disso, seria necessário um grande contingente de empregados para supervisionar a sua operação.

No entanto, antes de nos contar sobre a sua riqueza, a narrativa nos fala de seu caráter. Primeiro, Jó era reto, um homem de integridade. Mais literalmente, ele era "inteiro" em um sentido moral, a exemplo de Noé e como Deus esperava que Abraão fosse. Havia certa simplicidade nele. O que você via externamente era o que ele era interiormente. Algumas traduções usam a palavra "irrepreensível", mas esse é um termo enganoso, pois sugere a ausência de qualidades ruins. De fato, não havia muito em Jó que ele precisasse esconder, mas a palavra para "íntegro" ou "direito" estabelece uma avaliação positiva de seu caráter. Além disso, "irrepreensível" sugeriria sem pecado, e o próprio Jó, mais adiante, irá reconhecer que ninguém é sem pecado. Na verdade, o Antigo Testamento não presume que alguém possa ser isento de pecados, mas considera que somos responsáveis pela nossa retidão, por sermos pessoas de integridade. É possível haver uma direção moral verdadeira para a nossa vida.

Segundo, Jó era "reto"; essa imagem sobrepõe-se à retidão. O Antigo Testamento gosta de retratar a vida como andar por um caminho. O nosso trabalho é permanecermos no caminho reto e não nos desviarmos dele nem para a direita nem para a esquerda. O desvio é considerado transgressão, uma das imagens comuns do Antigo Testamento para delito ou pecado. Deus estabeleceu um caminho moral reto diante de nós, e a nossa tarefa é seguir nessa trilha. Jó faz isso.

Terceiro, Jó era submisso a Deus. Nesse sentido, as traduções falam de Jó "temendo" a Deus, o que pode, uma vez mais, dar uma impressão equivocada. O Antigo Testamento utiliza as mesmas palavras para a submissão positiva, a reverência ou o respeito, e o temor negativo. Às vezes, o texto refere-se a circunstâncias nas quais as pessoas estão certas em ter medo de Deus, porque agiram mal; contudo, mais frequentemente, o texto usa as palavras que podem significar "temor" para descrever uma atitude positiva em relação a Deus. Caso você deseje ser uma pessoa de sabedoria, o Antigo Testamento declara, essa submissão, essa reverência, esse respeito ou esse temor por Deus é o início ou primeiro princípio a ser adotado. Na verdade, Jó 28, no devido tempo, nos revelará que essa submissão ou esse temor simplesmente *é* sabedoria. Considerando que esse respeito por Deus significa obedecer ao que ele diz, isso está intimamente ligado com integridade e retidão. Deus é reto e íntegro, e expressamos respeito por ele ao andarmos no caminho que não é apenas o caminho que ele nos direciona, mas também o caminho no qual o próprio Deus anda.

Quarto e inversamente, então, Jó era uma pessoa que se desviava do mal. Uma vez mais, a sentença sugere a imagem de andar pela vereda correta e, portanto, de evitar a vereda errada. A sentença também reforça a suposição do Antigo

Testamento de que as atitudes em relação à vida e a um relacionamento com Deus podem caminhar juntos. Ao lermos o salmo 23, nesta manhã, eu poderia ter me concentrado na citação "não temerei mal algum", que apresenta essa palavra "mal" para denotar o mal que me acontece, não o mal que eu faço. É interessante que tanto o nosso idioma quanto o hebraico utilizem uma mesma palavra para cada uma dessas formas de mal. Isso aponta para a suposição de que há uma ligação entre elas. Se você evitar fazer o mal, evitará experimentar o mal. Deus criou o mundo como um lugar no qual as coisas se encaixam e, portanto, de uma forma apropriada. O uso pelo Antigo Testamento daqueles outros termos que descrevem a natureza moral de Jó estabelece o mesmo ponto. As palavras para retidão e integridade aparecem com mais frequência em Provérbios, com promessas de que as pessoas retas e íntegras são aquelas capazes de permanecer em sua terra; aqueles que não são assim a perderão. A retidão de pessoas íntegras as conduz a um destino bom. *Yahweh* é um escudo para pessoas que andam retamente; os que assim caminham o fazem com segurança (Provérbios 2; 3; 10; 11). "Os meus pés estão firmes na retidão", declara o salmista, no salmo 26; é com base nisso que posso suplicar pelo auxílio divino. Eis o motivo pelo qual o temor a *Yahweh* é o primeiro princípio para viver uma vida excelente.

Jó é a prova disso; ele é um homem que não se enganava quanto à retidão, à integridade, ao respeito por Deus e o distanciamento do mal. E o começo do livro mostra como a sua vida incorpora o que acontece a um homem que põe em prática esses princípios na sua vida.

A abertura do livro acrescenta um retrato concreto de sua piedade e da plenitude de seu cálice. Talvez não haja nada que dê a um pai um sentimento de realização e de gratidão maior

JÓ 1:1-5 • O HOMEM DE INTEGRIDADE

do que ver os filhos crescerem e se tornarem adultos felizes e responsáveis. No seio de uma sociedade antiga, haveria uma dimensão extra a essa realização e gratidão porque muitos filhos morriam ainda na infância. É possível que isso não tenha ocorrido àquele casal, mas, caso tenha acontecido, eles, no entanto, desfrutavam a felicidade de verem o amadurecimento de dez filhos. Todos vivem em suas próprias casas, a exemplo dos filhos de Davi; talvez sejam casados, embora a história dê a impressão de que as filhas ainda sejam solteiras. É possível que o "dia" ao qual a narrativa se refere, quando cada um deles dava uma grande celebração que, evidentemente durava mais de um dia de 24 horas, fosse o aniversário de cada um. Ao que parece, ainda, os pais não participavam dessa celebração; esse é outro aspecto de ter filhos amadurecidos.

Não obstante, eles jamais deixam de ser filhos, e, assim, os pais jamais deixam de se sentir responsáveis pela condição espiritual deles. Isso está inserido na visão que o Antigo Testamento tem da família, embora em Gênesis e em Jó haja uma faceta extra ao modo pelo qual as coisas funcionam. Não há sacerdotes nem santuário central; na verdade, o cabeça patriarcal é o sacerdote, e, talvez, a implicação seja a de que a capela da família está localizada na sua própria casa. Jó possui responsabilidade sacerdotal por seus filhos e ele não falha em cumpri-la. Suponha que o banquete tenha envolvido alguma transgressão acidental de propriedade — imagine que, acidentalmente, o cardápio incluísse algo que estivesse na lista de alimentos que Deus instruiu para não serem consumidos. Ou, caso os filhos e as filhas fossem casados, não seria nenhuma surpresa se houvesse alguma atividade sexual ao longo dos dias de celebração e, então, fosse necessário um ritual de purificação antes da adoração que Jó planeja para o dia seguinte (a **Torá** prescreve essa purificação).

Desse modo, primeiro Jó cumpre essa necessidade de purificação por meio de uma cerimônia de santificação, a qual lidaria com qualquer tabu que seus filhos tenham infringido, abrindo caminho, portanto, para a oferta de sacrifícios no dia seguinte; acordar cedo é, então, um sinal (a exemplo de outras passagens no Antigo Testamento) de adotar um compromisso especial na realização de algo. Os sacrifícios reforçariam um apelo a Deus para perdoar qualquer pecado real em oposição à quebra de tabus. A referência a um possível pecado é intrigante. Presumidamente, não há nada de errado em louvar a Deus no coração; a consideração comum é que seja um eufemismo para menosprezar Deus no coração (daí eu ter colocado o verbo louvar entre aspas). Em outras palavras, eles podem ter se comprometido com Deus apenas no exterior, mas, em segredo, podem ter orado a uma outra divindade, ou podem, no íntimo, ter atribuído as suas extensas posses às próprias capacidades em vez de a Deus. O Antigo Testamento reconhece a importância de que esse compromisso com Deus seja tanto interior quanto exterior. A preocupação de Jó, portanto, demonstra o seu comprometimento com a sua família e com Deus, enquanto busca apelar a Deus com respeito a um possível pecado interno, além dos externos, que seriam evidentes aos demais.

JÓ **1:6–12**
ALIANÇA OU CONTRATO?

⁶Chegou um dia em que os seres divinos vieram apresentar-se a *Yahweh*. O adversário também veio entre eles. ⁷*Yahweh* disse ao adversário: "De onde você vem?" O adversário replicou a *Yahweh*: "De perambular pela terra e andar por ela." ⁸*Yahweh* disse ao adversário: "Você atentou para Jó, o meu servo, porque não há ninguém igual a ele na terra, um homem reto e íntegro, submisso a Deus e que se desvia do mal?" ⁹O adversário

JÓ 1:6-12 • ALIANÇA OU CONTRATO?

> replicou a *Yahweh*: "Será que é por nada que Jó se submete a Deus? [10]Não o cercaste, à sua casa e a tudo o que ele possui, tudo ao seu redor? Tu abençoaste o trabalho de suas mãos, e suas posses se espalharam pelo país. [11]Por outro lado, estende a tua mão e toca em tudo o que ele tem. Vê se ele não te 'louvará' na tua face [...]." [12]*Yahweh* disse ao adversário: "Eis que tudo o que ele tem está em suas mãos. Somente contra ele você não pode estender a sua mão." Assim, o adversário saiu da presença de *Yahweh*.

Ontem, o escritório da empresa de manutenção do sistema de ar condicionado/aquecimento ligou. Após enfrentarmos um grande problema com esse aparelho no ano passado, contratei um serviço de manutenção com o intuito de evitar a recorrência de problemas daquela magnitude, de maneira que, agora, pago certa quantia por ano e a empresa contratada faz uma verificação periódica desse aparelho. Enquanto os meus pagamentos estiverem em dia, a empresa virá fazer essa verificação a cada semestre; enquanto eles cumprirem essa checagem duas vezes ao ano, continuarei enviando o cheque. Um contrato é mútuo, como um compromisso condicional desse tipo; é diferente de uma **aliança**. Quando a minha esposa e eu nos casamos algumas semanas atrás, estabelecemos uma espécie de acordo mútuo. Ele não depende da capacidade de um de nós em assinar cheques; é para os mais ricos e também para os mais pobres. Ele independe de ficarmos doentes e não sermos mais capazes de cumprir plenamente os papéis esperados de um marido ou de uma esposa; vale na saúde e na doença. Não depende dos sentimentos de uma ou de outra pessoa; é até que a morte nos separe. O nosso relacionamento com Deus é mais parecido com um contrato ou com uma aliança?

JÓ 1:6-12 • ALIANÇA OU CONTRATO?

A questão é levantada durante o encontro do gabinete de **Yahweh** que a história de Jó, agora, reporta. Eu costumava pensar em Deus solitário no céu, assentado em glorioso esplendor, mas em isolamento. Tratava-se de uma suposição estranha, reconheço, porque as Escrituras deixam claro, do começo ao fim, que é um lugar cheio e agitado. Deus não governa o mundo sozinho, mas possui um vasto exército de ajudantes que estão envolvidos na implementação do desígnio divino no mundo. Tampouco Deus toma as decisões sozinho; a exemplo de qualquer poder soberano, ele possui um gabinete que toma parte no processo decisório. O livro de Jó refere-se a eles como "seres divinos" ou, mais literalmente, "filhos de Deus" ou "filhos dos deuses". É necessário lembrar que o Antigo Testamento utiliza a palavra para "Deus" ou "deuses" em um sentido mais amplo do que o nosso uso para a palavra "Deus"; ele usa o termo para significar algo como "seres sobrenaturais". Claro que o Antigo Testamento reconhece, do princípio ao fim, que existe uma distinção entre *Yahweh* e outros seres sobrenaturais; em nossos termos, somente *Yahweh* é Deus. Esses outros "seres divinos" ou "filhos dos deuses" não são descendentes de Deus. No salmo 2, Deus chama o rei israelita de "meu filho". Ser filho de Deus não o torna divino.

Não tenho certeza sobre por que Deus escolheria compartilhar a tomada de decisões e a implementação delas com outros seres celestiais, do mesmo modo que desconheço o motivo de Deus escolher seres humanos no cumprimento do seu propósito em lugar de fazer tudo sozinho. Eu não ficaria surpreso ao descobrir que isso surgiu do prazer em compartilhar responsabilidade em vez de insistir em realizar tudo por si mesmo. Em outras palavras, é uma expressão de amor. Creio também que, de uma forma paradoxal, a consciência de que Deus envolve seres celestiais subordinados como agentes divinos eleva a percepção de que Deus é o verdadeiro Rei; um soberano não faz tudo sozinho. A ideia de que Deus compartilha a responsabilidade e governa dessa forma possui, igualmente, um poder explanatório significativo, a exemplo da consciência de que Deus compartilha a autoridade com os seres humanos. Tanto os seres celestiais quanto os terrenos possuem a capacidade de ignorar as direções dadas por Deus para exercerem o seu poder, e isso oferece parte da explicação do motivo pelo qual as coisas dão errado — no céu, evidentemente, não apenas na terra.

Assim, essa segunda cena no livro de Jó reporta o que talvez seja uma reunião regular do gabinete celestial, à qual os subordinados de Deus compareçam para relatar as suas atividades, ocasião na qual o gabinete também toma decisões quanto ao que precisa ser feito. Na verdade, a reunião pode ser uma que ilustra a capacidade de os seres celestiais se rebelarem contra Deus, porque seria fácil traduzir a descrição do evento como sendo uma reunião deles *contra* Deus.

Certamente, há um lado agressivo na atitude do "adversário". A palavra hebraica para adversário é satanás, e as traduções, em geral, usam o nome *Satanás* como referência a esse adversário, mas essa é outra tradução equivocada. Satanás é um termo hebraico para um adversário; assim, pode ser usado em referência a um inimigo humano. No Antigo Testamento, o termo não representa um nome; regularmente, possui o artigo "o" na frente dele. Em uma das outras ocorrências dessa palavra, como referência a um ser sobrenatural, em Zacarias 3, "o adversário" é, novamente, uma figura em um cenário da corte celestial, de modo que o termo parece denotar especialmente alguém que seja um adversário legal, uma espécie de advogado de acusação. Esse é o papel que o adversário desempenha em Jó. Um advogado de acusação não é um oponente do juiz. Tanto o advogado de acusação quanto o de defesa estão ali presentes para assegurar que a lei seja mantida. Com esse objetivo é que o advogado de acusação trabalha para apresentar o caso mais condenatório possível contra o réu, ao passo que o trabalho do advogado de defesa é apresentar o caso mais sólido possível para a absolvição do réu. No gabinete de *Yahweh*, então, a função do adversário é garantir que as pessoas não consigam se livrar daquilo do qual não deveriam se livrar. Nesse aspecto, ele é um servo de *Yahweh*. Na Grã-Bretanha, referimo-nos ao partido de oposição, no parlamento, como a "oposição leal" do monarca, ainda que o partido de oposição seja contrário ao governo de Sua Majestade. Ser leal ao monarca significa levantar questões sobre as políticas governamentais para garantir que o governo não fique impune das propostas que possuem furos. O adversário desempenha um papel análogo no gabinete de *Yahweh*.

Claro que o partido de oposição pode se deixar levar por sua contestação ao governo, e, da mesma forma, o adversário pode também se deixar levar por sua função. Talvez essa possibilidade explique o motivo pelo qual o adversário se transforma em Satanás, o governante do reino do ar, o grande dragão, no Novo Testamento. Contudo, é válido observar que algumas passagens do Novo Testamento sugerem uma compreensão do papel de Satanás que é mais parecido com aquele em Jó; a história sobre a tentação de Jesus no deserto constitui um exemplo. E, por outro lado, o Antigo Testamento assume a existência de uma entidade que incorpora uma oposição direta e agressiva a Deus, a exemplo daquela exercida por Satanás; iremos deparar com essa entidade no capítulo 41 de Jó.

O relato no capítulo inicial de Jó protege contra o perigo de Deus ser muito brando. O Antigo Testamento sabe que o instinto divino, afinal, é ser misericordioso, embora Deus também deva assumir a responsabilidade pela condição moral do mundo, não dando a impressão de que o certo e o errado não importam. Deus está em uma posição similar à de um pai ou de uma mãe, cujos instintos são sempre deixar que os filhos saiam impunes, ou a posição de um professor, cujo desejo é que todos os seus alunos obtenham a nota máxima no exame. No entanto, os pais, às vezes, precisam exercer a disciplina, do mesmo modo que os professores, algumas vezes, precisam reprovar alunos. Caso contrário, a noção de padrões se torna sem significado tanto para os filhos quanto para os alunos. A vocação do adversário é levantar questões difíceis sobre as coisas pelas quais as pessoas possam estar impunes, e para provocar Deus a apelar para a sua capacidade de ser rígido e não ceder sempre ao seu instinto de ser misericordioso. Deus é quem designa o adversário para cumprir esse papel, e não é o adversário quem toma a iniciativa na discussão sobre a integridade de Jó. Deus suscita essa questão. O adversário está fora, realizando o seu trabalho de averiguar o que está acontecendo no mundo, e Deus lhe pergunta o que ele pensa de Jó.

Portanto, o retrato sugerido pelo capítulo inicial de Jó é digno de nota. A provação está inserida na maneira pela qual Deus criou o mundo e na forma de Deus se relacionar conosco, conforme a história sobre a tentação de Jesus ilustra (o Novo Testamento reforça o ponto em Romanos 5 e Tiago 1). A provação particular que recai sobre Jó está relacionada à questão sobre contrato ou aliança. Na verdade, a insinuação do adversário é de que a relação entre Deus e Jó pode ser mais parecida com um contrato do que com uma aliança. Bem, Jó é um homem de integridade, de retidão e de respeito a Deus sem igual, disciplinado em evitar o mal. Mas ele também é um homem de inigualável prosperidade. Esses dois fatos estão relacionados de uma forma pouco saudável? O compromisso de Jó com Deus baseia-se apenas no que ele obtém de Deus? Por outro lado, o compromisso de Deus com Jó apenas existe porque Deus aprecia ter alguém que apresente ofertas e que se preocupe com o propósito e os padrões de Deus no mundo? O relacionamento entre Deus e Jó envolve uma forma de codependência insalubre?

JÓ **1:13–22**

QUANDO A VIDA DESMORONA

[13]Chegou um dia em que os seus filhos e filhas estavam comendo e bebendo vinho na casa do irmão mais velho. [14]Um ajudante veio a Jó e disse: "Os bois estavam arando e os jumentos estavam pastando ao lado deles, [15]e alguns sabeus vieram e os levaram, e mataram os rapazes com o fio da espada. Sou o único que escapou para lhe contar." [16]Enquanto esse homem ainda estava falando, outro veio e disse: "Fogo de Deus caiu dos céus, queimou os rebanhos e os rapazes e os consumiu. Sou o único que escapou para lhe contar." [17]Enquanto este ainda estava falando, veio outro e disse: "Alguns caldeus formaram três colunas, e fizeram um ataque sobre os camelos e os levaram, e mataram os rapazes com o fio da espada. Sou o único que escapou para lhe contar." [18]Enquanto este falava, outro veio e disse: "Seus filhos e suas filhas estavam comendo e bebendo vinho na casa do irmão mais velho, [19]e eis que um grande vento veio pelo deserto e derrubou os quatro cantos da casa. Ela caiu sobre os jovens, e eles morreram. Sou o único que escapou para lhe contar." [20]Jó levantou-se, rasgou o seu casaco e raspou a sua cabeça, caiu ao chão e prostrou-se, rosto em terra, [21]e disse: "Nu saí do ventre da minha mãe e nu voltarei para lá. *Yahweh* deu e *Yahweh* tomou. O nome de *Yahweh* seja louvado." [22]Em tudo isso, Jó não ofendeu. Ele não atribuiu impropriedade a Deus.

Alguns anos atrás, conheci um aluno excêntrico, durante um seminário de pós-graduação, outrora um gerente de produção de Hollywood, que, então, vivia em um iate, ancorado numa marina nas proximidades. Após completar o curso, ele decidiu navegar ao redor do mundo para distribuir Bíblias em lugares nos quais achava que elas eram necessárias. Algumas semanas atrás, o seu iate foi sequestrado por piratas somalis, mataram a ele, à sua esposa e a um outro casal. No mesmo fim de semana, um ônibus transportando jovens de uma igreja em nossa cidade, que possui muitas conexões com o nosso seminário, colidiu em uma estrada nas montanhas próximas. A colisão causou a morte do motorista e ferimentos em outros passageiros, incluindo um pastor, que era um estudante de nosso seminário, além de ferir gravemente a filha de outro aluno.

Como você reage quando esses eventos acontecem? Para Jó, eles atingiram não apenas pessoas de sua comunidade, mas devastaram a sua família nuclear e sua família mais ampla. Há muitos aspectos em relação à sua reação. Primeiro, ele não finge que nada daquilo aconteceu, que pode velejar por mares trágicos sem ser afetado. Ele se levanta do lugar no qual estava sentado, rasga o seu casaco e raspa a sua cabeça, sinais tradicionais de sofrimento e de lamento. Então, cai prostrado no chão. Essa é a atitude adotada diante de alguém superior a você e, portanto, uma conduta que reconhece que Deus é Deus, que denota submissão a esse Deus. Trata-se de uma das atitudes naturais da adoração; o seu corpo expressa a conduta de sua vontade diante de Deus.

Agora, Jó sabe que o reconhecimento de Deus deve ser uma questão de atitude interior; fomos informados de que ele tinha ciência da possibilidade teórica de que seus filhos pudessem estar cultuando algum outro deus em segredo, ainda que, ao mesmo tempo, adorassem publicamente **Yahweh**. Era um problema regular em Israel, cujos habitantes pertenciam oficialmente a um povo que reconhecia *Yahweh*, mas que, com frequência, jogavam para os dois lados orando secretamente a outros deuses. De modo similar, as pessoas em algumas regiões do nosso mundo podem frequentar a igreja aos domingos, mas observam outras práticas religiosas, confiam mais em sua conta bancária ou em sua posição social durante a semana. Sim, Jó sabe que a atitude íntima importa tanto quanto a observância externa. Todavia, aqui ele mostra como também sabe que a atitude exterior é tão importante quanto a interior, pois possuímos um corpo do mesmo modo que temos um coração, e nos relacionamos com Deus usando ambos. Jó, instintivamente, sabe que não se pode adorar a Deus apenas sentado; tudo o que ele pode fazer é cair prostrado, com o rosto em terra.

A adoração não é somente uma questão de atitude e de comportamento; também envolve palavras. As palavras de Jó correspondem às suas ações, e estas sugerem que ele está se desnudando em sua humanidade. Rasgar as próprias roupas é um sinal de desnudamento. O ato de raspar os seus longos cabelos denota remover uma das marcas de sua virilidade e distinção, levando-o de volta à condição na qual nasceu. As tragédias que, subitamente, caíram sobre ele significam que tudo lhe foi retirado. Ele nada mais possui. (Trata-se de um exagero da parte de Jó, pois sua esposa não está entre os que perderam a vida, e ela tem todo o direito de ficar chateada com a declaração do marido, mas um homem que está passando por uma experiência tão trágica pode se permitir a um pouco de exagero.) Ele nasceu nu, e assim irá morrer. Jó fala como se a morte significasse retornar ao ventre materno; na realidade, significa voltar ao ventre da mãe terra.

A adoração por meio de palavras, então, surge na declaração que se segue: *Yahweh* deu; *Yahweh* tomou. Tais palavras são expressas como declarações de fato, embora seja possível vê-las, novamente, como um exagero ou uma simplificação excessiva. O acúmulo de casas, de bois, de jumentos, de ovelhas e de camelos dificilmente ocorreria sem muito trabalho e dedicação de Jó. A propósito, sem o seu envolvimento (e também de sua esposa) não haveria filhos. Contudo, Jó também reconhece que, nesse caso, sem o envolvimento de Deus, nada disso seria realidade em sua vida. Da mesma forma, a sua declaração de que Deus tomou tudo de volta é um reducionismo excessivo. Talvez "fogo de Deus" signifique exatamente isso, embora uma expressão como essa, em geral, simplesmente signifique um fogo extraordinário, não natural (do mesmo modo que, às vezes, dizemos: "desfrutamos horas divinas" — ou quando as companhias de seguro falam sobre "um ato de Deus"). No entanto, ainda que o grande vento parecesse mais do que meramente natural, foram os sabeus e os caldeus que causaram grande parte dos danos, e, mesmo que Jó enxergasse a mão de Deus por trás deles, saberia que os inimigos decidiram, em suas próprias mentes, realizar os ataques.

O instinto de Jó de atribuir todos os desastres a Deus contrasta com os instintos de muitas pessoas. Com frequência, apreciamos deixar Deus fora da responsabilidade pelo que acontece ao acusarmos o livre-arbítrio humano, apesar de ainda ser possível acusar Deus por problemas decorrentes de ele ter dado aos humanos esse livre-arbítrio. Jó tem uma rigorosa e ousada doutrina da soberania e responsabilidade divinas. A vantagem dessa doutrina é ela poder ser um fundamento para a oração. Se Deus está em ação, podemos suplicar a ele que mude as coisas. Jó assume que Deus é, de fato, o presidente do gabinete celestial. Nada acontece sem a concordância divina. Jó reconhece que Deus pode tomar de volta tudo o que ele possui tão facilmente quanto ele o concedeu, em primeiro lugar. A declaração poderia muito bem ser um protesto, não uma expressão de submissão. Entretanto, as palavras seguintes removem qualquer ambiguidade, pois Jó louva o nome de *Yahweh*.

É digno de nota que a história use o nome de *Yahweh* como referência a Deus. Ela faz o mesmo ao relatar a cena no céu e, agora, coloca o nome *Yahweh* nos lábios de Jó. Esse fato suscita a questão sobre a qual povo Jó pertence. Não sabemos com exatidão a localização da terra de Uz, mas a referência ao povo do Oriente sugere que Uz situava-se em algum lugar depois do Jordão, além dos limites de Israel. Em Lamentações 4, parece que os edomitas vivem em Uz, o que se encaixaria no relato, porque eles vivem a sudeste de Israel. Uma associação entre Jó e Edom seria um fato revelador, pois profetas como Jeremias e Obadias referem-se aos edomitas como se eles fossem um povo que gozava da reputação de serem inteligentes e instruídos. Desse modo, o cenário do livro de Jó reside fora de Israel, e Jó, além de outros personagens presentes no livro, não são israelitas. Portanto, é natural que eles não façam menção ao êxodo, à **aliança**, e assim por diante. A tentativa do livro de dar sentido à experiência de Jó trabalha com as melhores considerações disponíveis a pessoas comuns inteligentes e instruídas, que não têm ciência do êxodo e da aliança, ou, pelo menos, não fazem as suas reflexões à luz dessas realidades.

Um homem de Uz não saberia a respeito desses eventos caso vivesse na mesma época de Abraão, ou mesmo em um período posterior, e não teria o nome do Deus de Israel em seus lábios, embora os israelitas que escreveram essa história certamente soubessem que *Yahweh* é o único Deus.

Desse modo, caso Jó estivesse adorando a Deus, ele estaria adorando a *Yahweh*, ainda que não soubesse disso, e, portanto, o autor colocou o nome de *Yahweh* em seus lábios. De modo similar, a referência a Jó santificando os seus filhos, a questão sobre se eles consumiram algum alimento proibido e a alusão à sua oferta de sacrifícios lembrarão a espécie de instruções sobre alimentação, purificação e sacrifícios dados por Deus a Israel na **Torá**. O público-alvo da história saberia do que o livro estava falando. Assim, a presença do nome de *Yahweh*, além das referências à purificação e aos sacrifícios, indica que a localização da história em Uz é uma espécie de recurso literário. Trata-se de uma história destinada a auxiliar israelitas, pessoas que reconhecem a adoração a *Yahweh*. No entanto, ela funciona ao não incluir considerações que seriam sugeridas pela citação do êxodo e da aliança. Talvez o motivo seja o fato de esses eventos terem ocorrido muito tempo atrás e não exercerem grande poder sobre as pessoas de hoje. Dessa maneira, a história considera o que pode ser feito com a questão sobre por que coisas ruins acontecem a pessoas boas, quando não lançamos mão do êxodo e da aliança. Ao longo de todo o livro, descobriremos que as verdades sobre o relacionamento de Deus com Israel jazem sob a sua superfície e, às vezes, claramente, emergem acima dela.

As palavras de Jó a Deus sugerem que a submissão simbolizada por sua atitude externa é o fato real. Ele, realmente, submete-se a Deus e não fala de uma forma que poderia constituir uma "ofensa" a Deus. A palavra hebraica é a mesma, regularmente, traduzida por "pecado", sugerindo frustrar as expectativas de Deus ou falhar em agir do modo requerido por ele. A ofensa seria a de acusar Deus de agir inadequadamente. Jó reconhece que Deus tem o direito de decidir como agir.

JÓ 2:1-8
PELE POR PELE

¹Chegou um dia em que os seres divinos vieram apresentar-se a *Yahweh*. O adversário também veio entre eles. ²*Yahweh* disse ao adversário: "De onde você vem?" O adversário replicou a *Yahweh*: "De perambular pela terra e andar por ela." ³*Yahweh* disse ao adversário: "Você atentou para Jó, o meu servo, porque não há ninguém igual a ele na terra, um homem reto e íntegro, submisso a Deus e que se desvia do mal? Ele ainda mantém a sua integridade. Você me incitou contra ele para destruí-lo por nada." ⁴O adversário replicou a *Yahweh*: "Pele por pele! Tudo o que um homem possui, ele dará por sua vida. ⁵Por outro lado, estende a tua mão e toque os ossos e a carne dele. Vê se ele não te 'louvará' na tua face [...]." ⁶*Yahweh* disse ao adversário: "Aí está ele, nas suas mãos. Apenas preserve a vida dele." ⁷Assim, o adversário saiu da presença de *Yahweh* e atingiu Jó com uma inflamação maligna desde a sola do pé até a sua cabeça, ⁸e ele pegou um pedaço de cerâmica para raspar-se, enquanto ficava sentado em meio a cinzas.

Minha primeira esposa viveu com esclerose múltipla por quarenta e três anos. Foi após um terço desse período que a enfermidade começou a ter um efeito permanente sobre ela. Ann passou a ter dificuldades de locomoção, além de momentos difíceis com problemas de compreensão e de memória, e, naturalmente, não tinha mais a mesma energia para se relacionar comigo que tinha antes, quando éramos mais jovens. Então, Ann viveu por mais vinte e cinco anos, com a doença cobrando cada vez mais o seu preço. Uma das minhas reflexões inquietantes, naquela época, passado um terço de nosso casamento, é que, se eu soubesse por quanto tempo mais o seu crescente processo de incapacidade iria durar, creio que não conseguiria lidar com esse conhecimento. No entanto, a natureza gradual do processo permitiu-me uma constante adaptação às novas realidades. A minha imagem de como isso transcorreu é de um treinamento com pesos (não que eu tenha feito isso!). Você aprende a levantar um peso e não se imagina capaz de levantar o dobro daquele peso, mas, gradualmente, aprende e se capacita a levantar pesos cada vez maiores.

Desse modo, pergunto-me se o adversário não errou em sua estratégia de vencer a resistência de Jó. Se ele tivesse atacado Jó pessoalmente, ao mesmo tempo que atacava os seus bens e a sua família, creio que ele teria mais chances de sucesso. Mas, talvez, os músculos espirituais de Jó tenham se fortalecido durante a sua primeira experiência de perda. Apesar da minha experiência com Ann, caso os seus filhos tivessem adoecido, sofrido e morrido lentamente, isso poderia ser mais difícil de lidar do que as suas mortes repentinas. A cena, agora, retrata outra reunião do gabinete celestial; talvez ela ocorra mensalmente, como as reuniões em meu seminário. Uma vez mais, *Yahweh* convida o adversário a relatar o que ele tem visto no cumprimento de sua tarefa de assegurar que ninguém saia impune das coisas das quais eles não deveriam ficar impunes, garantindo assim que a propensão de Deus a exercer misericórdia não saia do controle. Deus convida o adversário a concordar que Jó ainda demonstra ser íntegro. "Pele por pele", declara o adversário. Isso pode constituir uma acusação de que Jó considerava válido sacrificar a vida dos seus filhos para salvar a sua, ou que Jó atacará a pessoa de Deus caso seja permitido que o adversário ataque a pessoa de Jó.

Pode-se imaginar que Deus tivesse a resposta ao questionamento sobre a integridade de Jó. Deus não sabe todas as coisas? Deus não é capaz de fazer tudo sem experimentos? Deus não consegue esquadrinhar o coração das pessoas?

De fato, é surpreendentemente difícil encontrar passagens na Bíblia dizendo que Deus sabe todas as coisas, ao mesmo tempo que é fácil encontrar as que implicam o contrário. Deus consulta o seu gabinete e faz perguntas, e em outras passagens da Escritura Deus parece ter surpresas. Decerto, é verdade que Deus pode esquadrinhar o coração das pessoas e rodar projeções de computador, mas parece que Deus nem sempre escolhe fazer isso. Talvez Deus reconheça que o exercício da capacidade divina de saber tudo o que estamos pensando, antes de o expressar verbalmente, introduziria uma espécie de irrealidade (para não dizer tédio) no relacionamento de Deus conosco. Talvez ele aprecie que as coisas sejam estabelecidas em público. Deus não somente joga mentalmente conosco e apenas imagina o que podemos fazer. Deus permite que sejamos reais e que nos mostremos ao mundo e a Deus.

Há outra questão suscitada pelo relato dessas cenas no céu. A Escritura apresenta muitas cenas celestiais ou outras cenas que os autores não poderiam ter testemunhado, mas o relato bíblico também nos revela como as pessoas que descrevem a cena puderam testemunhá-la — por exemplo, Deus lhes deu uma visão. A exemplo de Gênesis 1, Jó 1 e 2 não faz nenhuma afirmação dessa espécie, o que me leva a pensar que seja, mais provavelmente, um produto da imaginação humana do que o resultado de uma visão sobre a qual o autor nada fala. Nesse aspecto, é similar às parábolas de Jesus. O autor tem ciência sobre o gabinete de Deus e sobre o adversário e, então, imagina uma cena no céu que poderia ser o pano de fundo da história de Jó.

O fato de a história ser imaginária não a torna inverídica. Seria como as histórias de fantasia de C. S. Lewis sobre o leão, a feiticeira e o guarda-roupa, que não são factuais, mas que incorporam verdades sobre Deus e sobre o relacionamento de Deus conosco. Muitas pessoas têm compreendido a afirmação de Lewis de que Aslan não é um leão domesticado, mas um leão bom, e isso as tem auxiliado na compreensão de Jesus. De modo similar, o relato dos eventos ocorridos no céu, no livro de Jó, pode nos dar um relato verídico quanto aos aspectos com os quais Deus governa o mundo, determinando os acontecimentos em um gabinete, aos quais não temos conhecimento e jamais teremos (a exemplo de Jó), ainda que a história seja produto de uma imaginação divinamente inspirada.

Não obstante, há uma questão contrária que o relato pode suscitar. Ele pode sugerir que Deus se relaciona com Jó como um gato brincando com um rato, ou que Deus permite que o adversário jogue com Jó daquela maneira. Quer a narrativa ofereça quer não um retrato literalmente factual da cena ocorrida no céu, ela oferece um relato verídico do relacionamento de Deus conosco? Eu não me importaria em pensar que considerações dessa espécie, que emergem da história, jazem por trás dos 43 anos com esclerose múltipla, vividos pela minha primeira esposa, ou da minha convivência com ela.

Agora, reconhecidamente, iremos descobrir que parte do ponto quanto a uma eventual aparição de Deus a Jó é dizer: "É difícil, mas lide com isso." E, talvez, Deus diria algo similar para mim (de fato, Deus disse algo assim, uma ou duas vezes). Todavia, quando descobrimos que a Escritura parece estar dizendo algo estranho, pelo menos é válido questionar se esse texto é a única passagem em que ela faz isso e, caso seja, se, de alguma forma, a estamos interpretando equivocadamente. Conquanto outras passagens da Bíblia estabeleçam o princípio geral de que Deus nos coloca à prova, retratem Deus envolvendo o seu gabinete na tomada de decisão e assumam que temos um adversário que, claro, não está do nosso lado como Deus está, os detalhes da história em Jó 1 e 2 não são recorrentes. Seria imprudente fundamentar a nossa compreensão do modo pelo qual Deus trabalha conosco nessa única passagem. Jamais cometeríamos o erro de dar um lugar central em nossa teologia a um tema que aparece em um só texto — a exemplo do milênio —, cometeríamos? (Resposta, caso não tenha refletido: Sim, cometemos, ou, pelo menos, muitas pessoas cometem.)

Quando Jesus nos conta parábolas, não baseamos a compreensão dos ensinos contidos nelas nos detalhes ali presentes apenas para fazer a história funcionar. Mesmo que o relato de Jó inclua uma descrição da reunião celestial em seu pano de fundo, o livro implica que a maioria das histórias humanas de sofrimento não tem tal cena como cenário e, portanto, a mensagem do livro para nós, dificilmente, está na cena celestial. De fato, veremos que Deus não "soluciona o problema de Jó" ao lhe revelar aquela cena; ela jamais chega ao conhecimento dele. O que a abertura do livro faz é viabilizar a imaginação de um cenário que poderia estar por trás dos eventos da história. Isso é o que eu penso às segundas, quartas e sextas-feiras. Às terças, quintas e sábados, penso que é uma história imaginativa que indica um ângulo verídico de como a vida de uma pessoa pode colapsar. (Aos domingos, eu vou à igreja e, então, à praia, se tiver sorte.)

JÓ **2:9–13**
O SILÊNCIO DOS AMIGOS

[9]Sua esposa lhe disse: "Você ainda mantém a sua integridade? 'Louve' a Deus e morra." [10]Ele lhe disse: "Você também fala como uma das mulheres estúpidas. Nós aceitamos o bem de Deus. Não aceitaremos o mal?" Em tudo isso, Jó não ofendeu com os seus lábios.

JÓ 2:9-13 • O SILÊNCIO DOS AMIGOS

> [11]Três amigos de Jó ouviram de todo este mal que viera sobre ele, e cada um veio de seu lugar: Elifaz, o temanita, Bildade, o suíta, e Zofar, o naamatita. Eles se encontraram por acordo para irem expressar a sua tristeza e confortá-lo, [12]mas, ao elevarem os seus olhos a distância, não o reconheceram. Eles levantaram a voz e choraram. Cada um deles rasgou o seu casaco e jogou terra sobre a sua cabeça, aos céus. [13]Assentaram-se com ele no chão durante sete dias e sete noites, com nenhum deles falando uma palavra a ele, porque viram que o seu sofrimento era muito grande.

No dia em que a minha primeira esposa faleceu, tínhamos planos de ir à praia, e, assim, fui sozinho no dia seguinte. Isso pode soar estranho, mas pareceu-me fazer sentido naquela hora. Quando voltei para casa, sentia-me feliz por ter ido, pois havia doze mensagens na secretária eletrônica de pessoas que tinham ido me levar comida ou apenas tinham passado e outras que desejavam expressar suas condolências, mas, na verdade, eu não queria ver ninguém. As pessoas consomem energia, e eu não tinha nenhuma. Igualmente, recebi mensagens por meio de cartões ou *e-mails* e, de certa forma, apreciei que fizessem isso, embora elas não me ajudassem em nada (exceto as que me lembraram de Ann e me fizeram chorar, mas que significavam algo).

Quanto a mim, não sei se resultaria em alguma melhora caso as pessoas viessem e ficassem ao meu lado em silêncio, como os amigos de Jó. Contudo, logo veremos que, tão logo esses amigos começam a abrir a boca, eles jamais cessam de importunar Jó, de modo que, no caso deles, o silêncio seria melhor. No entanto, tanto o silêncio quanto o discurso podem estar mais focados naquele que está falando ou em silêncio do que a pessoa a quem se tenta, supostamente, confortar.

Temã ficava em Edom, provável localidade de Uz; a localização de Suá e Naamate não é conhecida, mas há indícios de que fosse a leste de Canaã. Portanto, os amigos de Jó eram originários da mesma região. A exemplo de qualquer um que queira levar algum consolo a pessoas em sofrimento, os amigos demostram ter sentimentos complexos. Eles desejam expressar a sua tristeza a Jó e por ele. Literalmente, objetivam "tremer" por ele. A consolação dos amigos significará identificar-se com Jó e unir-se a ele, de maneira que seria natural expressar sofrimento. Eles desejam se solidarizar com Jó, e a empatia deles será expressa fisicamente. Os amigos almejam compartilhar da sua dor de um modo corporal. A consolação deles não se restringirá a pensamentos ou palavras gentis. E, talvez, a atitude de compartilhar a dor com ele daquela forma traga, de fato, conforto, porque, com frequência, a compreensão de conforto no Antigo Testamento é de que ele envolve não somente palavras, mas também ações. Idealmente, essas devem ser ações que lidem, de algum modo, com a situação que está causando problemas, mas, pelo menos (em circunstâncias similares às de Jó), a ação de expressar sofrimento de uma forma física mostraria a Jó que ele não está sozinho e poderia lhe trazer algum alívio.

O problema é que, seja qual for o relato que receberam das aflições de Jó, isso não os preparou para a visão de encontrá-lo assentado sobre um monte de cinzas. Ele está irreconhecível como a figura nobre e destacada que fora outrora. Isso extrai dos amigos choros de dor e lágrimas. Eles rasgam as suas vestes, como Jó fizera. Lançam ainda terra ao ar de maneira que ela caia sobre a cabeça deles. Não sabemos o sentido específico desse gesto, embora seja, presumidamente, outra expressão de sofrimento. E eles se assentam ao lado de Jó, sem dizer palavra.

Há indícios no relato de que as falhas dos amigos em relação a Jó podem ter seu início aqui, quando eles, primeiramente, chegam a Uz. Por que motivo eles combinaram de se encontrar antes de chegarem para ver Jó? Estavam com medo de ir ao encontro dele sozinhos? Tinham receio de "pegar" qualquer enfermidade que estivesse sobre Jó? Necessitavam de reafirmação recíproca? O elevar de vozes e o choro contam como "tremer" por Jó, ou eles estão protestando em causa própria? De fato, é assustador testemunhar o sofrimento de outro ser humano, pois levanta questões quanto à possibilidade de o mesmo mal recair sobre nós. Assim, por que eles nada lhe disseram? Essa é a atitude de um consolador? No judaísmo, a tradição é que pessoas intimamente relacionadas a alguém que tenha falecido observem o *sit shivah*, permanecendo em casa por sete dias (*sheva*) para lamentos e oração. Os vizinhos e amigos as visitarão, mas a prática tradicional dos visitantes é ficar em silêncio, a não ser ou até que a pessoa enlutada inicie a conversação. Creio desconhecermos o que há por trás dessa prática, embora possa indicar um reconhecimento de que os pranteadores necessitam estar na companhia de Deus, e que os visitantes não devem interromper essa comunhão. Quanto a mim, ficaria contente pelo silêncio das pessoas em vez de conversar. É possível que os amigos de Jó estejam seguindo um costume similar ao do judaísmo, já que eles permanecem sentados ao lado de Jó durante sete dias. Mas, caso estejam, isso significa que os amigos estão se relacionando com Jó como alguém que está praticamente morto? Isso não lhe serviria de muito consolo.

Antes da chegada dos três amigos, a esposa de Jó estava quebrantada pelo sofrimento do homem que ama? Ela não consegue mais observar o sofrimento do marido? Ou ela antecipa a convicção que os "amigos" de Jó expressarão mais tarde: isto é, presume que Jó deva ser culpado de alguma transgressão para merecer as calamidades que caíram sobre a vida dele? Claro que as tragédias também a atingiram, pois ela perdeu os filhos e os bens que garantiam a subsistência da família. Seja o que for que esteja acontecendo em seu íntimo, ela traz outra tentação sobre Jó. Se ele "louvar" a Deus (i.e., amaldiçoar ou ofender), então ele se exporá ao ataque mortal e direto de Deus ou à condenação por parte da comunidade para que seja morto em nome de Deus por amaldiçoá-lo. Desse modo, amaldiçoar Deus seria uma forma de cometer suicídio ou levar a comunidade a assisti-lo em sua eutanásia. (O Antigo Testamento, na verdade, não diz que um blasfemador deve ser condenado à morte, embora existam uma ou duas ocasiões nas quais isso ocorre, e pode-se ver como essa poderia ser uma suposição natural, uma vez que a pena de morte é prescrita para inúmeros atos menores.)

A esposa de Jó está se comportando como se fosse estúpida, Jó afirma. Ela está falando como se fosse uma mulher desprovida de discernimento religioso, espiritual e moral; ou como se fosse uma mulher comum, não uma mulher com quem um homem como Jó teria se casado. Ela começou a pensar nele, ou em si mesma, em vez de continuar sendo uma pessoa que respeita Deus e se submete a ele. Em circunstâncias similares às que a envolveram, é fácil deixar de ser uma pessoa assim. Até então, tudo ia bem na sua vida, e você se acostumou a considerar essa condição como assegurada. Isso relaciona-se ao fato de as confortáveis pessoas do Ocidente se preocuparem com o "problema do sofrimento" mais do que as pessoas acostumadas a um viver difícil. A possibilidade do sofrimento amedronta a maioria de nós; nos acostumamos a estar no controle. Aqueles que acostumados a uma vida difícil descobrem ser mais fácil seguir regozijando-se em Deus quando experiências particularmente duras os acometem. Bom senso, Jó presume, significa respeito e submissão a Deus. A estupidez significa deixar de fazer isso. Bom senso significa reconhecer a soberania de Deus que a história presume. Deus está por trás tanto das boas coisas quanto das más que cruzam o nosso viver. Ironicamente, Jó utiliza a palavra para "mal", usada por Deus. Jó não cometeu mal nenhum, mas o mal veio sobre ele. Isso não é justo, mas Jó não declara isso (ainda!).

JÓ **3:1–26**
PEREÇA O DIA EM QUE NASCI

[1]Depois disso, Jó abriu a sua boca e menosprezou o dia de seu [nascimento]. [2]Jó falou e disse:

[3]"Pereça o dia em que nasci,
 e a noite em que se disse:
 'Um homem foi concebido!'
[4]Aquele dia deveria se transformar em trevas;
 Deus acima não deveria inquirir sobre ele;
 a luz não deveria brilhar sobre ele.
[5]Escuridão e sombra mortal deveriam reclamá-lo;
 uma nuvem deveria pousar sobre ele;
 o negrume de dia deveria aterrorizá-lo.
[6]Aquela noite — a sombra deveria agarrá-la;
 ela não deveria se juntar aos dias do ano;
 não deveria entrar na contagem dos meses.
[7]Eis que aquela noite deveria ser estéril;
 nenhum grito deveria vir nela.
[8]As pessoas que amaldiçoam os dias deveriam amaldiçoá-lo,
 as pessoas prontas a atiçar o Leviatã.
[9]Suas estrelas do crepúsculo deveriam escurecer;
 ele deveria buscar a luz, mas não deveria haver nenhuma;
 não deveria ver as pálpebras da alvorada,

¹⁰porque não cerrou as portas do ventre da minha [mãe],
escondeu a aflição dos meus olhos.

¹¹Por que não morri ao nascer,
não saí do ventre e dei o último suspiro?

¹²Por que os joelhos [da minha mãe] me encontraram,
ou os [seus] seios que eu deveria sugar?

¹³Pois, agora, eu estaria deitado e imóvel;
teria dormido, então, e haveria descanso para mim,

¹⁴com reis e os conselheiros da terra
que construíram ruínas para si mesmos,

¹⁵ou com líderes que têm ouro,
que enchem as suas casas com prata.

¹⁶Ou [por que] não fui enterrado como um natimorto,
como bebês que não viram a luz?

¹⁷Ali os infiéis param de trovejar;
ali pessoas que estão exauridas descansam.

¹⁸De súbito, os prisioneiros relaxam;
eles não ouvem mais a voz do chefe.

¹⁹Pequenos e grandes estão ali;
o servo está livre de seu senhor.

²⁰Por que a luz é dada ao sofredor,
a vida a pessoas que são atormentadas de espírito,

²¹pessoas que esperam pela morte, mas não há nenhuma,
que buscam por ela mais do que por um tesouro escondido,

²²que regozijam com exultação,
que estão contentes, por encontrarem o túmulo?

²³Ao homem cujo caminho é oculto,
e a quem Deus cercou de todos os lados?

²⁴Pois meus suspiros vêm como comida;
meus gemidos se derramam como água.

²⁵Porque o que temo acontece comigo;
o que eu receio vem sobre mim.

²⁶Não estou em paz, não estou quieto; não descanso, o trovão
vem."

Nunca conheci o meu tio Billy, o irmão mais novo da minha mãe. No ano em que nasci, ele foi morto em combate na Segunda Guerra Mundial, no norte da África. Todavia, conheci o meu tio Ray, o irmão mais velho da minha mãe, que também foi um soldado combatente naquela guerra. Tio Ray era um homem quieto e reservado. Eu o associo ao galpão do jardim, no interior do qual ele passava grande parte de seu tempo trabalhando com madeira e criando coisas belíssimas. Eu ainda era um garoto, mas lembro-me de quando alguém veio a nossa casa para contar que ele havia se enforcado em seu galpão. Tio Ray não conseguiu mais conviver com as lembranças do que lhe havia acontecido na guerra, das cenas que testemunhara, dos atos que praticara ou das ações das quais foi vítima.

Jó não consegue mais conviver com as memórias do passado e com a realidade do presente, embora a relação entre elas seja o reverso do ocorrido ao meu tio Ray. No caso do meu tio, as terríveis realidades do passado permaneciam como intrusos permanentes no cenário de sua vida familiar do presente. Para Jó, as terríveis realidades do presente contrastam com a vida familiar jubilosamente estabelecida do passado. Ambos, meu tio Ray e Jó, consideram essa tensão intolerável. Isso não significa que Jó contemplava o suicídio. Na Escritura, há dois relatos de suicídios (Saul e Judas), e essas histórias são contadas sem nenhum comentário moral. São um fim trágico a vidas igualmente, trágicas, pelas quais tanto Saul quanto Judas precisam assumir a responsabilidade, ainda que, nos dois casos, a soberania de Deus esteja estranhamente envolvida em suas histórias, a exemplo do que ocorre no caso de Jó. Em seus próprios pensamentos, então, o suicídio apresenta certo sentido. Jó, no entanto, não é responsável pela situação em que se encontra. Ele não pode ser responsabilizado por ter nascido; nem por seu dilema. Assim, não lhe ocorre assumir a responsabilidade por dar um fim à própria vida.

O que ele faz é lamentar o seu nascimento e ansiar pelo fim da vida. Ele evoca toda uma sequência de maldições fúteis sobre o dia em que nasceu. A maioria delas não necessita da minha explicação, como ocorrerá com muito de seu protesto ao longo do livro. É necessário ler repetidas vezes. Talvez seja preciso comentar sobre o Leviatã; já observamos que ganhare-mos uma familiaridade maior com essa figura monstruosa no capítulo 41. O Leviatã é uma das imagens usadas pelo Antigo Testamento para conceituar a concentração e personificação de forças dinâmicas que se opõem ao propósito positivo e ordenado de Deus no mundo. O Leviatã é a representação de tudo o que é desordenado, caótico, desregrado, selvagem, disruptivo e violento. Essa imagem incorpora a energia que está fora de controle e focada na destruição. Assim, o ponto de Jó aqui é que o Leviatã poderia ser estranhamente útil, e Jó imagina a possibilidade de haver pessoas especialistas em acessar o sobrenatural e que poderiam fazer o Leviatã exercer o seu poder no dia de seu nascimento. Claro que toda a sequência de anseios expressos nos versículos 3-12 é fútil. Eles, simplesmente, constituem expressões irreais de seu desejo de nunca ter nascido. Todavia, ele nasceu.

Ansiar pela morte é algo mais realista, o que Jó faz na segunda metade do capítulo. Se ele tivesse sido um natimorto, poderia ter ido direto da concepção à morte, sem passar pela vida. Jó sabe que a essência da morte é o descanso. O Antigo Testamento não contém nenhuma noção de que a morte seja seguida pelo inferno mais do que pode ser seguida pelo céu; todos vão para o mesmo lugar. Não se trata de um lugar de sofrimento ou de alegria, mas, simplesmente, um local no qual nada mais acontece. Visível e fisicamente, isso significa que você irá se unir aos seus familiares na tumba compartilhada pela família e, até quando tiver alguma consciência, saberá que está na companhia deles. É fácil entender que a morte, portanto, significa descanso. Uma pessoa pode estar lutando arduamente, a exemplo de meus tios, mas a morte significa repouso. Alguém pode estar em uma duradoura luta contra uma enfermidade, mas a morte significa que essa pessoa desiste de lutar e relaxa. Uma paz pode vir sobre o rosto quando esse momento chega; as linhas de preocupação podem desaparecer.

Para expressar em termos mais próximos de Jó, um rei pode ser responsável por um país ou mesmo um império, mas a sua morte significa ceder essa responsabilidade. Os reis, seus conselheiros e outros líderes de uma nação investem energia na manutenção de edifícios do passado que, de outra forma, estariam reduzidos a escombros, e/ou edificam prédios monumentais destinados pelo tempo a se transformarem em ruínas (pois é uma ação que atinge todas as coisas materiais), mas todo esse esforço inútil cessa quando eles morrem. Igualmente, deixam de ser um fardo para os que, na prática, trabalham em seus projetos condenados e que realizam o esforço gerador do ouro e da prata que eles mesmos não desfrutam. Os líderes param de pressionar os contratados a realizar o projeto. Normalmente, os trabalhadores chegam ao final do expediente exauridos, mas o dia seguinte os espera para mais uma jornada de trabalho exaustivo, e também estes podem descansar na morte. Apesar de os reis, conselheiros e governantes viverem por muito tempo (eles dispõem de cuidados médicos melhores, além de uma alimentação mais saudável do que as pessoas que eles governam), a morte deles chegará (mas, seja como for, eles serão substituídos por outros), de modo que às pessoas comuns e aos trabalhadores resta apenas esperar o descanso que virá com a própria morte. Contudo, a morte parece não chegar nunca; assim, quando ela chega, eles não poderiam se sentir mais exultantes. Quando a minha esposa morreu, após viver com esclerose múltipla por mais de quatro décadas, embora eu estivesse contente, pois o dia da ressurreição estava chegando para ela, também me sentia feliz por ela (todavia, não por mim), pois ela agora estava livre para descansar, nesse meio-tempo.

Próximo do fim, Jó começa a falar abertamente sobre si em vez de se esconder atrás dos "pequenos e grandes". Ele é um homem cujo caminho está oculto: isto é, ele não tem futuro, pois Deus o cercou de todos os lados (essa é a única menção a Deus, além da citação incidental no versículo 4). Ele não vê um caminho pelo qual ir em direção ao futuro; está aprisionado nesse presente terrível. O adversário comentou sobre Deus o ter positivamente cercado por todos os lados, mas, agora, Jó identifica uma nova cerca. Sua autodescrição final, caracterizada por suspiros, gemidos, medo, temor e trovões (i.e., o trovejar da aflição que o assalta), em lugar de paz, quietude ou descanso, expressa mordazmente a natureza de sua experiência em contraste com tudo o que ele considera atraente na morte.

Embora o conteúdo da maldição e o protesto possam parecer chocantes, o maior impacto do capítulo reside na rapidez da transição desde o início do relato. A expressão desses sentimentos não é o que se espera depois da admoestação de Jó à sua esposa por ela sugerir que ele amaldiçoasse Deus, da declaração sobre aceitar o mal de Deus, ou do comentário de que ele não ofenderia com seus lábios. Havia em seu íntimo mais do que aquelas declarações indicavam? Ou foi o silêncio dos amigos que o levou ao limite? Começou Jó a ofender com seus lábios? Ou sua clara abstenção de não citar ou ofender Deus significa que ele ainda não está falando ofensivamente — que seu lamento e seu protesto são apropriados?

JÓ 4:1-21
PODE UM MORTAL SER JUSTO
AOS OLHOS DE DEUS?

¹Elifaz, o temanita, replicou:

²"Se alguém se aventurar a uma palavra com você, ficará
   perturbado?

   Mas quem poderia reter palavras?

³Ora, você instruiu a muitos;
   fortaleceu mãos fracas.

⁴Suas palavras elevaram aquele que estava caindo;
   você fortaleceu joelhos em colapso.

⁵Pois, agora, isso lhe chegou, e você está perturbado;
   isso o alcança, e você está desanimado.

⁶É a sua submissão, não a sua confiança,
   e a retidão da sua vida, a sua esperança?

⁷Reflita: quem é o homem inocente que pereceu;
   onde estão as pessoas retas que desapareceram?

⁸Como tenho visto, as pessoas que cultivam a maldade,
   e semeiam problemas, os colhem.

⁹Pelo sopro de Deus elas perecem;
   por sua rajada furiosa, elas chegam ao fim.

¹⁰O rugido do leão, o som do filhote,
   os dentes de grandes leões, são esmagados.

¹¹O leão forte perece pela falta de presa;
   e os descendentes do leão se dispersam.

¹²Uma mensagem me foi trazida em segredo;
   meus ouvidos captaram um sussurro dela.

¹³Nas inquietações que vêm pelas visões da noite,
   quando um sono profundo cai sobre os seres humanos,

¹⁴medo veio sobre mim, e tremor,
   e isso assustou a massa dos meus ossos.

¹⁵Um vento passou pelo meu rosto
   e arrepiou os pelos da minha carne.

JÓ 4:1-21 • PODE UM MORTAL SER JUSTO AOS OLHOS DE DEUS?

¹⁶Ele parou,
mas não reconheci a sua aparência,
a forma diante dos meus olhos.
Ouvi um som, uma voz:
¹⁷Pode um mortal ser justo diante de Deus;
pode um homem ser puro diante do seu Criador?
¹⁸Se ele não confia em seus servos
e atribui insensatez aos seus ajudantes,
¹⁹quanto mais naqueles que habitam em casas de barro,
cuja fundação está no pó
[e cujas] pessoas pode esmagar como uma traça.
²⁰Entre o amanhecer e o entardecer, eles são derrotados;
sem ninguém perceber que perecem para sempre.
²¹A corda da tenda deles não foi esticada —
eles morrem, e sem discernimento?"

No auge do movimento carismático na Grã-Bretanha, a exemplo de muitas pessoas, eu costumava receber mensagens curtas de Deus, ocasionalmente, a serem transmitidas a outras pessoas, e, às vezes, as recebia de outras pessoas. Um dos meus amigos, líder no movimento, dizia que um terço dessas mensagens era relevante, um terço era trivial e um terço era mentira. O primeiro desses terços, no entanto, não devia ser desprezado. Desde que cheguei aos Estados Unidos, raramente tenho sido o meio transmissor dessas mensagens ou o destinatário delas. Não sei o que fazer a esse respeito. Todavia, outro dia, quando conversava com alguém que havia passado por maus bocados nos últimos dez anos, mas que, recentemente, havia experimentado uma guinada positiva em sua vida, senti novamente que Deus tinha me dado algo para ser transmitido a ela. Pode-se atribuir à mensagem o adjetivo de trivial ou previsível, mas ela, na verdade, foi recebida pela outra pessoa como palavras encorajadoras da parte de Deus.

Elifaz tinha uma mensagem para Jó que veio à sua mente dessa forma. Exagero, pois não passei pela experiência incomum que ele descreve. No meu caso, é somente uma sensação de ter algo para dizer a alguém que, de outra maneira, nem cogitaria dizer, e cuja relevância não faço ideia antes de a pessoa me revelar que a mensagem se encaixa num aspecto de sua situação ou necessidade. E, se alguém me transmitisse uma mensagem, com um relato da forma misteriosa em que ela foi recebida, na verdade isso não me tornaria mais propenso a crer na seriedade daquela mensagem. O fato de um espírito estar envolvido na comunicação da mensagem não prova que ela venha de Deus. O Novo Testamento confirma que há muitos espíritos enganadores no mundo, e Jesus dá muita atenção à confrontação dos maus espíritos. Desse modo, é necessário discernir e testar os espíritos, conforme a instrução do Novo Testamento.

Parece que a experiência de Elifaz quanto a um espírito estar envolvido com ele atua para convencê-lo de que a sua mensagem veio de Deus e/ou que o relato que faz dessa experiência tornará a mensagem mais convincente aos ouvidos de Jó. Mesmo para Elifaz, no entanto, o ponto real reside nas palavras que o espírito transmite, não na experiência em si. Mas, na verdade, a mensagem pode ser considerada trivial ou, pelo menos, lugar-comum. Aos olhos de Deus, nenhum de nós pode ser justo; diante do Criador, ninguém pode ser puro ou pode evitar a insensatez (moral). Trata-se de uma obviedade!

Reconhecidamente, é uma afirmação teológica importante. A ideia de ser "puro", no Antigo Testamento, é aquela que está por trás da preocupação de Jó, quando ele procura "santificar" os seus filhos após os banquetes. Pureza significa ter cautela quanto a coisas que são inconsistentes com a própria natureza de Deus, tais como a morte, o sexo, a idolatria e a opressão. Pode parecer uma bizarra coleção de tabus, pois a opressão é algo moralmente errado, o sexo é algo que Deus abençoou e o contato com a morte é algo evitável. O que eles têm em comum é que todos conflitam com a própria existência de Deus, de maneira que todas elas exigem que as pessoas se submetam a um processo de purificação antes de se aproximarem dele. Embora seja possível evitar alguns, não se pode evitar totalmente outros. Nenhum de nós pode ser puro diante do Criador.

A ideia de "ser correto" ou de "ser justo", no Antigo Testamento, é subjacente à convicção de que nossos relacionamentos com Deus, com outras pessoas, com nossos familiares e com as nossas comunidades impõem obrigações a nós. Existe um compromisso mútuo, e estamos debaixo da obrigação moral de fazer a coisa certa por essas relações. A referência de Elifaz a ser justo sugere outra ligação com a abertura da história de Jó, na qual, após se preocupar com a pureza de seus filhos, Jó oferece sacrifícios por eles que constituiriam um apelo a Deus para perdoá-los, caso eles não tenham se comportado do modo "correto" — caso não tenham feito a coisa certa por Deus ou por outras pessoas.

Complementando a referência à pureza e a ser justo, as linhas finais de Elifaz adicionam a terceira forma de descrever a inevitabilidade da pecaminosidade humana ao falar em insensatez. O amigo lembra a Jó que mesmo os servos ou ajudantes sobrenaturais de Deus são passíveis de insensatez (talvez o adversário seja um exemplo). *Insensatez* é uma palavra diferente daquela usada por Jó ao admoestar a sua esposa sobre o perigo de ser estúpida, mas ali Jó estava indicando ter ciência desse perigo. Se a insensatez é inevitável nos próprios servos sobrenaturais de Deus, Elifaz comenta, quanto mais se aplicará a seres terrenos, feitos de barro, a mesma matéria humilde das demais criaturas do mundo, e que pode morrer sem nem mesmo ganhar discernimento?

Assim, a "revelação" de Elifaz de que ninguém pode ser justo diante de Deus estabelece um ponto teológico importante, mas do qual Jó está ciente. Além disso, é um ponto totalmente irrelevante na situação de sofrimento de Jó. Embora nenhum ser humano possa reclamar de ser tratado como um pecador por Deus, e de ser castigado, nenhuma atitude de Jó justifica o tratamento que ele tem recebido; na verdade, se há alguém que não deve ser tratado assim, é Jó.

Na realidade, Elifaz já deixou esse ponto implícito, o que sugere que as suas palavras a Jó são autocontraditórias ou que elas desconstroem: ele encorajou Jó a confiar em sua submissão, em sua retidão, em sua inocência e em sua integridade. Aqui, Elifaz, também inconscientemente, adota termos que já foram utilizados em relação a Jó na introdução de sua história; apenas o termo "inocente" não apareceu lá. Com certeza, Jó reconhece que pessoas dotadas dessas qualidades, simplesmente, não perecem ou desaparecem. Portanto, o fato de possuir essas qualidades deveria motivar a sua confiança e a sua esperança. Essa confiança, então, contrasta com o medo que é apropriado a uma pessoa insubmissa, que pode parecer tão forte quanto um leão, mas que é esperta o suficiente para considerar que os seus atos irão ricochetear nela própria, quando perceber a sua "casa" colapsando. Em outras palavras, Elifaz entende que o sofrimento de Jó não deve durar para sempre. Se Jó possui aquelas qualidades, Deus trará sobre ele cura e restauração.

Elifaz fala como uma espécie de professor, cujo discernimento aparece em Provérbios, e que não está ensinando simplesmente para ser dispensado. Na realidade, ironicamente, a história de Jó irá, no devido tempo, provar que Elifaz está certo. Deus justifica a submissão, a retidão, a inocência e a integridade de Jó; só não está fazendo isso naquele período. Todavia, requer certa insensibilidade pedir a Jó que, simplesmente, viva à luz da expectativa futura e ignore a realidade do presente. Elifaz está certo também de que lidar com experiências que nos impactam é diferente de somente falar às outras pessoas sobre como lidar com elas, embora Elifaz não tenha aplicado essa verdade a si mesmo.

A *ACF* apresenta outra forma de traduzir a declaração-chave de Elifaz: "Seria porventura o homem mais justo do que Deus? Seria porventura o homem mais puro do que o seu Criador?" (4:17). Na verdade, trata-se de uma forma mais natural de compreender as palavras de Elifaz. Isso, então, estabeleceria um ponto distinto, sugerindo que Jó não tem razão em levantar questionamentos sobre as ações de Deus em sua vida. Devemos deixar Deus ser Deus. Com respeito ao que significa ser justo ou ser puro, Deus é quem estabelece os padrões. Não podemos fingir que temos padrões mais elevados do que o nosso Criador, mas devemos apenas aceitar o que Deus faz, sabendo que isso deve ser justo e puro. Essa também seria uma percepção importante, ainda que insensível.

JÓ **5:1–27**
PARA ONDE MAIS EU PODERIA IR, EXCETO PARA O SENHOR?

[1]"Chame — alguém irá lhe responder;
a qual dos santos você recorrerá?

[2]Porque a irritação mata o tolo;
a paixão aniquila o símplice.

[3]Eu mesmo já vi um tolo que estava criando raízes,
mas, imediatamente, declarei amaldiçoada a sua
propriedade.

⁴Seus filhos estão longe da libertação;
eles colapsam no portão
e sem ninguém para os resgatar.
⁵A pessoa faminta come a sua colheita,
a leva em cestas,
e pessoas sedentas ofegam atrás de seus recursos.
⁶Pois a perversidade não aparece do pó;
a dificuldade não brota do chão;
⁷porque um ser humano nasce para a dificuldade,
e as pragas voam alto.

⁸Contudo, eu mesmo inquiro de Deus,
e diante de Deus estabeleço as minhas palavras.
⁹Aquele que faz grandes coisas das quais não há busca,
maravilhas até que não se possa numerar,
¹⁰aquele que dá a chuva sobre a face da terra,
envia água sobre a face dos campos,
¹¹colocando o humilde no alto,
elevando os pranteadores à libertação,
¹²frustrando as intenções dos astutos,
para que as suas mãos não alcancem sucesso,
¹³capturando os perspicazes em sua astúcia,
para que o plano dos espertos seja varrido.
¹⁴De dia, eles encontram as trevas;
ao meio-dia, tateiam como na noite.
¹⁵E ele liberta a pessoa necessitada da espada
de sua boca,
da mão do forte;
¹⁶de modo a haver esperança para a pessoa pobre,
e a transgressão calar a própria boca.

¹⁷Veja — a boa sorte do homem a quem Deus reprova;
assim, não rejeite a correção de Shaddai,
¹⁸pois ele é aquele que fere, mas que ata;
ele machuca, mas as suas mãos curam.

JÓ 5:1-27 • PARA ONDE MAIS EU PODERIA IR, EXCETO PARA O SENHOR?

[19]Em seis problemas, ele o salvará;
em sete, o mal não o alcançará.
[20]Na fome, ele o redimirá de morrer;
na batalha — das mãos da espada.
[21]Do açoite da língua você se esconderá;
não terá medo da destruição quando ela vier.
[22]Na destruição e no flagelo, você rirá,
e não terá medo dos animais da terra,
[23]porque a sua aliança será com as pedras
do campo,
e os animais do campo
estarão em paz com você.
[24]Você reconhecerá que a sua tenda está em paz;
inspecionará a sua propriedade, e nada faltará.
[25]Você reconhecerá que a sua descendência é numerosa,
os seus descendentes como a grama da terra.
[26]Você irá para a sepultura na velhice,
como a colheita de um feixe a seu tempo.
[27]Veja — examinamos isso, e é assim;
dê ouvidos, reconheça isso para si mesmo."

Conta a história que, em algum momento dos anos 1930, um professor de música e diácono batista do Mississippi, chamado James Coats, estava à cabeceira da cama de um dos seus vizinhos, cujo nome era Joe Keyes. Joe estava morrendo, e James lhe perguntou se ele sabia onde iria passar a eternidade. Joe replicou: "Para onde mais eu poderia ir, exceto para o Senhor?" Essas palavras ficaram na mente de James Coats e, depois de algum tempo, tornaram-se a linha-chave de uma canção que costumávamos cantar quando eu era apenas um adolescente. Na verdade, não conhecíamos o suficiente sobre o lado difícil da vida para ter uma noção do que a música falava, mas, a despeito disso, a cantávamos com gosto, sobre a nossa vida aqui, neste mundo pecaminoso, incapazes de oferecer algum conforto, lutando para encarar as tentações sem ceder — para onde mais poderíamos ir, exceto para o Senhor, como um refúgio para as nossas almas?

Trata-se de um pensamento-chave na segunda metade das palavras iniciais de Elifaz a Jó. O amigo começa com uma exortação, ao longo dessas linhas, para sugerir que Jó, no contexto de sua terrível aflição, deveria tentar a oração. Esse é um conselho que, com frequência, somos tentados a dar a pessoas em sofrimento. É muito fácil encontrar pessoas que creem em Deus, até perderem o emprego ou sua casa ou os seus filhos em um acidente de carro. A sugestão para que a pessoa busque a Deus em oração é, então, fadada a receber a espécie de resposta que eu dificilmente repetiria aqui. Na verdade, pode-se dizer que é exatamente o que acontece quando Jó responde a Elifaz, no capítulo seguinte.

Talvez seja relevante o fato de que Jó ainda não tenha tentado orar. Com base no relato inicial sobre a história de Jó, sabemos que a oração ocupava uma posição de destaque na sua vida, antes da série de catástrofes ocorrer, mas, até onde conhecemos, Jó não havia orado desde então. Ele se prostrou ao chão, o que pode sugerir a oração, mas o relato não afirma claramente que ele orou. Jó falou muito sobre Deus, declarando que Deus deveria ser louvado e que devemos aceitar dele tanto o bem quanto o mal, afirmando o que Deus deveria fazer e fez. Contudo, ele não falou com o próprio Deus. Em certo sentido, Elifaz pode estar no caminho certo.

Todavia, logo torna-se claro que a exortação de Elifaz é feita de modo irônico, talvez até mesmo com sarcasmo, embora haja mais de uma forma de se compreender esse sarcasmo. (Minha mãe costumava classificar o sarcasmo como a forma mais baixa de perspicácia — sim, ela dizia isso em resposta à minha especialidade nessa forma de sagacidade.) "Santos" é um termo para seres sobrenaturais, os ajudantes divinos e servos de Deus, a quem Elifaz se referiu anteriormente. Talvez o seu ponto é de que não há a menor chance de esses servos celestiais de Deus virem em socorro de Jó, seja por eles serem falíveis e Deus não confiar neles, seja porque Jó é falível e Deus não estaria interessado em enviá-los para aliviar Jó. Além disso, outra ironia presente nas palavras de Elifaz (uma ironia que ele mesmo desconhece) é a ressonância que elas estabelecem com as cenas de abertura no céu, nas quais esses seres divinos participam das discussões sobre Jó. Eles sabem o que está acontecendo. A implicação dessas cenas seria a de que Deus não enviaria um desses seres divinos para trazer algum alívio a Jó, pois isso afetaria o projeto de provação no qual Deus e, involuntariamente, Jó estão envolvidos. As mãos de Deus estão atadas (porque ele concordou em atá-las).

A menção de Elifaz à irritação e à paixão sugere que ele, na realidade, está preocupado que a própria insensatez de Jó impossibilite a vinda dos agentes celestiais em seu socorro. A irritação e a paixão são características exibidas por Jó em seu protesto pelo nascimento e o anseio pela morte. Com o passar do tempo, os amigos de Jó serão mais explícitos na declaração de que Jó deve ter provocado todo esse mal sobre si mesmo. Aqui, talvez, Elifaz já esteja dando indícios dessa convicção, ou pode estar dando a Jó outra porção de seu "conselho amigável" sobre o que ele precisa fazer, ou mesmo sobre ao que precisa prestar atenção. A ira ou ressentimento e a paixão são qualidades de um tolo, de modo que Jó corre o perigo de se transformar em um. Todos sabem o que ocorre aos tolos... Elifaz prossegue lembrando a Jó o que acontece, pois viu a catástrofe atingir um tolo, sua família e sua propriedade (a exemplo do que ocorreu com Jó!) e foi forçado a concluir que o tolo estava amaldiçoado. Isso mostra como as coisas que atingem a humanidade não são aleatórias. Se formos encrenqueiros, é como se tivéssemos nascido para ser subjugados pelos problemas e experimentarmos as suas catastróficas consequências.

Elifaz segue adiante, declarando que ele mesmo age como alguém que sabe que não há outro lugar para onde ir, exceto para o Senhor, o que pode ser pastoralmente mais sábio do que dizer a alguém para onde ele deve ir. Nessa conexão, Elifaz discorre sobre a grandeza de Deus, como aquele envolvido no crescimento das lavouras, no resgate dos humildes, na frustração aos astutos e na libertação aos necessitados. Ele, então, reverte ao conselho e à promessa de que as coisas podem ocorrer daquele jeito para Jó e oferece mais uma verdade bíblica. Deus está comprometido em nos reprovar e disciplinar e cumpre esse compromisso. Segundo o Novo Testamento, se Deus não agisse assim, seria como se ele não nos tratasse como um pai trata os seus filhos; é dessa maneira que amadurecemos. Se Deus não agisse assim, estaria nos tratando como se fôssemos filhos bastardos. Ao enfatizar esse ponto, Hebreus 12 segue observando que pais amorosos disciplinam os filhos por um tempo, mas não para sempre, e Elifaz reforça a mesma declaração sobre Deus. De certo modo, ele está reafirmando o seu ponto anterior: Jó tem motivos para manter a confiança e a esperança, com base na natureza divina e na sua própria retidão. Sejam quais forem as calamidades, Deus resgata os seus filhos de todas elas.

O único problema é que a teologia de Elifaz parece ser incompatível com a experiência vivida por Jó, mas a sua resposta ainda é o primeiro impulso ao encontrarmos pessoas na condição de Jó. Igualmente, é o modo pelo qual confortamos a nós mesmos, dizendo que a vida é boa, mesmo encontrando alguém como Jó, que está amaldiçoando o dia em que nasceu. Sentimos a necessidade de desviar o olhar, quando deparamos com essa pessoa, para encontrarmos outra realidade; caso contrário, corremos o risco de ver a assustadora desesperança da vida (ou, pelo menos, a desesperança sem a presença da bênção de Deus).

Próximo ao início do capítulo, Elifaz reconhece que Deus faz coisas que estão além de qualquer exame. No fim, ele diz a Jó que buscou a verdade e avisa Jó sobre ela. Estaria ele se contradizendo?

JÓ **6:1-30**
AMIZADE

¹Jó replicou:

²"Se apenas a minha irritação pudesse realmente ser pesada,
e as pessoas pudessem pôr na balança o que me aconteceu!
³Porque, agora, isso seria mais pesado do que a areia dos mares;
eis por que as minhas palavras têm sido selvagens.
⁴Porque as flechas de Shaddai estão em mim;
o veneno delas o meu espírito bebe;
os terrores de Deus se dispõem contra mim.
⁵Um jumento selvagem zurra sobre a grama;
um boi berra sobre a sua forragem?
⁶A comida insossa é comida sem sal;
há sabor no suco da malva?
⁷Meu apetite se recusa a tocar;
essas coisas são como comida para quando estou doente.

⁸Se apenas o meu pedido se concretizasse
e Deus concedesse a minha esperança,
⁹que Deus se mostrasse disposto e me esmagasse,
soltasse a sua mão e me cortasse!

10E isso ainda fosse a minha consolação
  (embora me contorcesse com contorções que não
    poupam),
  porque não terei renegado as palavras do Santo.
11Que força eu tenho para esperar;
  que fim tenho para prolongar a minha vida?
12A minha força é a força de pedras,
  ou a minha carne é de bronze?
13Na verdade, não tenho socorro em mim mesmo;
  o meu sucesso se afastou de mim.

14Como aquele que recusa o compromisso com um amigo —
  ele abandona a submissão a Shaddai.
15Meus irmãos me traíram como aluvião,
  como ribeiros em ravinas que perecem,
16que se turvam com o gelo
  quando a neve se acumula sobre eles;
17no momento em que fluem, eles [então] chegam ao fim;
  no calor, desaparecem de seu lugar.
18Caravanas desviam a sua rota;
  sobem para terras desertas e perecem.
19Caravanas de Temá os procuram;
  grupos de viajantes de Sabá colocam esperanças neles.
20Eles são desapontados, porque confiaram;
  chegam a ele e ficam desanimados.
21Porque, agora, se tornaram em nada;
  veem a calamidade e têm medo.
22Disse-lhes: 'Deem a mim,
  dos seus recursos, paguem um suborno em meu favor?
23Livrem-me das mãos do meu inimigo,
  das mãos dos violentos, redimam-me'?

24Ensinem-me, e eu ficarei quieto;
  expliquem-me como eu errei.
25Quão dolorosas são as palavras retas —
  mas como a sua reprovação reprova?

JÓ 6:1-30 • AMIZADE

²⁶Vocês elaboram palavras para reprovar,
   e as palavras de um homem desesperado devem [ir] ao
      vento?
²⁷Vocês também lançariam [sortes] por um órfão
   e permutariam um amigo?

²⁸Mas, agora, mostrem disposição, virem-se para mim;
   se eu menti na cara de vocês [...]
²⁹Virem-se, não deve haver transgressão;
   virem-se, o fato de eu ainda ser justo está intacto.
³⁰Há alguma transgressão em minha língua,
   ou o meu paladar não consegue discernir palavras
      enganosas?"

Na noite passada, sonhei que estava na casa de um amigo e, de alguma forma, eu era a pessoa que sabia sobre o assassinato de sua esposa. Portanto, era aquele que lhe deveria dar essa notícia. Algumas vezes, a amizade envolve ter de dizer palavras duras. Certa feita, um amigo me acusou de ser brusco e, diante de meu protesto, ele lembrou uma ocasião recente que ilustrou muito bem o seu ponto (ainda sou capaz de agir dessa maneira). Mais recentemente, outro amigo me disse que eu deveria refletir mais e autocensurar as minhas palavras antes de expressá-las. Mais de um amigo me disse que não gostava de pegar carona comigo, porque dirijo muito agressivamente.

Antes de instruir as pessoas a amarem o seu próximo, Levítico 19 incentiva a repreender o próximo com franqueza, em lugar de compartilhar a culpa dele; Provérbios 27 traz o ponto inverso, ao dizer que as feridas feitas por um amigo são confiáveis, enquanto os beijos de um inimigo devem levantar a nossa suspeita. Jó sabe que é assim e, em suas palavras finais, ele insta os seus amigos a se comportarem como amigos, embora haja, talvez, mais do que um toque de sarcasmo naquilo que diz, a exemplo das palavras de Elifaz. Este amigo o lembrou de que ele era um pecador. Está bem, então, Jó diz, diga-me a natureza do meu delito. Dificilmente, essa é uma pergunta teórica, uma vez que o seu sofrimento é suficiente para ele, desesperadamente, buscar uma resposta. Jó não tem energia para jogos de palavras, mas sabemos, da abertura do livro, que Elifaz terá muita dificuldade para especificar a transgressão de Jó, pois não é algo corriqueiro. À luz do que lemos aqui, não seria surpresa ou inadequado caso Jó tivesse plena ciência disso — não de que fosse pretensamente sem pecado, mas de que pudesse reivindicar ser alguém fundamentalmente comprometido com o caminho de Deus. A exemplo de Paulo, que foi capaz de afirmar ter combatido o bom combate, os salmistas também reivindicam, com frequência, serem basicamente indivíduos comprometidos. Sugerem que, se as pessoas que seguem Deus não puderem fazer tal reivindicação, então há algo errado.

Desse modo, Jó compromete-se a ouvir o que os seus amigos têm a dizer, mesmo que ouvir francamente sobre onde agiu errado seja algo doloroso. O problema é que eles o repreendem apenas com vagas generalizações (o pronome "você", ao longo do capítulo, é plural, de maneira que Jó não está se dirigindo apenas a Elifaz, mas este, na verdade, está falando por todos os três amigos). As suas reprovações, na realidade, não reprovam, pois são sobremodo vagas. Muito menos, consideram seriamente as próprias palavras de Jó; os amigos estão felizes por deixá-lo flutuar ao vento.

Jó iniciou com alguma defesa de suas palavras. Elifaz indicou que a irritação (i.e., ira e frustração) e a paixão (i.e., os sentimentos fortes) são insensatos. Como resposta, Jó sugeriu que os amigos não consideraram com seriedade o que ele alegou como motivo para estar irritado. O que lhe ocorreu é motivação suficiente e razoável para suas palavras serem selvagens ou incoerentes. Deus o atacou; estaria ele fazendo esse escarcéu sem motivo algum?

Elifaz falou duas vezes sobre esperança. Um homem de fé sempre deveria ser capaz de viver esperançoso, sabendo que Deus será fiel a uma pessoa fiel a ele. Deus é aquele que possibilita ao pobre ou ao oprimido ter esperança, pois sabem que Deus liberta. No entanto, essas declarações falham ao não considerarem a posição de Jó como a de alguém sob ataque do próprio Deus. Isso não significa que Jó não esteja disposto a falar sobre esperança, mas ele deixou claro que a sua esperança jaz na possibilidade de encontrar descanso na morte, e Deus, evidentemente, não está disposto a atender a esse anseio. Expressando de outra forma, Elifaz enfatizou a importância de ir a Deus; Jó já fez isso, e Deus não irá atender ao seu pedido de ter a permissão de morrer. Jó não deseja esperar muito tempo pela morte. Naquele momento, ele ainda pode reivindicar ter vivido uma vida fiel, de não ter dado as costas às palavras de Deus sobre como deveria viver, e de não ter cedido à ideia de amaldiçoar Deus e encontrar a morte dessa forma. Todavia, Jó não tem certeza se conseguirá manter essa posição para sempre.

Desse modo, ele realmente necessita do **compromisso** de seus amigos. Jó não pede (como ele destaca mais tarde) dinheiro a eles, mas, na realidade, pede por algo mais valioso. Ele apela a uma das virtudes-chave do Antigo Testamento, a palavra hebraica, em geral, traduzida por "amor inabalável" ou "amor constante". Trata-se de uma versão superior de amor ou de fidelidade; é o equivalente do Antigo Testamento ao termo grego *agapē* no Novo Testamento. Esse termo sugere uma classe de amor incondicional, um amor que emerge daquele que o sente, sem que seja uma mera resposta à necessidade da pessoa a quem esse amor é demonstrado. Trata-se de uma fidelidade persistente, mesmo quando a pessoa-alvo perde qualquer direito a ela por não manifestar fidelidade em troca.

Jó trabalha com uma definição séria de amizade, que implica compromisso mútuo. Falhar em mostrar esse compromisso é falhar em sua reverência ou submissão a Deus. Claro que é assim; a **Torá** diz que as pessoas devem cuidar de seus vizinhos ou amigos. O livro de Jó usa para "amigo" a mesma palavra traduzida por "próximo" em passagens como Levítico 19, embora, evidentemente, os amigos de Jó não fossem "próximos" no sentido de pessoas que moravam perto dele. O contexto em Levítico deixa claro que não devemos cuidar dos vizinhos ou do próximo apenas quando nos relacionamos bem com eles; na verdade, pode-se dizer que a Torá espera que cuidemos do nosso próximo mesmo quando ele é nosso inimigo. Ainda que Jó tivesse agido erroneamente com seus amigos, a expectativa da Torá é de que eles mostrem compromisso com Jó. No entanto, a parte delituosa está do outro lado. Os amigos se comportam como um ribeiro ou aluvião no deserto, que flui quando há chuva ou quando a neve da montanha derrete, mas que desaparece na estação de seca, quando você mais necessita de água. Eles mais parecem pessoas que venderão um amigo como escravo ou que lançarão sortes sobre o filho de um homem morto, ao decidirem como os seus débitos serão pagos.

Por que os amigos de Jó o desapontam dessa forma? Eles veem a calamidade, e isso os assusta, Jó diz. Se um homem consegue ser fiel a Deus como Jó tem sido e, mesmo assim, a sua vida pode colapsar, quem estará a salvo disso? Eles precisam estabelecer a existência de algum motivo moral para o sofrimento de Jó a fim de aliviar a própria ansiedade deles. Caso contrário, a estrutura na qual eles vivem e pensam sobre Deus, igualmente, colapsará.

JÓ 7:1-21

O QUE SÃO OS SERES HUMANOS PARA MERECEREM TAMANHA ATENÇÃO?

[1]"O ser humano não tem um trabalho árduo na terra,
e não são seus dias como os dias de um empregado,
[2]como um servo que anseia pela sombra do entardecer,
e como um empregado que espera por seu salário?
[3]Assim, meses de vazio foram atribuídos a mim;
noites de aflição foram contadas para mim.
[4]Quando eu me deito, digo: 'Quando devo me levantar?',
mas a noite se arrasta,
e fico me revirando até o alvorecer da manhã.
[5]Minha carne está vestida de vermes e de crostas terrosas;
minha pele quebra e goteja.
[6]Meus dias têm sido mais rápidos do que a lançadeira do
tecelão,
e eles chegam ao fim com uma ausência de um fio de
esperança.

[7]Lembra-te de que a minha vida é vento;
meus olhos não mais verão a boa sorte.
[8]Os olhos que me veem [agora] não me contemplarão;
seus olhos estarão sobre mim, mas não serei mais.
[9]Uma nuvem chega ao fim e se vai;
assim, a pessoa que desce ao Sheol não sobe.
[10]Ele não retorna à sua casa novamente;
seu lugar não o reconhecerá de novo.

[11]Por isso, não restringirei a minha boca;
falarei na angústia do meu espírito;
lamentarei, no tormento da minha alma.
[12]Sou o mar ou o dragão,
para colocares uma vigilância sobre mim?
[13]Quando digo: 'A minha cama me confortará;
o meu colchão carregará parte do meu lamento',

14tu me aterrorizas com sonhos
e me assustas com visões.
15A minha alma escolheria estrangulamento,
morte em vez de [vida em] meu corpo.
16Eu [a] rejeitei, não devo viver para sempre;
deixa-me, pois os meus dias são um sopro.
17O que é um homem mortal para torná-lo grande
e para colocares a tua mente nele,
18para que atentes a ele a cada manhã
e o prove a cada momento?
19Até quando não desviarás o teu olhar de mim,
não me deixarás sozinho até engolir a minha saliva?
20Se ofendi, o que fiz a ti, tu que vigias a humanidade?
Por que fizeste de mim um alvo para ti,
para que me tornasse um fardo para mim mesmo?
21Por que não carregas a minha rebelião
e não deixas passar a minha desobediência?
Pois, agora, devo deitar-me no pó,
e, quando procurares por mim, não serei mais."

Tenho uma vida estranha, em comparação com muitos dos que vivem na mesma cidade que eu. Jamais deixei de ser grato pelo fato de poder trabalhar em casa, grande parte do tempo. Além disso, quando preciso ir ao seminário, basta pedalar dez minutos e estou lá. A minha vida contrasta com a das pessoas que vejo, de manhã, quando olho pela janela da cozinha, enquanto preparo o café. Elas começam a circular na minha rua logo depois das seis, em direção à rodovia que as leva aos seus empregos, muitas madrugam para evitar o trânsito que se arrasta ao se aproximarem de Los Angeles. Lá, trabalharão durante todo o dia, provavelmente em uma empresa recompensadora e numa atividade estimulante, mas, em geral, isso não acontece, até pegarem o cortejo inverso, ao entardecer, para chegarem em casa. Talvez seja improvável que ainda tenham energia para prepararem o jantar e, assim, optarão por um serviço de entrega ou por comida congelada. Depois, possivelmente, se deixarão cair no sofá, em frente a uma televisão, indolentes, na esperança de algum relaxamento, antes de repetirem a rotina no dia seguinte.

Jó não conhecia como era um dia assim, mas podia imaginar um dia equivalente em sua cultura. Jó era o chefão de uma grande empresa, em uma posição similar à minha, no sentido de conhecer pessoas cuja experiência de trabalho era bem diferente da sua própria.

A visão ideal do Antigo Testamento em relação ao trabalho é de que toda a família possua o seu pedaço de terra e que seus integrantes trabalhem nela juntos. Os homens farão a parte deles nos campos arando, semeando, e assim por diante; as mulheres realizarão a parte delas na propriedade moendo grãos, assando pães, e assim por diante. Tudo consiste em uma operação conjunta, da qual toda a família participa. No entanto, às vezes as coisas não vão bem para a família, e a atividade deles na propriedade não funciona por serem desafortunados, preguiçosos ou ineficientes, levando-os a trabalhar nas terras de outra pessoa — alguém que seja mais afortunado, trabalhador e eficiente e que, por esse motivo, acaba assumindo o controle da propriedade da primeira família em troca do fornecimento de comida. Dessa maneira, pequenas fazendas podem se transformar em agronegócios imensos, como é, aparentemente, o caso de Jó. Trata-se de um processo que, facilmente, leva a abusos, devidamente condenados pelos profetas. No entanto, a história de Jó sugere que não precisa ser assim, caso o fazendeiro de sucesso seja alguém com a mesma retidão e submissão de Jó a Deus.

Caso os menos afortunados, eficientes ou trabalhadores tiverem sorte, o processo significará que eles se tornarão servos de outro fazendeiro, uma servidão que, em teoria, durará alguns anos, até que paguem a sua dívida e coloquem-se de pé novamente. A **Torá** possui regras para regulamentar esse processo, e outros povos do Oriente Médio tinham regras similares. Caso sejam menos bafejados pela sorte e, talvez, não tenham outra escolha, exceto a de se resignarem a trabalhar para um senhor que não obedeça a essas regras e que os trate como empregados, pagos a cada dia, a probabilidade de se erguerem novamente é reduzida. Contrariando suposições ocidentais, então, a noção de emprego assalariado surge apenas quando a vida de uma pessoa desmorona. O ideal não é ter um emprego, mas estar envolvido nos negócios da própria família. Vender o seu suor é visto como uma triste ideia. Ser um empregado é pior do que ser um servo. (A palavra para "servo" é, com frequência, traduzida por "escravo", mas isso é equivocado. O senhor não possui o servo, não pode tratá-lo a seu bel-prazer e, provavelmente, está sob a obrigação de deixá-lo ir após alguns anos. Um homem como o servo de Abraão, que foi enviado com a missão de encontrar uma esposa para Isaque, evidentemente está em uma posição permanente; contudo, ainda mais claramente, ele não é um escravo, na acepção dessa palavra.)

Com base em sua própria experiência como senhor, e por testemunhar o que acorre em outros agronegócios, Jó pode observar como a vida é para os servos e os empregados —em seu caso, eles são o que a narrativa cita como seus "rapazes". Pode ser gratificante ser um servo em vez de morrer de fome, mas não é o mesmo que toda a família trabalhar na sua própria fazenda. Como servo, trabalha-se durante todo o dia para alguém mais, ansiando pela chegada da noite. Pior ainda, pode-se ser um mero empregado, trabalhando o dia inteiro almejando apenas o momento de receber o pagamento. A sua posição é similar à de pessoas no mundo ocidental que, realmente, são escravos econômicos, incapazes de deixar os seus empregos e voltarem para a "fazenda da família". Elas vivem de pagamento em pagamento, aterrorizadas pela ideia de perderem o emprego, a ponto de aceitarem condições sub-humanas de trabalho, por acreditarem que não há alternativa. "Graças a Deus é sexta-feira", dizem. Não foi assim que Deus criou o ser humano.

No entanto, a realidade fornece a Jó uma imagem para a vida humana como ele, então, a experimenta. De fato, agora Jó sente que a vida humana é assim por sua própria natureza. Trabalhamos durante vinte, quarenta ou sessenta anos e, então, morremos. É isso. Sua imagem é a de uma lançadeira de tecelão, que corre para a frente e para trás no tear. Parece que ele escolhe essa imagem porque ela lhe permite finalizar com um termo hebraico que possui dois significados; pode significar tanto uma corda ou um fio quanto esperança ou um futuro melhor. O contexto imediato nos leva a pensar no fio do tecelão e como o trabalho dele é interrompido quando o rolo de fio acaba. Já o contexto mais amplo nos faz pensar na esperança de restauração que Elifaz, por duas vezes, encoraja Jó a ter, além da esperança na morte, que Jó descreve como a sua esperança real. A palavra para esperança aparece duas vezes mais no livro de Jó do que em qualquer outro livro do Antigo Testamento, lembrando o leitor de que as pessoas que não estão em posição de autossuficiência ou independência podem ser estimuladas a uma consciência maior sobre a necessidade de esperança. Em Jó, no entanto, essa palavra, normalmente, surge em contextos de desesperança. Jó tanto possui desesperança quanto esperança: ele está desesperança- do com a vida, mas esperançoso quanto à morte, na qual nem mesmo Deus será capaz de encontrá-lo e, consequentemente, de impor mais sofrimentos a ele.

Está certo, ceder à irritação e à paixão pode arruinar uma vida, mas, dada a realidade da sua vida e de seus aparentes prospectos, Jó nada tem a perder ao dar voz aos seus sentimentos. Pela primeira vez, ele fala diretamente com Deus, confrontando-o pelo modo com que tem sido tratado — como se ele fosse a personificação de um poder perigoso e destruidor que Deus precisa controlar, ou como se Deus fosse um mau empregador, que não sabe como tratar os seus empregados, transformando-os em pessoas que apenas esperam o término do seu turno. Está certo, Jó é um pecador, como todo ser humano, mas por que as ofensas humanas comuns de Jó importam tanto a Deus? Este não deveria ser aquele que perdoa os pecados? Por que Deus precisa tratar Jó como se ele fosse alguém tão importante? Não pela última vez, mas a ironia é que nós conhecemos a resposta; Jó, porém, jamais a conhecerá.

Salmos 8:4 questiona: "O que é um homem mortal para que te importes com ele, um ser humano para que te preocupes com ele?" Deus criou a humanidade um pouco inferior ao divino, nos deu glória e majestade, e nos colocou a cargo do mundo, obra de suas mãos. Hebreus 2 aproveitará essas palavras e as usará como uma lente por meio da qual devemos olhar para Jesus. Isso reconhece que o mundo ainda não está sujeito a Jesus, mas sabe que um dia será assim. Para Jó, igualmente, as palavras declaram algo que contrasta com a presente forma de ser das coisas. Ao usar as palavras do salmista, ele as retrabalha para que expressem a sua reação distinta à atenção e à preocupação de Deus, as quais têm, para Jó, implicações diferentes daquelas para o salmista. Deus fez a humanidade grande e/ou o fez grande, mas, agora, Deus põe à prova, constantemente, esse representante da humanidade.

Uma vez mais, vemos a ironia de sabermos o motivo da provação de Deus a Jó, mas ele jamais soube.

JÓ **8:1–22**
SOBRE APRENDER COM O PASSADO

¹Bildade, o suíta, respondeu:

²"Até quando você falará essas coisas?
   As palavras de sua boca são um vento forte.

³Deus distorce a tomada de decisões?
   Shaddai distorce o que é reto?

⁴Se os seus filhos o ofenderam,
   ele os enviou por causa da rebelião deles.

⁵Se você mesmo procurar Deus,
   e buscar por graça com Shaddai,

⁶se você for inocente e reto,
   certamente ele, agora, se levantará para você
   e restaurará a sua justa propriedade.

⁷O seu começo pode ser pequeno,
   mas o seu fim crescerá muito.

⁸Pergunte às gerações anteriores, se quiser;
   direcione [a sua mente] para o que os seus ancestrais
      buscaram,

⁹porque somos [de] ontem e não sabemos,
   porque os nossos dias na terra são uma sombra.

¹⁰Não irão ensinar, dizer a vocês,
   e trazer palavras do entendimento deles?

¹¹Pode o papiro ficar alto onde não há pântano?
   Pode o junco crescer sem água?

¹²Enquanto ainda está em sua forma de broto, quando ainda
      não foi cortado,
   seca antes que qualquer grama.

¹³Assim é o caminho de todos os que removem Deus da
      mente;
   a esperança do homem ímpio perece.

JÓ 8:1-22 • SOBRE APRENDER COM O PASSADO

¹⁴Sua convicção se parte;
   sua confiança é uma casa de aranha.
¹⁵Ele confia em sua casa, mas ela não fica em pé;
   agarra-se a ela, mas ela não se mantém.
¹⁶Embora possa estar úmido diante do sol,
   e seu broto se espalhe por seu jardim,
¹⁷embora suas raízes possam se entrelaçar sobre um monte,
   possam buscar uma casa de pedras,
¹⁸quando ele é eliminado de seu lugar,
   ele o nega: 'Não vi você.'
¹⁹Sim, essa é a 'alegria' do seu caminho;
   do pó outros brotarão.

²⁰Por outro lado, Deus não rejeita o homem íntegro,
   embora ele não tome o transgressor pela mão.
²¹Ele ainda encherá a sua boca de riso,
   e os seus lábios gritarão.
²²Os seus inimigos se vestirão de desapontamento;
   a tenda do infiel não será mais."

No outro sábado, estávamos em um restaurante junto ao mar, e uma mulher, que é aluna do seminário, veio falar conosco. Essa praia em particular fica a uma hora de carro da minha casa e, portanto, perguntei-lhe se ela morava nas proximidades. Ela me explicou que costumava ir àquela praia aos sábados para surfar, a fim de se recuperar após uma semana de estudo — não acho que ela tenha usado o verbo "recuperar", mas foi uma expressão similar. Isso me fez refletir: "Por que o seminário tem esse efeito desgastante sobre as pessoas, para elas necessitarem de recuperação?" Há inúmeras respostas possíveis, que diferem de um seminário para outro, e de um indivíduo para outro, mas uma das respostas é que o seminário leva as pessoas a questionarem grande parte do conteúdo que lhes foi ensinado nas igrejas. Elas foram introduzidas a uma tradição cristã, uma forma de compreender a natureza da fé cristã — em outras palavras, uma forma de compreender Deus, a expiação, a salvação, a vida cristã e a oração. Todavia, no seminário descobrem que outros estudantes e professores trazem uma compreensão diferente. A tradição que lhes foi ensinada constituía uma parte apropriada da segurança delas, de maneira que o questionamento dessa tradição gera insegurança e, talvez, a necessidade de ir surfar (embora, no meu caso, surfar seja o que gera insegurança em mim).

Toda a história de Jó é uma sucessão massiva de questionamentos aos quais o livro não oferece respostas; ela versa sobre viver com questões para as quais não temos resposta, e seu discurso reflete a forma pela qual a tradição pode dar segurança ao viver. Se você deseja saber no que acreditar, ele diz, pergunte às gerações anteriores, aos ancestrais. Não se trata apenas do que você crê, mas como você vive. O musical *Um violonista no telhado* começa com a imagem de cada judeu como um violonista em pé em cima do telhado, tentando arranhar uma melodia sem quebrar o respectivo pescoço. Como manter o equilíbrio? Vivendo de acordo com as tradições quanto ao que comer, como dormir e mesmo sobre como vestir o xale de oração. A aderência às tradições da comunidade expressa a sua devoção a Deus. As tradições dizem quem você é e como Deus espera que você viva. Bildade representa a maneira pela qual o questionamento à tradição por outra pessoa contribui para a insegurança.

A tradição afirma que a vida funciona de um modo justo, e quase todos vivem com base nessa suposição. Seria difícil seguir vivendo sobre qualquer outro fundamento, e já observamos que, no fim da história, Jó afirma isso. Deus também faz essa afirmação a Eli, em 1Samuel 2: "Porque honrarei a

JÓ 8:1-22 • SOBRE APRENDER COM O PASSADO

pessoa que me honra, mas desprezarei a pessoa que me despreza." Embora Deus tanto honre quanto despreze, essas palavras a Eli associaram Deus mais intimamente com a honra do que com o desprezo. A declaração de Deus a Abraão sobre bênção e maldição, em Gênesis 12, é similar; ali, Deus está mais envolvido com a bênção do que com a maldição. Como um pai, Deus não está igualmente equilibrado entre a propensão de abençoar e a de disciplinar. O instinto divino é sempre em favor da bênção, mas Deus pode pender para a punição quando necessário.

Bildade é mais equilibrado. Ele está feliz por afirmar que Deus é aquele que se desfez dos filhos de Jó e que não toma o transgressor pela mão, enquanto, ao mesmo tempo, declara que Deus não rejeita o homem íntegro. Caso Jó se volte para Deus, sugere Bildade, Deus, então, agirá por ele e restaurará a sua justa propriedade. Essa última sentença é condensada. A sua propriedade é a sua casa, o seu patrimônio, e isso é justo na medida em que Jó está lidando com a situação do modo certo — isto é, para agir corretamente em relação a pessoas como seus servos e seus empregados, além dos pobres, que necessitam da sua generosidade, e aqueles com os quais a sua produção é comercializada.

Bildade, portanto, destemidamente, associa Deus com punição tanto quanto com bênção. Ele afirma que Deus não distorce a tomada de decisões ou aquilo que é justo. A palavra hebraica para "distorcer" ou "perverter" lembraria as pessoas do termo para "teimosia" ou "desobediência". Tanto Deus quanto a humanidade devem andar no caminho reto, não distorcê-lo. Bildade afirma que Deus não faz isso; e a ideia de tomada de decisões de acordo com o que é justo é recorrente na **Torá** e nos Profetas. Pode-se dizer que ela é central na tradição bíblica quanto ao modo pelo qual os relacionamentos e a comunidade devem funcionar. Muitas traduções apresentam as palavras "justiça e retidão" aqui, mas os termos hebraicos denotam mais precisamente a tomada de decisão que é justa e apropriada à luz das relações com as quais a pessoa está comprometida. Eles formam uma grande descrição dos compromissos pessoais de Deus e dos compromissos pessoais que Deus espera de seu povo — daí aquela descrição sobre a propriedade de Jó como caracterizada por relacionamentos justos. Jó é alguém que reflete Deus na maneira pela qual exerce a sua liderança. Em certo nível, Bildade reconhece isso.

Bildade, igualmente, reconhece que Deus opera tanto a bênção quanto a maldição indiretamente, por meio do funcionamento "natural" da vida. Os atos possuem consequências embutidas. Essa também é uma tradição com a qual a maioria das pessoas se depara na experiência humana. É essa consequência embutida na própria rebelião dos filhos de Jó que os levou à destruição, diz Bildade. Subsequentemente, ele generaliza o ponto. As coisas funcionam com os seres humanos da mesma forma que funcionam com a natureza — afinal, Deus é o Deus de ambos. A aranha confia na casa frágil e delicada que tece, mas essa casa é espanada. Confiar em si mesmo ou em outras divindades é semelhante a confiar numa casa assim. Papiros e juncos não crescem se as suas raízes não estiverem no meio correto — eles necessitam de água em abundância, caso contrário murcharão. Assim é o homem cuja vida não está em contato com Deus; ele murcha. Estar no meio apropriado significa olhar para Deus, esperar nele e guardá-lo na mente. Por um breve tempo, alguém que deposita a sua confiança em outro lugar pode parecer ir muito bem, a exemplo de uma planta que estende os seus brotos além do jardim, em direção às pilhas de pedras que repousam além de seus limites. Todavia, a planta murcha (semelhantemente ao que ocorre a grande parte das sementes, na primeira parábola de Jesus, em Marcos 4). Assim, o lugar no qual esse homem estava nem mesmo se lembra de tê-lo visto. Essa é a, assim chamada, alegria da experiência dessa planta; outra brotará de seu solo. É no descrente que Bildade, de forma sábia, foca a sua exposição sobre como a vida "naturalmente" funciona. Em contraste, Deus está mais direta e pessoalmente envolvido no destino dos piedosos. Deus agirá e o restaurará, encherá a sua boca de risos.

Bildade aprendeu bem com a tradição. Tudo o que ele diz sobre a natureza e o *modus operandi* de Deus em relação aos descrentes e aos justos é verdadeiro. Suas declarações sobre como o fiel pode esperar a brevidade de seu sofrimento se provará verdadeira na própria vida de Jó. Contudo, ele não reconhece que há exceções ao ensino da tradição. Isso ocorre em oitenta ou noventa por cento do tempo, não em cem por cento. Há ímpios que morrem felizes em seus leitos, e fiéis que não experimentam restauração. Isso não torna a tradição sem valor, mas a torna perigosa. O resultado terrível de tornar a tradição absoluta é poder reescrever a vida das pessoas sem esclarecê-la. Isso é o que Bildade faz, no início de seu discurso, ao falar dos filhos de Jó.

JÓ **9:1–35**
O DEUS DA IRA

¹Jó respondeu:
²"Na verdade, reconheço que é assim;
  mas como pode um mortal ser [capaz de provar que é]
    justo diante de Deus?
³Se ele quiser contender com ele,
  ele não lhe responde nem uma vez em mil.
⁴Perspicaz de mente e poderoso em força —
  quem foi duro com ele e saiu inteiro?
⁵Aquele que move montanhas, embora não
  o reconheçam, que as revira em sua ira,

⁶que sacode a terra de seu lugar
e faz seus pilares tremerem,
⁷que fala ao sol, e ele não brilha,
e sela as estrelas,
⁸que estendeu os céus por si mesmo
e andou nas costas do mar,
⁹que fez a Ursa, o Órion,
as Plêiades e as constelações do sul,
¹⁰que faz grandes coisas até não haver exame,
maravilhas até não haver mais contagem.
¹¹Eis que, se passasse por mim, eu não o veria:
se ele passasse, não o discerniria.
¹²Eis que, se fosse arrebatar, quem poderia fazê-lo voltar,
quem poderia dizer-lhe: 'O que está fazendo?'

¹³Deus não volta em sua ira;
debaixo dele, os ajudantes de Raabe se curvaram.
¹⁴Como, então, eu posso responder-lhe,
escolher palavras contra ele?
¹⁵Embora eu seja justo, não lhe responderia;
pediria por graça àquele que toma as decisões em relação
a mim.
¹⁶Mesmo que o chamasse e ele me respondesse,
não confiaria que ele daria ouvidos à minha voz.
¹⁷Ele me esmaga com uma tempestade
e me fere grandemente sem motivo.
¹⁸Ele não me permite recuperar o fôlego,
mas enche-me de tormento.
¹⁹Se for com respeito à força — ele é poderoso;
se for com respeito à tomada de decisões —
quem pode promover uma reunião por mim?
²⁰Embora eu seja justo, minha boca poderia me declarar
injusto;
mesmo sendo reto, poderia me declarar tortuoso.
²¹Embora eu seja justo, não poderia me reconhecer;
poderia rejeitar a minha vida.

²²É tudo igual, eis por que digo:
'Ele traz um fim ao íntegro e ao infiel.'
²³Se um flagelo mata subitamente,
do desespero de pessoas inocentes ele zomba.
²⁴A terra está entregue nas mãos dos infiéis;
ele cobre o rosto de seus tomadores de decisão —
se não é [ele], quem é então?

²⁵Meus dias são mais velozes do que um corredor;
quando fugiram, eles não viram boa sorte.
²⁶Eles passaram como barcos de junco,
como uma águia que se lança sobre a presa.
²⁷Se eu disser: 'Removerei o lamento da minha mente,
abandonarei o meu semblante e serei alegre',
²⁸ainda assim tenho medo de todos os meus sofrimentos,
Pois sei que não me considerarás inocente.
²⁹Eu mesmo fui considerado infiel;
por que, então, deveria labutar em vão?
³⁰Se lavo com sabão
e purifico as minhas mãos com soda cáustica,
³¹tu, então, me mergulharias em um poço,
e minhas roupas me abominariam.
³²Pois ele não é um homem como eu para que eu lhe
responda,
para que cheguemos a uma decisão juntos.
³³Não há árbitro entre nós
que possa colocar a sua mão sobre nós dois,
³⁴alguém que removesse a sua vara de cima de mim,
para que o medo dele não me assustasse!
³⁵Então, eu falaria e não teria medo dele,
porque em mim mesmo eu não seria assim."

Na sexta-feira passada, preparávamos o jantar para atender necessitados em um abrigo para sem-teto, quando, do nada, o pastor me perguntou: "O que você diz quando alguém lhe pergunta por que o Deus do Antigo Testamento é tão diferente do Deus do Novo Testamento?" Tão rápido quanto um relâmpago, repliquei: "Eu pergunto de volta se a pessoa já leu o Antigo ou o Novo Testamento", ao que ele riu. O pastor, claro, referia-se à ideia de que o Deus do Antigo Testamento é um Deus de ira, enquanto o Deus do Novo Testamento é um Deus de amor. O Deus do Novo Testamento, observei, é um que envia trilhões de pessoas para o inferno, o que o Deus do Antigo Testamento não faz; não há menção sobre o inferno no Antigo Testamento. Ao contrário, o Antigo Testamento é a história do Deus de amor trabalhando em prol do seu propósito com Israel e com o mundo, mas mostrando, ao mesmo tempo, que não se deve brincar com ele.

Jó está ficando muito deprimido em relação à classe de pessoa que Deus é. Ele pode reconhecer a verdade nas declarações gerais de Bildade, mas o seu problema é que mesmo que você seja íntegro, mesmo que seja relativamente inocente, não há como ganhar o seu caso com Deus se este não o ouvir. Deus pode tomar decisões com base em seu próprio poder e autoridade, não fundamentado no ouvir. Em alguns contextos, o poder divino representa boas-novas. Como Bildade observou, Deus pode usar o seu poder para derrotar os perversos; pode aniquilar as forças sobrenaturais do Maligno, os "ajudantes de Raabe". Não se trata da Raabe de Josué (cujo nome é escrito de forma diferente no hebraico); o termo é outro nome para o ser que o livro de Jó já se referiu como o Leviatã ou o dragão, a personificação do poder sobrenatural e dinâmico contrário a Deus.

No entanto, essa capacidade não tem utilidade para um homem como Jó, a quem Deus continua ignorando. Deus poderia passar ao lado de Jó, a exemplo do que ocorreu com Moisés, mas, em vista de sua presente situação, Jó não seria capaz de perceber a presença de Deus. Dado o poder divino, tudo o que, realisticamente, Jó pode fazer é suplicar por graça ou misericórdia (ainda assim, seria falar como se estivesse errado, o que não é o caso). Mesmo se Deus o deixasse falar, Jó pensa que Deus não o ouviria de fato. Deus detém todas as cartas, quer se pense em termos de poder físico ou legal.

Jó fala como se a maneira pela qual ele está sendo tratado represente toda a verdade sobre a experiência humana e sobre como Deus se relaciona com a humanidade. Caso alguém estivesse em posição de sugerir que Jó pudesse estar, equivocadamente, universalizando com base na experiência de um único homem e, portanto, falando injustamente sobre Deus, poderia fazer prevalecer o seu ponto. Contudo, isso também sugeriria que ele não está fazendo nada diferente do que aparece na tradição teológica expressada por seus amigos. A única distinção é que Jó está empregando a ênfase em um conjunto de dados diferente daquele usado pelos amigos. É intrínseco à posição teológica deles partir da natureza da experiência humana empírica. Isso é tudo o que ele está fazendo. Caso eles queiram fundamentar a teologia na experiência, então que seja.

A ligação entre a generalização teológica e a experiência pessoal de Jó está implícita na transição para o último parágrafo do capítulo. Quando Jó passa a falar, claramente, uma vez mais, sobre o que realmente lhe aconteceu, a transição é apenas aparente; na verdade, durante todo o capítulo, ele falou com base no que lhe aconteceu pessoalmente. O parágrafo também faz uma transição da fala de Jó sobre Deus, enquanto fala para si mesmo, e passa a falar diretamente com Deus — o que, à luz do que ele disse na maior parte do capítulo, é arriscado e doloroso. Ainda que Jó já tenha aceitado que

JÓ 9:1-35 • O DEUS DA IRA

devemos estar contentes ao receber tanto o mal quanto o bem de Deus, agora ele só consegue ver o mal.

Diz-se que, quando alguém perde o cônjuge após uma enfermidade, inicialmente tudo o que se consegue lembrar é o período difícil no fim da vida do cônjuge amado, mas que, com o passar do tempo, a impressão dos momentos derradeiros, de algum modo, se desvanece e a felicidade dos primeiros anos retorna à consciência. Tudo de que Jó pode ter ciência no presente é a severidade de sua experiência. Sua declaração é uma simplificação excessiva em uma direção infeliz. Ele não consegue mais se lembrar dos bons tempos passados nem vislumbrar bons tempos futuros. Jó consegue pensar no futuro, mas somente como um futuro que trará ainda mais dor e rejeição. Ele representa a propensão humana comum de presumir que a situação atual (boa ou má) jamais sofre mudanças, embora um instante de reflexão mostre que não é assim. A nossa experiência está em constante mutação; na verdade, pode-se argumentar que a mudança é mais prevalente que a consistência.

Então, pela primeira vez, Jó imagina a possibilidade de haver alguém para arbitrar entre ele e Deus. Quando as pessoas pensam em termos de um Deus de ira, podem pensar em Jesus como o mediador entre Deus e os pecadores como nós. Nessa conexão, Deus agir com ira em relação a nós seria algo merecido, por nossa condição de pecadores. Jó não pensa dentro dessa estrutura. Ele sabe que não merece receber a ira de Deus. Apesar de o Antigo Testamento reconhecer que a nossa transgressão tem um efeito na relação de Deus com toda a humanidade, ele não expressa que toda a humanidade está sob a ira divina. A ira de Deus está reservada aos que realmente a merecem, como os superpoderes no exercício de sua opressão a Israel, quando o povo desvia os olhos de *Yahweh* e dirige o olhar a outros deuses. Desse modo, Jó necessita de alguém para resgatá-lo da ira que ele não merece, mas, ao mesmo empo, ele sabe que isso é apenas uma boa noção teológica. Na realidade, não há ninguém capaz de nos resgatar de Deus; não há ninguém que possa remover a realidade do ataque divino e/ou a ameaça de um ataque adicional de Deus, de maneira que não é possível para Jó ter um argumento apropriado sobre o que lhe ocorreu.

JÓ **10:1–22**
SOBRE NASCIMENTO E MORTE

¹"Com todo o meu ser, eu abomino a minha vida;
    irei soltar o meu lamento por mim; falarei no tormento da
    minha alma.
²Direi a Deus: 'Não me consideres como alguém que está
    errado;
    diz-me sobre por que contendes comigo.'
³Parece-te bem que oprimas,
    que rejeites a obra de tuas mãos
    e sorrias ao plano das
    pessoas infiéis?
⁴Tens olhos de carne;
    vês como um mortal vê?
⁵São os teus dias como os dias de um mortal;
    são os teus anos como os anos de um homem,
⁶para que busques pela minha transgressão,
    inquiras as minhas ofensas,
⁷embora saibas que não sou infiel —
    mas não haja ninguém que resgate das tuas mãos?
⁸Embora as tuas mãos me tenham moldado e feito,
    por completo tu me consumiste.
⁹Lembra-te de que me fizeste como barro
    e, agora, me transformas de volta ao pó?

¹⁰Não me derramaste como leite,
não me deixaste como queijo?
¹¹Vestiste-me de pele e carne,
teceste-me de ossos e tendões.
¹²Deste vida e compromisso sobre mim;
tua atenção cuidou do meu espírito.
¹³Mas essas coisas tu ocultaste em teu coração;
sei que isso estava em tua mente:
¹⁴Se eu ofendesse, tu me observarias
e não me consideraria inocente da minha transgressão.
¹⁵Se sou infiel, ai de mim,
mas, mesmo que eu seja fiel, não consigo elevar a minha
cabeça,
cheio de desgraça,
encharcado com a minha humilhação.
¹⁶Se [a minha cabeça] permanece elevada, caças-me como um
leão
e, novamente, mostras maravilhas por meio de mim.
¹⁷Trazes novas testemunhas diante de mim,
aumentas a tua irritação contra mim,
sucessão de tropas contra mim.
¹⁸Por que, então, me tiraste do ventre? —
poderia ter dado o meu último suspiro, e olhos não me
terem visto.
¹⁹Poderia ter sido como se nunca fosse,
poderia ter sido carregado do ventre para a sepultura.
²⁰Não são os meus dias poucos?
Deixa-me, pois, afasta-te de mim, para que eu possa
parecer alegre por um momento,
²¹antes de ir (e não retornar)
para um país de trevas e sombra mortal,
²²uma terra de escuridão como a noite, sombra mortal sem
ordem,
e que brilha como as trevas."

Ontem, uma garota com pouco mais de 20 anos me contava sobre o falecimento de sua avó, ocorrido um dia ou dois antes. A exemplo de muitos jovens da sua geração, ela tinha uma relação próxima com a sua avó, e, assim, a perda lhe fora muito grande. Ainda ontem, outra jovem mulher, parente da minha esposa, entrava em trabalho de parto de sua primeira filha, que receberá o nome da minha enteada. Parece-me que ouvi sobre a gravidez dessa garota poucas semanas atrás, e imaginamos o crescimento gradual do bebê em seu ventre que pode, hoje, ser monitorado visualmente por meio do ultrassom. Não há nada maior do que a diferença entre vida e morte, embora estejam em uma estranha justaposição em nossa existência.

No caso de Jó, essa estranha justaposição surge nesse capítulo. Ambos lutam para chamar a sua atenção. Por um lado, existe o processo pelo qual um bebê chega à existência no ventre da sua mãe. Todavia, não é assim que Jó fala, dizendo que esse processo é realizado por Deus. Sua vinda à existência é resultante do trabalho das mãos de Deus. Trazer um ser humano à vida não é uma realização trivial, algo que Deus realiza às pressas, entre o café da manhã e o almoço, refestelado em sua poltrona. Isso envolve trabalho de parto árduo. Embora o idioma hebraico tenha formas distintas de se referir ao trabalho, ao esforço e ao sofrimento envolvidos no parto, o verbo presente aqui não é usado da maneira pela qual usamos a expressão "trabalho de parto" em nosso idioma, apesar de, mais tarde, em Jó 39, Deus a utilizar em relação à avestruz depositar os seus ovos. Em nosso idioma, a ligação é sugestiva. Do mesmo modo que uma mãe empreende um esforço enorme para liberar o seu bebê do ventre (a expressão "ter" um bebê é muito suave!), Jó reconhece que Deus já empregou um grande esforço na formação do filhote no ventre da avestruz.

Jó prossegue descrevendo Deus como o seu "modelador" e "artífice". Deus é como um artesão, mais especificamente um oleiro que molda uma figura do barro ou da argila. Foi assim que Deus trouxe o primeiro ser humano à existência, em Gênesis 2, mas Deus não deixou, então, a humanidade e a natureza para fazerem o seu próprio trabalho. Deus molda cada pessoa que vem a existir. Foi o pai de Jó que depositou a sua "semente" no interior da mãe de Jó, para que, então, um feto fosse formado. A imagem reflete a noção tradicional de que é o sêmen do homem que gera a forma do bebê, para o qual o ventre da mãe providencia uma casa, exceto que Jó transforma essa realidade física em uma imagem para o que Deus faz. Pode-se aplicar ao nascimento físico de Jó, ou de qualquer bebê, a linguagem presente em João 1:13, que se refere aos filhos de Deus, os quais "não nasceram por descendência natural, nem pela vontade da carne nem pela vontade de algum homem, mas nasceram de Deus". Em outras palavras, os filhos de Deus não nasceram mediante um processo natural, ou como resultado de uma decisão humana ou do marido. Em vez disso, é como se Deus providenciasse tanto o sêmen quanto o ventre.

À medida que o nascimento se aproxima, Deus continua envolvido no processo, que se torna como um ato de tecer ou tricotar a fim de gerar pele e carne, ossos e tendões. Fora do ventre, a mãe do bebê tricota roupas para o futuro filho; no interior do ventre, Deus também está tricotando. Por meio de todo o processo, Deus concede vida, **compromisso** e atenção, que cuida não apenas do corpo de Jó, mas, igualmente, de seu espírito.

Contudo, aquele último verbo anuncia a mudança no discurso de Jó pelo qual esperávamos. No meio de sua vida, Deus ainda cuida dele, mas de uma forma distinta. Agora, Deus o observa a fim de o flagrar. Deus, agora, oprime e rejeita o esforço de suas mãos, e a mão que modelou Jó é uma mão da qual ele quer escapar. A vida que fora uma dádiva divina tornou-se, agora, um viver que Jó abomina. Embora Deus o tenha modelado com o barro da terra, agora Deus está devolvendo Jó ao pó da terra. Isso suscita a questão sobre o motivo pelo qual Deus está aborrecido, sobre por que Jó não foi direto do ventre para a sepultura. Embora Jó tenha motivos particulares para questionar: "Por que [...] me tiraste do ventre?", essa é uma pergunta que todos nós devemos fazer, ainda que possamos nem nos lembrar dela quando tudo vai bem em nossa vida.

O problema de Jó é a disparidade entre o cuidado e o esforço empregado por Deus para trazer Jó à existência e a posição que Deus assume, agora, em relação a ele. Pode-se esperar que Deus se alegrasse com os planos de vida de uma pessoa assim. Se o rei lhe sorri, é sinal de que você ganhou o favor dele e sua vida deslanchará; assim é com Deus. O sorrir resulta em bênção. Todavia, Deus sorri aos infiéis, não a Jó (não há um infiel particular em mente; trata-se apenas de outra forma de expressar que o comportamento de Deus é o inverso do que seria esperado). É como se a opressão a Jó fizesse bem a Deus, como se houvesse algum lucro com isso; como se Deus fosse míope ou possuísse uma experiência limitada de vida, a exemplo de um ser humano, que não pode ver o que está em seu próprio interesse e/ou não consegue ver a verdade sobre Jó, como alguém que é (basicamente) íntegro e reto. Ainda, é como se Deus, simplesmente, se esquecesse de Jó, a exemplo de um projeto que funcionou bem a princípio, mas que, então, falhou e perdeu o interesse do seu projetista, talvez pelo fato de Jó ser enfadonhamente bem-sucedido.

De fato (Jó especula, enquanto procura por alguma explicação quase racional para a ação de Deus), é como se toda a ideia de Deus como um amoroso Criador seja falsa e, na verdade, Deus seja um sádico que criou Jó apenas para julgá-lo e persegui-lo. Na realidade, não faz nenhuma diferença se Jó é fiel ou infiel. Deus já tomou a decisão sobre como irá persegui-lo; Jó usa ao máximo a extraordinária liberdade que é possível ter na oração, que lhe permite expressar qualquer coisa sem ser aniquilado por um raio, e que pode, de alguma forma, provocar a resposta de Deus.

Assim, a descrição poética do processo por meio do qual Deus traz um ser humano à existência dá lugar a uma descrição mais realista da morte. É possível dizer-se que essa descrição seja igualmente poética no sentido de ser figurada, todavia a sua natureza poética assume uma forma distinta. Não há imagens coloridas; apenas diversas formas de descrever a escuridão. Isso indica uma deficiência de nosso idioma quanto a essa palavra. É difícil representar a variedade dos termos usados por Jó. Escuridão, trevas, sombra mortal; essa é a natureza da morte. Anteriormente, Jó ansiava pela morte porque ela representava descanso. Agora, abandona essa conotação positiva. O único elemento, na sua descrição, que não está relacionado à escuridão, a ausência de ordem ou caos, também pode indicar uma reversão da conotação positiva sobre a morte. Nesta vida, há uma ordem na qual todos conhecem o seu lugar devido — reis e plebeus, servos e senhores, pequenos e grandes. Na morte, não há ordem nem estrutura social.

Quando morremos, a família rola a pedra da tumba familiar, e a luz ilumina o interior pela primeira vez, desde que o último corpo foi ali sepultado. Sim, as pessoas ali estão em descanso, mas os familiares vivos não podem evitar de perceber que os corpos de seus amados se deterioraram; é como se os corpos tivessem retornado à terra da qual foram feitos. E, quando a família rola a pedra de volta, para cobrir a entrada da tumba, após colocarem alguém ali, as trevas descem e tomam conta do interior novamente, escuridão, negrume, sombras, a noite que falha em dar lugar ao dia. Ali se deita, para jamais retornar, observa Jó.

JÓ **11:1–20**
O MESMO DE SEMPRE

¹Zofar, o naamatita, respondeu:
²"Deve uma multidão de palavras não ser respondida,
  ou deve alguém de lábios [loquazes] ser tratado como
    sendo reto?
³Sua tagarelice pode silenciar seres humanos;
  você pode zombar, e pode não haver ninguém para
    repreender.
⁴Pode dizer: 'Meu credo é puro,
  sou inocente aos teus olhos.'
⁵Contudo, se Deus lhe falasse
  e abrisse os lábios com você,
⁶e lhe contasse os segredos da sabedoria,
  porque há dois lados para a compreensão,
  e você deveria reconhecer que Deus carrega algumas
  de suas transgressões para você.

⁷Você consegue alcançar a profundidade de Deus
  ou alcançar a perfeição de Shaddai?
⁸As alturas dos céus — o que você pode fazer?
  Mais profundo que o Sheol — o que você pode conhecer?
⁹Sua medida é maior que a terra,
  mais larga que o mar.
¹⁰Se ele passa e leva cativo
  e convoca [uma assembleia], quem pode fazê-lo voltar?
¹¹Porque ele reconhece homens vazios;
  quando vê a iniquidade, não percebe?
¹²Um homem oco terá uma mente
  quando um jumento selvagem nascer um ser humano.

¹³Se você direcionar a sua mente
  e estender as mãos para ele,
¹⁴se houver iniquidade em suas mãos, coloque-a de lado,
  e não deixe a transgressão habitar em sua tenda,
¹⁵porque, então, você levantará o seu rosto, livre de mácula,
  e será constrangido, mas não terá medo.
¹⁶Porque você mesmo removerá o problema da sua mente,
  pensará nele como águas que passaram.
¹⁷A vida será mais brilhante que o meio-dia,
  a escuridão se tornará como a manhã.
¹⁸Você estará seguro, porque haverá esperança;
  quando buscar por segurança, você descansará.
¹⁹Você se deitará, e não haverá ninguém a perturbar,
  e muitos cortejarão o seu favor.
²⁰Mas os olhos dos infiéis falham;
  o escape desaparece deles;
  a esperança deles é um suspiro mortal."

Escrevo estas linhas na Semana Santa e, no último domingo, fizemos a leitura da história da Paixão do Evangelho de Mateus, com seu relato exótico sobre as sepulturas se abrindo em Jerusalém, os corpos ressuscitados saindo e andando na cidade após a morte de Jesus, em antecipação à sua própria ressurreição. Trata-se de uma história assustadora e que nos deixa perplexos, mas ela pressupõe uma perspectiva importante. São os corpos de judeus que, como tais, pertenciam a Deus; Mateus os denomina de "santos", uma palavra recorrente em outras passagens do Novo Testamento. É um termo usado em referência àqueles pertencentes à igreja, aos que são discípulos de Jesus. A implicação da história é que as pessoas que morrem, simplesmente, não saem da existência. De algum modo, elas permanecem existindo. Os que pertencem a Deus, mas que já faleceram, aguardam o dia em que serão levantados da morte, um dia que virá por meio da morte e da ressurreição de Cristo.

Reconhecidamente, com base no Antigo Testamento, essas pessoas não sabem que aguardam aquele dia. Até onde sabem, a morte é o fim. Vimos, no último capítulo, como Jó certamente sabe que em sua época nada similar à ressureição irá ocorrer. Quando se vai para o reino das trevas, não há retorno. Somente após a morte e a ressurreição de Cristo é que a morte se tornará um lugar que entrega os seus mortos. Zofar assume a mesma percepção sobre o aspecto definitivo da morte. Logo no início de seu discurso, ele se refere ao **Sheol** e, no fim, cita a morte em seu caráter final. O Sheol é uma espécie de equivalente imaterial do túmulo físico. No capítulo anterior, Jó pressupôs como as pessoas são lançadas na escuridão da sepultura quando morrem. A Bíblia opera com mais uma unidade entre o corpo e a pessoa do que os cristãos, em geral, assumem; assim, considera como certo que o que ocorre ao corpo e o que ocorre à pessoa estão intimamente relacionados. Os seus autores estão cientes do fato óbvio de que o corpo continua a existir após a morte (mesmo se ele começar a se decompor), mas, agora, é um corpo sem vida. Assumem que algo similar é verdadeiro em relação à pessoa, alma ou espírito. Ela continua a existir, mas, agora, inanimada, de maneira que não pode mais pensar, lembrar ou louvar.

Além disso, terão ciência, como temos, de que, embora o corpo e a pessoa estejam intimamente relacionados, eles possuem independência mútua no sentido de que, enquanto o meu corpo possa estar em determinado lugar (digamos, na sala de aula), o meu espírito pode estar em outro (digamos, com a pessoa amada, com quem me encontrarei após a aula). É possível estar presente corporalmente em algum lugar, mas não em espírito (um de meus compositores favoritos é autor de uma sentença sobre estar a caminho para ver a mulher que ama; sua alma já está com ela, ainda que seu corpo esteja a uma hora de distância). O fato pode ser parte do que possibilita pensar em termos de espíritos ou almas ou pessoas, dos que já faleceram, estarem, em algum sentido, juntos, no lugar que o Antigo Testamento chama de Sheol. No entanto, o Antigo Testamento não revela muito mais sobre o Sheol, além do que pode ser inferido pela realidade da morte e pelo que se pode ver acontecendo ao corpo; Zofar refere-se a esse fato. As intangíveis verdades sobre Deus são "mais profundas que o Sheol" e, assim, Jó não deve presumir que pode saber muito sobre esse tema.

Tempos depois, o pensamento judaico falará de quatro reinos sobre os quais nada podemos conhecer, exceto pela revelação sobrenatural de Deus. Existem os reinos que estão acima e abaixo de nós, e os que estão à nossa frente e atrás. À frente e atrás, estão o futuro e o passado; de maneira confusa para nós, leitores ocidentais, o Antigo Testamento e o pensamento judaico consideram o futuro como o que está atrás de nós, e o passado à frente (embora essa compreensão seja mais lógica que a do Ocidente, uma vez que podemos, na verdade, ver o passado, mas não podemos ver o futuro — a vida é como remar um barco). O reino acima é o céu ou céus, e o reino abaixo é o Sheol (no Antigo Testamento) ou o inferno (no pensamento judaico posterior). Em outras palavras, necessitamos de uma revelação divina sobre tudo, exceto sobre o que podemos ver com os nossos olhos aqui na terra, no tempo presente. (Na verdade, a história de Jó ilustra como podemos também necessitar de uma revelação quanto ao que estamos vendo aqui, caso este presente for particularmente inacreditável, desconfortável ou confuso.)

Zofar pressupõe algo assim e indica a Jó. Primeiro, ele fala sobre o reino acima e o reino abaixo, mas, então, da terra e do mar. Humanamente, podemos, claro, saber algo a respeito do último par, mas não tudo sobre eles. Eles permanecem sendo mistérios parciais. Jó, pelo menos, não estava em posição de viajar ao extremo da terra ou de cruzar os mares. Não há meios de ele agir em toda a terra ou em todo o mar, ou saber tudo a despeito da vastidão deles. Ainda mais obviamente, Jó não é capaz de agir ou conhecer o céu, em sua altura, ou o Sheol, em suas profundezas. (A forma pela qual a poesia hebraica funciona nos encoraja a concluir que, em um verso como esse, o agir e o conhecer se aplicam tanto aos céus quanto ao Sheol.) Segundo a visão de Zofar, Jó tem discursado como se pudesse obter uma compreensão completa sobre a maneira de Deus agir na criação, e no mundo, acima e abaixo, mas, evidentemente, ele não possui essa capacidade. Com certa ironia, Zofar estabelece um ponto que se repetirá nas próprias palavras de Deus, quando este, eventualmente, falar, o que também é verdadeiro em relação a grande parte das afirmações dos amigos de Jó. O problema é que eles não veem as implicações de suas declarações.

A ironia adicional nas palavras de Zofar é que, embora ele diga a Jó para não supor ser capaz de compreender o modo divino de agir, Zofar prossegue discursando como se ele mesmo tivesse essa percepção. As coisas são mais complicadas do que Jó imagina, o amigo diz. Há dois lados da compreensão. O contexto pode sugerir que Zofar queira dizer que existem dois lados para uma compreensão de Deus. Jó tem discorrido muito sobre a justiça divina e falado como se fosse uma vítima dessa justiça, embora ele necessite reconhecer que Deus também é caracterizado pela misericórdia e, talvez, que seja um beneficiário dela. Deus está "carregando" algumas de suas transgressões, aceitando a responsabilidade por elas, ao não punir Jó como ele merece (!).

Por outro lado, apesar de haver pessoas que são casos perdidos, moralmente falando, vazias, "ocas", que jamais irão mudar, Zofar, polidamente, permite a possibilidade de Jó não pertencer a essa categoria. Jó necessita apenas voltar-se para Deus, afastar-se de suas transgressões, e, então, Deus irá restaurá-lo. Ele ainda pode enfrentar problemas, mas não precisará temer o modo pelo qual a vida, finalmente, dará certo.

Zofar acredita que as coisas são mais complexas do que Jó imagina, mas não mais complicadas do que ele próprio pensa. O discernimento quanto aos caminhos de Deus está além de Jó, mas não de Zofar. E isso poderia estar certo, caso Zofar prosseguisse oferecendo a Jó, e a nós, alguma sabedoria que nos levasse a exclamar: "Uau! Sim!" Mas Zofar não chega nem perto. Tudo o que ele tem a oferecer já foi dito pelos outros amigos, isto é, que Deus restaurará Jó se este se voltar para Deus. Nesse sentido, existe esperança para Jó. A palavra aparece duas vezes nas linhas finais. Em contraste a essa possibilidade aberta diante de Jó, não há esperança para os infiéis. A implicação é que Jó precisa assegurar que não faz parte dessa categoria, caso contrário a única esperança que terá será um suspiro mortal — literalmente, o derradeiro sopro da morte.

JÓ **12:1–25**
SOBERANIA SEM PRINCÍPIO?

¹Jó replicou:
²"Na verdade, vocês são o povo
  com quem o discernimento morrerá.
³Mas tenho uma mente como a de vocês;
  eu não caio mais baixo que vocês,
  e com quem não há coisas assim?

JÓ 12:1-25 • SOBERANIA SEM PRINCÍPIO?

⁴Tenho sido motivo de riso para o seu amigo,
 que clamava a Deus, e ele respondia;
 um homem íntegro, reto, é objeto de chacota.
⁵Enquanto há desprezo pela calamidade
 no pensamento da pessoa que está segura,
 a [calamidade] está pronta para aqueles cujos pés
 escorregam.
⁶As tendas dos ladrões ficam à vontade,
 e há segurança para pessoas que provocam Deus,
 pessoas a quem Deus segura em sua mão.

⁷Mas, então, pergunte aos animais para que eles possam
 ensiná-lo,
 e às aves dos céus para que lhe digam,
⁸ou fale à terra para que ela o ensine,
 e ao peixe do mar para que o informe.
⁹Quem não reconhece, entre todos estes,
 que a mão de *Yahweh* fez isso,
¹⁰aquele em cujas mãos está a vida de cada coisa vivente,
 e o sopro de cada ser humano?
¹¹O ouvido não testa as palavras
 como o paladar prova a comida por si mesmo?
¹²Entre os idosos encontra-se a sabedoria;
 na longura de dias repousa o discernimento.
¹³Com ele estão a sabedoria e a força;
 a ele pertence o propósito e o discernimento.
¹⁴Por um lado, ele derruba, e não se pode reconstruir;
 prende um homem, e ele não é solto.
¹⁵Do outro, ele retém as águas, e elas secam;
 ele as libera, e elas submergem a terra.
¹⁶Com ele a sabedoria e o sucesso estão;
 a ele pertencem a pessoa que se desvia e aquela que conduz
 ao desvio.
¹⁷Despoja os conselheiros,
 transforma tomadores de decisões em tolos.

¹⁸Solta os laços dos reis,
   amarra um cinto ao redor da cintura deles.
¹⁹Despoja os sacerdotes,
   derrota os poderosos.
²⁰Tira a fala dos homens confiáveis,
   remove o discernimento dos anciãos.
²¹Derrama desprezo sobre os líderes,
   afrouxa o cinto dos fortes.
²²Revela mistérios das trevas,
   expõe sombras mortais à luz.
²³Ele eleva nações e as destrói,
   expande nações e as lidera.
²⁴Tira a razão dos cabeças do povo de um país
   e os faz vaguear num deserto onde não há caminho.
²⁵Eles tateiam nas trevas onde não há luz,
   e ele os faz perambular como um bêbado."

Minha esposa e eu estávamos falando sobre Jó num dia desses, e ela comentou sobre duas pessoas na igreja à qual pertencera antes, que haviam desistido da fé cristã e abandonado a igreja, após passarem pela horrível experiência de perder um filho num acidente de trânsito. Ao falar com pessoas que passaram por uma experiência similar a essa, igualmente elas são propensas a expressar uma grave perplexidade: "Por que Deus permitiu isso?" O mistério, para mim, é o fato de as pessoas fazerem essa pergunta, pois ela implica uma compreensão de Deus distinta de qualquer outra que eu ache natural. Para mim, parte desse mistério é a pressuposição de que Deus possui uma relação de microgerenciamento com o mundo. Com respeito a isso, a história de Jó constitui a exceção que prova a regra. Deus, normalmente, não gerencia a vida das pessoas do mesmo modo que gerencia a de Jó.

Outro aspecto do mistério é a suposição de que o mundo e a humanidade seriam melhores se Deus tivesse essa espécie de gerenciamento conosco e com o mundo. Dessa maneira, o mundo seria um lugar no qual nada trágico ocorreria e ninguém teria de tomar decisões responsáveis (pois Deus sempre anularia as decisões irresponsáveis). Uma pergunta que está por trás de inúmeras perplexidades: "O que significa para Deus ser soberano neste mundo?"

Podemos considerar essa questão como um aspecto do problema de Jó. Seus amigos, agora, o deixaram irritado, e ele os confronta nesse capítulo. A exemplo do que ocorre em sua declaração anterior, ele acabará se dirigindo a Deus, mas, antes, começa falando aos amigos *sobre* Deus. O dilema com seus amigos não é, meramente, a falta de empatia, mas o flagrante ar de superioridade. Eles sabem todas as respostas!

Com frequência, sentimos a necessidade de sermos superiores; não saber as respostas nos deixa em uma posição de insegurança. Por isso, os amigos precisam desconsiderar as questões de Jó, as quais são fundamentadas na natureza de sua experiência, pois ela desmente as respostas dos três. No entanto (Jó pergunta), eles o consideram estúpido ao mesmo tempo que se acham tão cheios de sabedoria? Ele não é nem um pouco inferior a eles a esse respeito. De fato, a alegada sabedoria da qual eles tanto se orgulham não passa de lugar-comum. O que eles dizem qualquer um poderia dizer. Além disso, eles não consideraram com seriedade os fundamentos da história de Jó. Por um lado, Jó tem sido um homem que sabe como viver em um relacionamento íntimo com Deus. Uma vez mais, Jó resume o relato que a abertura da história nos apresentou. Ele é um homem que orava e tinha as suas orações respondidas; clamava a Deus, e este lhe respondia. Ainda, ele é um homem que viveu uma vida íntegra e correta em relação a Deus e às outras pessoas. A despeito de tudo isso, todavia, mais recentemente ele se tornou motivo de chacota.

Enfrento problemas por rir dos alunos quando eles me questionam. Para mim, o riso é um sinal de afeição e apreciação; tento convencê-los de que ajo assim porque os acho cativantes. No entanto, na perspectiva deles, a risada é dolorosa, pois sugere que os estou desprezando e me dissociando deles. Essa é a espécie de riso que Jó suscitava em seus amigos. Rir dele era uma forma de se distanciarem de Jó e, talvez, garantir que o seu destino não viesse também sobre eles. Os amigos creem que estão imunes a calamidades; a teologia deles lhes assegura que é assim, pois estão vivendo retamente. Mas eles ignoram a implicação da vida de Jó. A tragédia pode estar prestes a cair sobre você, mesmo quando não há motivos para esperá-la nem para merecê-la. Trata-se de um fato contrário a outro abordado por Jó: há pessoas que têm todos os motivos para temerem a calamidade com base em seu modo de viver, que despreza Deus e outras pessoas.

Quando Jó fala sobre o conhecimento dos animais e das aves, ele fala como se estivesse falando de um indivíduo. A expressão "mas, então" sugere que ele está, ironicamente, resumindo a espécie de coisas que os seus amigos "especialistas" estão dizendo, que um professor ensina ao seu pupilo. Tais professores indicam o que veem como as percepções mais básicas da vida, a espécie de conhecimento que até mesmo as criaturas do mundo natural reconhecem e que os mestres, dotados da sabedoria da idade, também afirmam. Deus está no controle do que nos acontece, afirma o ensino tradicional, e Deus está em uma posição de soberania sobre o que ocorre, pois possui o discernimento e o poder necessários.

Ao prosseguir descrevendo a soberania de Deus, Jó segue usando a ironia, mas a leva em uma direção diferente. A forma de oferecer uma descrição de Deus, que aparece na segunda metade do capítulo, seria familiar às pessoas, segundo expressões de louvor como o salmo 104, e lembretes da natureza de Deus por meio de profetas como Amós. No salmo e aqui, em Jó, os particípios são usados para descrever Deus como "aquele que...". O conteúdo real das descrições lembra, especialmente, o louvor no salmo 107, pois este também fala sobre Deus derramar desprezo sobre os líderes e fazer as pessoas vagarem em um deserto sem caminhos, sobre fazer secar uma terra fértil, e sobre a experiência de sentar em meio a trevas e sombras mortais.

No próprio livro de Salmos, aqueles que passam por experiências terríveis tanto louvam quanto protestam por sua tribulação e imploram para Deus fazer algo a respeito. Na verdade, pode-se dizer que Jó agiu assim no começo da história. Desse modo, os ouvintes do livro sentiriam como se ouvissem Jó seguindo o exemplo do salmista. Contudo, também perceberiam a presença de algo estranho no "louvor" de Jó, em comparação com esses paralelos familiares. Os profetas e os salmistas consideram que o poder de Deus é canalizado para expressar fidelidade a Israel ou, pelo menos, para dar a Israel o que ele merece, quando a nação está cheia de desprezo por Deus e pelos demais povos. Jó não faz tais declarações sobre o modo pelo qual Deus exerce a sua soberania no mundo. Tudo o que Jó pode ver é poder puro. Assim, de certa forma, é mais chocante e assustador declarar que a ação de Deus é caracterizada pela sabedoria, pela capacidade de decidir o que fazer e, assim, agir. Seja você aquele que se desvia ou o que conduz o outro ao desvio, você está dentro do exercício da soberania divina. Quer uma nação prospere quer decline, Deus está por trás dela. Nas inúmeras circunstâncias nas quais os líderes perdem o seu poder, Deus é quem lhes tira o poder. Mas Jó não consegue ver significado moral nesse modo de Deus agir.

JÓ **13:1–28**
VOCÊ IRÁ APENAS OUVIR?

¹"Eis que meus próprios olhos viram tudo isso;
  meus ouvidos o ouviram e entenderam.
²Em correspondência ao seu conhecimento, eu também sei;
  não estou em posição inferior à de vocês.
³Mas eu mesmo falarei a Shaddai;
  quero argumentar com Deus.
⁴Vocês, contudo, são difamadores de mentiras,
  médicos vazios, todos vocês.
⁵Se apenas ficassem calados;
  isso já seria sabedoria para vocês.
⁶Ouçam o meu argumento;
  deem ouvidos ao caso dos meus lábios.
⁷É por Deus que vocês falam injustamente,
  ou para ele que falam enganosamente?
⁸É a ele que mostram favor,
  ou para Deus que fazem um caso?
⁹Iria tudo bem caso ele os examinasse;
  o enganariam como se engana um ser humano?
¹⁰Ele discutiria fortemente com vocês,
  mesmo se, no íntimo, [lhe] mostrassem favor.
¹¹A sua majestade não os aterrorizaria,
  e o medo dele não cairia sobre vocês?
¹²Seus lembretes são aforismos feitos de cinzas;
  suas respostas são feitas de barro.

¹³Aquietem-se por mim, e eu mesmo falarei;
  venha sobre mim o que vier.
¹⁴Por que elevo a minha própria carne em minha boca,
  tomo a minha vida em minhas mãos?
¹⁵Sim, ele pode me matar; posso ter esperança? —
  ainda assim, discutirei o meu caso diante de seu rosto.
¹⁶Isso também será a minha libertação,
  que uma pessoa ímpia não se apresentaria diante dele.

JÓ 13:1-28 • VOCÊ IRÁ APENAS OUVIR?

[17]Ouçam atentamente as minhas palavras,
a minha declaração aos seus ouvidos.
[18]Agora, já preparei um caso;
sei que eu mesmo provarei ser justo.
[19]Quem irá contender comigo? —
porque, então, eu ficaria quieto e respiraria pela última
vez.

[20]Ainda, não faça duas coisas comigo,
então não precisarei me esconder de teu rosto:
[21]Afasta tua mão de mim;
que o teu terror não me amedronte.
[22]Chame, e serei um dos que respondem,
ou eu falarei, e tu me replicarás.
[23]Quantos são os meus atos de transgressão e as minhas
ofensas? —
torna conhecidas a mim a minha rebelião e a minha ofensa.
[24]Por que escondes a tua face
e me consideras um inimigo teu?
[25]Tu persegues uma folha soprada pelo vento
e caças um joio seco,
[26]pois decretas tormentos para mim
e me fazes herdar os atos rebeldes da minha juventude,
[27]colocas os meus pés no tronco
e vigias todos os meus caminhos,
colocas marcas para ti mesmo nas solas dos meus pés?
[28]E essa é uma pessoa que se desgasta como algo podre,
como uma roupa que é comida pela traça."

Nessa mesma tarde, estava ao telefone com um amigo que se
mudou para outra cidade, pois acreditava ter um chamado
para ir e trabalhar em uma região difícil ali. Ele se uniu a uma
pequena igreja e abriu uma cafeteria que pudesse ser um local

de encontro e uma ponte para alcançar pessoas com o evangelho. Ele não esperava que fosse um sucesso imediato, mas cria que Deus estaria com ele e o apoiaria. Todavia, isso não prevaleceu, e ele se sentia abandonado pela igreja, sem o suporte de Deus e achava, portanto, que tinha dado o passo maior que a perna. Deus não estava ali. Embora o meu amigo não queira fazer apenas as coisas para as quais acredita ter recursos em si mesmo, ele, agora, também não sente que pode correr o risco de fazer algo para o qual não possui esses recursos. Ele está discutindo consigo mesmo e com Deus, questionando que esperanças pode ter em relação ao futuro.

Jó sente-se abandonado por seus amigos e precisa confrontar Deus; ele também fala sobre esperança. Jó começa reafirmando aos amigos a convicção de que sabe tanto quanto eles como o mundo funciona. Na realidade, ele dá a entender que sabe mais. A longa declaração de Jó, que ocupa os capítulos 12—14, surge ao fim da primeira rodada de argumentos entre ele e seus amigos. Todos eles argumentaram em favor da mesma compreensão sobre como a vida funciona. Deus opera coisas em nossa vida de acordo com o nosso viver. Todavia, defenderam essa visão em bases distintas. Elifaz alicerçou a sua argumentação em uma mensagem que recebera sobrenaturalmente; Bildade, com base no ensino que lhe fora transmitido no passado; e Zofar, fundamentado em sua convicção teológica. Jó, implicitamente, desconsidera todas elas pela indicação de que as declarações que tem proferido são coisas que ele sabe serem verdadeiras porque são empiricamente verificáveis. Necessita-se apenas observar como a vida é, ele afirma, para ver a verdade nas suas declarações sobre o modo pelo qual Deus opera no mundo. Ele tem visto isso, e eles serão capazes de ver também, se apenas observarem, deixando de lado a compreensão com base na revelação sobrenatural, no ensino que receberam ou na teoria teológica.

A insistência dos amigos em impor as próprias perspectivas sobre Jó os transforma em propagadores de mentiras, pessoas que falham em contar a verdade sobre Deus e/ou sobre Jó (pela implicação de que ele deve merecer o seu sofrimento — uma acusação que se tornará proeminente nos próximos capítulos). Isso significa que eles são médicos vazios, pessoas cujo bálsamo não melhora a condição do paciente, mas a piora. Os amigos são pessoas que acreditam buscar a honra de Deus com o seu ensino, mas, por não contarem a verdade, dificilmente lograrão êxito em sua busca e não agradarão a Deus. Eles encontram-se cegos por suas próprias explanações.

O melhor que poderiam fazer seria se calarem e ouvirem o que Jó tem a dizer, o qual, ao contrário deles, sabe o que está falando. A despeito do perigo sobre o qual os adverte, Jó pretende conversar com Deus. É nesse momento que ele menciona a esperança, embora seja difícil compreender o que ele diz. As traduções indicam que há duas maneiras de ler o texto aqui. Conforme a forma de soletrar uma das palavras, a linha pode ser traduzida por: "Embora ele possa me matar, tenho esperança nele" (em outras palavras: "Minha esperança nele irá me fazer falar, apesar do risco"), ou: "Ele pode me matar; não tenho esperança" (o que se encaixa no contexto maior das palavras de Jó sobre Deus). Não consigo decidir qual é a tradução correta, e as duas possibilidades aparecem ali, no texto, como alternativas, de maneira que traduzi as suas palavras: "Sim, ele pode me matar; posso ter esperança?", que é um meio caminho entre as duas. Ao confrontar Deus, a base para Jó de qualquer esperança de escapar com vida é o próprio fato de ele ir a Deus ser um sinal de sua inocência. Decerto, um homem que fosse culpado dos atos dos quais seus amigos suspeitam não seria tão estúpido de imaginar que pode enganar a Deus.

Portanto, Jó fala com Deus. Ele já fez isso antes, mas o que há de novidade em suas palavras é o modo de confrontar Deus, como se eles estivessem em um tribunal. A ironia adicional aqui, desconhecida por Jó, é que a história começou como um caso de tribunal, do qual Jó não teve a chance de participar. Contudo, a sua confrontação é, então, mais comedida do que seria o esperado. As duas coisas que ele pede a Deus não fazer (mais precisamente, apela para que Deus faça) são expressas em termos de Deus retirar ou reter a mão que poderia atacar Jó, enquanto ele tenta falar, e (assim) não o amedronte para que não diga o que quer dizer, por mais confrontador que seja.

Jó solicita detalhes sobre os supostos delitos pelos quais ele mereceu o sofrimento pelo qual está passando. Expressando de outra forma, (pelo menos) em prol do argumento, Jó pressupõe a teologia dos amigos e deseja saber por que a sua vida mereceu receber aquele tratamento. No entanto, essa posição visa apenas alicerçar a sua argumentação, pois ele a introduz com uma renovada declaração quanto à sua confiança de que provará ser um homem íntegro. Deus não será capaz de fazer o que Jó lhe pede. E, claro, que Jó é íntegro; Deus não seria capaz de apresentar acusações que justifiquem o tratamento dispensado a ele como um flagrante pecador. A posição de Jó antecipa o caso de Joseph K. no romance de Franz Kafka, *O processo*. Joseph é conduzido para a prisão, ciente de não ter feito nada errado, sendo, por fim, executado, sem descobrir o crime que supostamente cometeu e pelo qual foi acusado. Mesmo um catálogo de falsas acusações faria mais sentido e tornaria a situação menos pesada de enfrentar do que a punição por ofensas não reveladas e das quais ele não tem ciência.

Obviamente, há um sentido no qual Deus não escondeu o seu rosto, como Jó segue afirmando. Deus está prestando o máximo de atenção em Jó. No entanto, falar sobre um rosto brilhando ou escondido é uma forma hebraica de descrever a bênção de Deus ou a retirada dela. É similar ao sol brilhando ou desaparecendo atrás das nuvens. Portanto, a bênção sacerdotal em Números 6 expressa uma oração para que Deus resplandeça o seu rosto sobre nós e seja gracioso conosco, para que Deus possa voltar o seu rosto em nossa direção e operar para que tudo vá bem em nossa vida. No capítulo 10, Jó reclama da maneira que Deus sorri aos infiéis. Em contraste, a face de Deus desvia-se de Jó, cuja posição se torna cada vez mais desesperadora. Mas Deus, simplesmente, o atormenta ainda mais. Podemos concluir que ter mais atenção de Deus seja positivo para nós, mas não necessariamente.

JÓ **14:1–22**
NO MEIO DA VIDA, ESTAMOS NA MORTE

1"Um ser humano, nascido de uma mulher,
   breve é em dias e cheio de trovoadas.
2Como uma flor, ele floresce, mas murcha,
   foge como uma sombra e não perdura.
3Sim, para tal pessoa abres os teus olhos,
   e traz-me para a tomada de decisões contigo;
4quem pode tirar pureza do contaminado? —
   ninguém.
5Se os seus dias estão determinados,
   [se] o número de seus meses está contigo,
   [se] estabeleceste os seus limites, e ele não pode
      ultrapassá-los,
6desvia-te dele para que ele possa cessar,
   até estar satisfeito com o seu dia, como um empregado.

7Pois há esperança para uma árvore;
   se ela for cortada, pode renovar-se novamente —
   o seu broto não cessa.
8Se a sua raiz envelhecer na terra
   e o seu tronco morrer no pó,

⁹com o cheiro da água brotará
e produzirá renovos como uma planta.
¹⁰Mas um homem — ele morre e fica prostrado;
um ser humano dá o seu último suspiro, e onde ele está?
¹¹As águas evaporam do mar,
um rio se torna sedento e seca,
¹²e um homem se deita e não se levanta,
até os céus não existirem mais.
Eles não acordam, não despertam de seu sono.

¹³Se tão somente tu me escondesses no Sheol,
me ocultasses até cessar a tua ira!
Estabelece um limite para mim e lembra-te de mim:
¹⁴se um homem morre, pode viver [novamente]?
Todos os dias de meu árduo serviço eu esperaria
até a minha renovação chegar.
¹⁵Tu me chamarias, e eu te responderia;
pelo trabalho de tuas mãos tu ansiarias.
¹⁶Porque, agora, quando contasses os meus passos,
tu não vigiarias as minhas ofensas.
¹⁷Minha rebelião seria selada em um saco;
tu cobririas a minha transgressão.

¹⁸Contudo, uma montanha cai, ela desmorona,
e uma rocha move-se de seu lugar.
¹⁹As águas desgastam as pedras,
suas torrentes lavam o pó da terra,
assim destróis a esperança de um homem.
²⁰Tu o subjugas para sempre, e ele se vai;
alteras o seu rosto e o mandas embora.
²¹Seus filhos descobrem honra, mas ele não o sabe,
ou eles são insignificantes, e ele não discerne isso.
²²Sim, sua carne o machuca,
e seu ser pranteia por ele."

Como pastor, tenho o hábito de ler as palavras iniciais do capítulo 14 de Jó em funerais, especialmente quando o cortejo fúnebre chega à sepultura com o caixão. A versão tradicional do livro de oração apresenta:

"O homem nascido de mulher vive pouco tempo
e passa por muitas dificuldades. Brota como a flor
e murcha. Vai-se como a sombra passageira; não dura muito."

O livro de oração prossegue:

"No meio da vida, estamos na morte;
de quem podemos buscar socorro,
senão de ti, Senhor, que estás com justiça entristecido com
    nossos pecados?
Todavia, ó Senhor Deus Santíssimo, ó Senhor onipotente,
Ó santo e compassivo Salvador,
não nos entregues às amargas penas da morte eterna.
Tu conheces, Senhor, os segredos de nosso coração;
não feches teus misericordiosos ouvidos às nossas preces;
mas poupa-nos, Senhor Santíssimo, ó Deus onipotente,
ó santo e compassivo Salvador, Tu, soberano Juiz eterno,
não permitas que, em nossa hora extrema, as dores da morte
    nos separem de Ti."

Estas palavras desapareceram, ou, pelo menos, se tornaram voluntárias, nos livros de oração modernos, e não tenho certeza sobre o que devo pensar desse desenvolvimento. Jó expressa uma visão bem sombria de sua própria experiência. A ele, a vida humana parece breve e cheia de trovoadas, isto é, inquietações. No entanto, tornou-se comum entre as pessoas do século XXI evitar encarar o fato de que todos nós iremos morrer e, talvez, necessitemos das palavras de Jó e daquelas que o livro de oração acrescenta. Na condição de seres humanos, somos, de fato, semelhantes a flores, que brotam, florescem e, então, murcham. Não somos mais substanciais do que uma sombra. Ao contrário de uma árvore que, ao ser cortada, pode crescer de novo, os seres humanos, ao morrerem, não se levantam dos mortos, observa Jó. Isso ocorrerá somente quando os próprios céus não mais existirem. A morte é semelhante à evaporação da água de um mar ou à secagem de um rio (a analogia pode não ser boa, pois um lago ou um rio podem se tornar cheios novamente, embora, se isso ocorrer, não será pelo retorno da mesma água).

A questão suscitada por Jó é por que Deus se importa em mostrar tanto interesse em criaturas tão frágeis e passageiras. Valemos o esforço? Deus não poderia apenas nos deixar em paz? Nós, seres humanos, nos contaminamos por nosso contato com realidades que são incompatíveis com a natureza de Deus (realidades tais como a morte e o pecado). Jó, uma vez mais, deixa claro que não pensa ser totalmente isento de pecado e de corrupção. Nada podemos fazer com relação a essa contaminação, mas Deus realmente precisa dar atenção a nós, em nossa corrupção? Uma vez que Deus fixou a duração da vida humana, não poderia ele, simplesmente, nos deixar vivê-la, a exemplo de um empregado a quem se permite cumprir o seu dia de trabalho e desfrutar dele, sem o chefe pegando em seu pé o tempo todo (ele parece apreciar o seu trabalho, ao contrário do empregado do capítulo 7).

Jó está, implicitamente, invertendo a espécie de atitude expressa no salmo 8, do mesmo modo que fez, explicitamente, no capítulo 7. Em outras passagens, a Bíblia expressa admiração pelo fato de Deus demonstrar interesse por criaturas fugazes como nós. Mas, claro, Jó é vítima de uma espécie distinta de atenção.

Esse fato é refletido na seguinte especulação: seria possível chamá-la de peculiar, caso a situação de Jó não fosse tão desesperadora. Em seu primeiro discurso, Jó fala sobre a morte como um lugar de alívio e de descanso das aflições da vida. O **Sheol** é um lugar para o qual todas as pessoas vão ao morrerem e ali permanecem para sempre. No entanto, caso seja um lugar de alívio e descanso, talvez ele pudesse ir para lá por um breve tempo, apenas para uma parada, antes de continuar a sua vida esquecida por Deus (ou, antes, excessivamente vigiada)? Poderia Deus escondê-lo lá até que a inexplicável ira divina se dissipasse? Talvez Deus seja como um pai ou uma mãe do qual o filho ou a filha precise escapar até ele ou ela se acalmar? Talvez seja Deus que necessite de uma pausa, mas é Jó que deve aproveitá-la? Uma vez mais, Jó fala de modo inconsistente, mas realista, ao contrário de seu discurso no capítulo 7. Ali, seu tempo na terra é um período de trabalho árduo durante o qual ele anseia pela morte como sua libertação. Aqui, o tempo no Sheol passa a ser um período de trabalho duro durante o qual ele ansiaria voltar à vida como sua libertação.

Na realidade, Jó discorre de modo pungentemente lírico sobre como seria esse tempo, caso significasse que a relação entre ele e Deus fosse restaurada ao que era antes. O modo pelo qual a relação entre eles costumava funcionar é indicado pelo fato de Deus o chamar e ele responder, como um servo atendendo ao chamado do seu senhor, a exemplo da relação entre o servo e Abraão, quando este o chama, em Gênesis 24. O nosso relacionamento com Deus não é igualitário, mas caracterizado pela intimidade e por uma confiança e um compromisso mútuos. Deus ansiaria ver

Jó novamente; ele, uma vez mais, prestaria atenção nele, não da forma negativa pela qual está lhe dando atenção no momento. Mesmo se ele e Deus soubessem que, às vezes, Jó cometeu erros, Deus não estaria à espreita, para saltar sobre ele, como parece ser o caso agora. No presente, parece que Deus está mantendo um registro minucioso dos pecados mais ínfimos de Jó (ele não tem ciência de algum grande pecado) a fim de garantir a devida punição a cada um deles. Jó imagina Deus exercendo o mesmo cuidado para selar esse registro em um saco que, portanto, jamais seria aberto. Ou seria como se os pecadilhos de Jó estivessem contabilizados em um muro (por alguém como o adversário?), mas, então, Deus o cobriria para não mais ser observado.

No entanto, tudo isso não passa de devaneio, uma fuga da imaginação, um sonho, uma fantasia da terra do nunca. No mundo real, conforme Jó já declarou, ninguém retorna do Sheol, e a ideia de que Deus irá, novamente, se relacionar com Jó daquela forma amorosa de antes é fantasiosa (quando estamos desesperados, a racionalidade não parece a coisa mais importante; tornamo-nos abertos a toda sorte de opções, mesmo as mais contraditórias e irracionais). Primeiro, Deus destrói a esperança da pessoa. Então, dá um fim à sua vida (novamente, sem questionar muito sobre consistência, a morte representa más novas). Um dos aspectos pelos quais um pai mais se preocupa é quanto ao destino dos seus filhos; contudo, no Sheol, não há consciência disso, bem como em relação a tudo o mais. A dor é tudo o que há, enquanto o corpo é consumido pelos vermes e o espírito sofre por tudo o que se perdeu. O Antigo Testamento não vê o Sheol como um lugar de sofrimento, mas, novamente, Jó não deve ser pressionado a ser muito literal, enquanto ele se projeta ao seu futuro.

JÓ 15:1-35
ELIFAZ TENTA NOVAMENTE

¹Elifaz, o temanita, respondeu:

²"Um homem sábio replicaria com tempestuoso conhecimento,
encheria a barriga com o vento oriental,

³argumentaria com palavras que de nada servem
e palavras que não têm valor?

⁴Na verdade, você — você enfraquece a submissão;
restringe o lamento diante de Deus.

⁵Pois a sua transgressão ensina à sua boca,
você escolhe a língua do astuto.

⁶A sua boca declara que você é infiel, não eu;
os seus lábios testificam contra você.

⁷Você é o primeiro ser humano que nasceu,
ou foi gerado antes das colinas?

⁸Ouve no gabinete de Deus,
ou limita a sabedoria para você mesmo?

⁹O que você sabe, que nós não sabemos,
ou compreende, que não está em nossa posse?

¹⁰Entre nós, há um homem de cabelos grisalhos e um idoso,
mais poderosos em dias do que o seu pai.

¹¹Os consolos de Deus são muito pequenos para você,
uma palavra de gentileza para você?

¹²Por que o seu pensamento o cativa;
por que os seus olhos flamejam,

¹³para que volte o seu espírito contra Deus
e emita [tais] palavras com a sua boca?

¹⁴O que é um mortal para que ele seja inocente,
e o que nasce de mulher para que seja justo?

¹⁵Eis que em seus santos ele não confia;
os céus não são inocentes aos seus olhos.

¹⁶Quanto menos um abominável e repugnante,
um homem que bebe a transgressão como água.

¹⁷Eu explicarei, ouça-me,
e o que tenho visto, eu recontarei,
¹⁸coisas que pessoas sábias contam
e não escondem de seus ancestrais.
¹⁹Somente a eles a terra foi dada,
nenhum estrangeiro passou no meio deles:
²⁰Todos os dias do homem infiel, ele se contorce,
nos poucos anos que são reservados ao homem violento.
²¹Um som assustador está em seus ouvidos;
quando ele está indo bem, um ladrão vem sobre ele.
²²Ele não tem certeza de retornar das trevas;
ele é espionado pela espada.
²³Ele vagueia pelo pão, onde está? —
ele sabe que o dia de trevas está preparado;
está pronto, à mão.
²⁴A aflição o apavora;
a angústia o oprime, como um rei pronto a atacar.
²⁵Porque ele estendeu a sua mão contra Deus,
bancou o herói contra Shaddai.
²⁶Corre contra ele de cabeça baixa
atrás da espessura dos seus escudos,
²⁷porque cobriu o seu rosto com gordura
e construiu músculos em seus lombos.
²⁸Mas ele habitará em cidades arruinadas,
casas nas quais as pessoas não vivem, prontas a ser montes
[de entulho].
²⁹Ele não será rico, os seus recursos não resistirão;
as suas posses não se espalharão pela terra.
³⁰Ele não irá embora das trevas;
o fogo murchará os seus brotos;
ele irá embora pelo vento de sua boca.
³¹Ele não deveria confiar no vazio,
desviando-se, pois o vazio será a sua recompensa.
³²Antes de seu tempo, ele murchará;
e os seus ramos não florescerão.

JÓ 15:1-35 • ELIFAZ TENTA NOVAMENTE

> ³³Agirá com violência para com as suas uvas verdes como
> uma vinha;
> lançará fora as suas flores como uma oliveira,
> ³⁴pois a gangue do homem ímpio é estéril,
> e o fogo consome as tendas do homem envolvido em
> suborno.
> ³⁵Ele concebe o problema e dá à luz a iniquidade;
> o seu ventre produz engano."

O jornal de hoje contém um longo trecho, extraído de um livro sobre uma fraude gigantesca que resultou no colapso de um império de Wall Street durante a crise financeira da primeira década do século XXI. O dirigente máximo da corporação em questão ludibriou investidores, causando prejuízos na ordem de bilhões de dólares. Entre suas vítimas estão inúmeras instituições religiosas e de caridade, além de hospitais. O homem que elaborou a fraude era uma figura respeitada e proeminente do mundo financeiro, nos Estados Unidos. Ao ser denunciado e julgado, ele foi sentenciado a 150 anos de prisão. Um de seus filhos, supostamente implicado na fraude, cometeu suicídio; seu pai descreve esse ato como o mais terrível aspecto de todo aquele caso.

No noticiário de nossos dias, não é difícil encontrar evidências da tese de Elifaz de que os transgressores recebem a devida retribuição, o que ele reitera no início do segundo ciclo de debates entre Jó e seus amigos. Em seu discurso anterior, Elifaz declarou que as pessoas que cultivam a maldade e semeiam problemas, colhem exatamente isto: os seus atos recaem sobre eles mesmos. Na segunda metade de seu discurso atual, ele reitera esse ponto à exaustão. Grande parte de seu foco reside na turbulência interna presente na pessoa "infiel". Enquanto a pessoa fiel cumpre com as suas responsabilidades em relação a Deus e ao restante da comunidade, por meio do cuidado às viúvas e aos órfãos e das ofertas generosas aos necessitados, a pessoa infiel age de modo contrário. O infiel é alguém que, na melhor das hipóteses, ignora tais obrigações, ou que, na pior delas, tira vantagem da vulnerabilidade dos mais fracos. Elifaz coloca mais ênfase no modo pelo qual o infiel ofende a Deus, retratando a ofensa como um ataque deliberado, semelhante ao de um guerreiro, que se prepara para a batalha, lembrando a figura de Golias. Os dois lados da infidelidade são expressos novamente ao fim do discurso, em termos de relacionamentos com Deus como impiedosos, uma atitude de indiferença quanto a Deus (mais tarde, a palavra irá significar apostasia) e, em termos das relações com outras pessoas, simbolizada na disposição de operar em uma cultura de suborno, que torna possível perverter as decisões do tribunal e trapacear para acumular terras e outros bens materiais.

A consequência da infidelidade, aqui abordada por Elifaz, é, antes de mais nada, a turbulência mental e emocional que ela acarreta. Os transgressores jamais relaxam, vivendo no permanente perigo de serem desmascarados; o seu viver é dominado pelo medo. A sua riqueza significa que eles vivem na mira de outros, que visam a roubá-los. Como resultado, eles acabam vivendo em lugares nos quais ninguém mais viveria, talvez porque ninguém se associaria com eles, ou porque se refugiem em ruínas, pois não dispõem mais de recursos para morarem em uma casa adequada. Os infiéis são obrigados a abandonar o sonho de possuir bens em toda a terra.

Eles atraem esse destino sobre si mesmos; são como uma planta que voluntariamente lança as suas uvas ou as suas azeitonas antes de amadurecerem. Embora o vento de "sua" boca, a rajada quente que os resseca como a grama, possa ser uma referência ao vento de Deus, já faz algum tempo desde que Elifaz fez a última menção a Deus, de maneira que, talvez, o que ele tenha em mente é a imagem de pessoas infiéis destruindo o crescimento em seus próprios campos. Eles confiam em estratagemas que são vazios, carentes de substância; eles mesmos são enganados pelos esquemas, pois dão à luz problemas e maldades que recaem sobre si mesmos.

Sim, isso acontece, como pode ser visto nas notícias que mencionei no início. O problema é que, para cada trapaceiro que é pego pelo próprio sistema, parece haver outros que saem impunes, como a história do colapso financeiro de 2008 ilustra muito bem.

Se o transgressor obtém a sua recompensa, esse fato deveria ser um poderoso incentivo à integridade (embora encorajaria as pessoas a agirem certo por motivações erradas, o que T. S. Eliot, em *Murder in the Cathedral* [Assassinato na catedral], descreve como "a grande traição". Mas os incentivos sempre fazem isso, sejam positivos ou negativos). Ao contrário, o questionamento de Jó quanto à posição de Elifaz põe em perigo o agir certo; as palavras de Jó são perigosas. Portanto, Elifaz principia falando em termos de os tais expressarem o conhecimento (assim chamado) tempestuoso, originário de alguém que está possuído pelo poderoso vento oriental, capaz de destruir pessoas, a exemplo do que ele, mais tarde, descreve sobre os infiéis, como destruidores de si mesmos. As palavras de Jó não apenas carecem de valor positivo, como prosseguem afirmando Elifaz; elas desencorajam a submissão e o lamento. Em outras palavras, elas desencorajam as pessoas de viverem em obediência a Deus (uma das qualidades que Jó incorporava, como sabemos). Além disso, elas desencorajam a oração, especialmente quando as pessoas estão em angústia e necessitam protestar diante de Deus pelas circunstâncias adversas que estão enfrentando. Caso o ensinamento de

Elifaz seja correto, as pessoas têm uma base para orar. Todavia, diante da alegação de Jó sobre Deus não ter o hábito de fazer algo para assegurar a correlação entre a nossa ação e o que nos acontece, qual é o sentido da oração? Portanto, Elifaz acredita que o próprio modo de falar de Jó testifica que ele mesmo pertence à categoria dos infiéis.

No meio de seu discurso, Elifaz resume ou retoma a classe de comentários que ele ou os seus amigos, anteriormente, fizeram. Jó ignora o ensino tradicional (o ensino escritural, podemos dizer), comporta-se como se tivesse uma revelação especial de Deus (a exemplo do próprio Elifaz!), e fala como se fosse a única pessoa no mundo a enxergar com precisão. Elifaz oferecera o conforto de Deus a Jó, prometendo que, por ele ser uma pessoa basicamente comprometida a trilhar o caminho de Deus, a restauração viria sobre ele. Em essência, ele pergunta a Jó: "Essa mensagem gentil não basta?"

JÓ **16:1–17**
CONSOLADORES? PARECEM MAIS CAUSADORES DE PROBLEMAS

¹Jó respondeu:

²"Tenho ouvido muitas coisas como essas;
    todos vocês são consoladores problemáticos.
³Há um limite para palavras tempestuosas —
    o que os incomoda para vocês replicarem?
⁴Também poderia falar como vocês
    se estivessem em meu próprio lugar.
    Poderia conversar com vocês em palavras
    e menear a cabeça contra vocês.
⁵Poderia fortalecê-los com o meu discurso;
    o mover dos meus lábios poderia aliviar.

⁶Se falo, a minha dor não encontra alívio;
    se me retenho, o que sai de mim?

JÓ 16:1-17 • CONSOLADORES? PARECEM MAIS CAUSADORES DE PROBLEMAS

⁷Na verdade, ele, agora, me exauriu;
   tu devastaste toda a minha comunidade.
⁸Tu me encolheste,
   isso se tornou uma testemunha;
   a minha magreza se levanta contra mim;
   isso testifica contra mim.
⁹A ira dele me despedaçou e me tem sido hostil;
   ele rangeu os dentes contra mim; meu inimigo aguça os
      olhos na minha direção.
¹⁰As pessoas abrem contra mim a sua boca,
   com repreensão me batem no rosto;
   elas se reúnem contra mim.
¹¹Deus me entregou a um malfeitor,
   jogou-me nas mãos dos infiéis.
¹²Eu estava em paz, mas ele me despedaçou;
   agarrou-me pelo pescoço e me esmagou.
   Ele me estabeleceu como o seu alvo;
¹³seus arqueiros me cercaram.
   Ele perfurou os meus rins e não me poupou;
   derramou a minha bílis sobre a terra.
¹⁴Assaltou-me, com um assalto após o outro;
   correu na minha direção como um guerreiro.
¹⁵Costurei pano de saco sobre a minha pele
   e enterrei o meu chifre no pó.
¹⁶O meu rosto está vermelho de tanto chorar
   e sobre os meus olhos há uma sombra mortal,
¹⁷embora não houvesse violência em minhas mãos
   e a minha oração fosse pura."

Ao examinar o livro de Jó em sala de aula com os meus alunos, eu os convido a revelar as questões que a obra suscita no íntimo deles e, normalmente, alguém pergunta: "Então, quando ministramos a pessoas que estão sofrendo como Jó, o que devemos lhes dizer para evitar os erros dos amigos de Jó?" Digo que o livro de Jó não fornece uma resposta a essa questão, nem há muito o que se poderia usar como resposta em outras passagens da Bíblia. Esse fato possui algumas implicações. Uma delas é levantar a questão sobre o motivo pelo qual nos sentimos obrigados a ter algo a dizer. A outra é que quase não há nada de útil a ser dito. As palavras não são de grande utilidade para pessoas que passam por uma experiência semelhante à de Jó. Certo amigo, alcoólatra, contou-me sobre uma mulher que afirmou, durante uma reunião dos A.A., que ela sentia muita vergonha por haver deixado o seu marido para viver com outro homem e que a melhor coisa que alguém já fizera por ela foi vir em sua direção e se sentar ao seu lado, na reunião dos A.A. — apenas sentar, e mais nada. Às vezes, apenas se sentar ao lado de alguém que está sofrendo é o melhor a ser feito naquela circunstância.

Portanto, Jó, aqui, começa com uma reclamação desgastada contra os argumentos que Elifaz acabou de expressar, similares ao que ele dissera no início, a exemplo de Bildade e Zofar. O seu tema é de que Deus é justo e que podemos confiar no tratamento imparcial que ele dispensa a nós, mesmo quando, aparentemente, isso não está ocorrendo. O problema é que a experiência de Jó não corresponde a essa alegação, e sabemos, desde o início do livro, que Jó está certo em sua avaliação; o fundamento para tratar Jó da forma que ele tem sido tratado não indicava a justiça da parte de Deus. Exatamente por Jó merecer ser bem tratado, com base no princípio da justiça divina, é que essa alegação é questionável. Sabemos que é assim, mas nem Jó nem os amigos o sabem. A questão quanto aos amigos é que eles seguem proferindo aquelas verdades que podem funcionar quase sempre, mas não sem exceções. E Jó já ouviu todas essas verdades antes.

JÓ 16:1–17 • CONSOLADORES? PARECEM MAIS CAUSADORES DE PROBLEMAS

Ouvir o que os teólogos já disseram inúmeras vezes antes poderia, simplesmente, fazê-los parecer enfadonhos, mas, quando eles tentam falar às nossas necessidades mais prementes, eles não são, meramente, desencorajadores; antes, consoladores que trazem ainda mais desconsolo. Trata-se de um paradoxo magnífico, ou melhor, doloroso. Em nosso idioma, "os consoladores de Jó" são pessoas que estão tentando ser solidárias ou encorajadoras (ou se esforçam para isso), mas que, na realidade, tornam a situação pior. Essa é a única passagem no livro de Jó na qual a palavra "consoladores" surge, embora o substantivo "consolo" seja recorrente; a visita dos amigos tinha por objetivo "consolá-lo". Na história de Rute, Boaz fornece um exemplo claro de como o "consolo" ou "conforto", no Antigo Testamento, pode envolver tanto palavras quanto ações. Boaz fala positivamente a Rute sobre o cuidado dela por Noemi e ora a **Yahweh** para que a abençoe quando ela buscar refúgio debaixo das asas divinas. Igualmente, Boaz adota algumas ações para assegurar que Rute possa colher com abundância e segurança em seus campos. Pode-se ver tanto as palavras quanto as ações como expressões do "consolo" pelo qual ela lhe agradece.

Os amigos de Jó, porém, são consoladores que trazem problemas. Em suas palavras iniciais a Jó, Elifaz discorreu sobre como aqueles que cultivam problemas os colhem. E, agora mesmo, ele falou sobre a pessoa que concebe problemas e dá à luz iniquidade, embora não tenha afirmado que Jó era essa espécie de pessoa. É Jó quem toma a iniciativa de estabelecer essa ligação. O modo bem-intencionado com que os amigos tratam Jó os torna nas próprias pessoas problemáticas cujo destino eles lamentam.

Expressando de outra forma, as palavras dos amigos é que são tempestuosas: elas possuem a força destruidora de um

JÓ 16:1-17 • CONSOLADORES? PARECEM MAIS CAUSADORES DE PROBLEMAS

vendaval. Jó, novamente, seleciona uma das próprias expressões de Elifaz; dessa vez, do início do seu discurso anterior a Jó: "Você chama a minha perspectiva de destruidora por causa do impacto que ela pode ter sobre a fé das pessoas? Eu é que chamo as suas palavras de destruidoras por causa do impacto que elas têm sobre mim." O termo para "tempestuosa" é *ruah*, que também se refere ao espírito de um homem ou ao espírito de Deus, ou ao fôlego de um homem ou de Deus — que pode dar vida ou destruí-la. Em seu discurso inicial, quando Elifaz falou sobre como as pessoas cultivam problemas e também os colhem, ele prossegue para considerar isso como resultante do sopro de Deus, a ira *ruah* divina. Na perspectiva de Jó, então, Elifaz e os outros são tão negativos em seus resultados quanto Deus é, quando traz o desastre sobre pessoas que o merecem. Há algo errado com vocês, Jó acrescenta.

Caso Jó estivesse na posição deles, ele poderia falar a um sofredor da mesma forma que os amigos estão lhe falando e adotar a espécie de gesto corporal que, igualmente, expressa compaixão. Todavia, o efeito de suas palavras seria diferente. Elas, de fato, encorajariam e fortaleceriam. Uma vez mais, Jó usa as próprias palavras de Elifaz, em seu primeiro discurso, no qual ele fala sobre o modo com que Jó fortaleceu pessoas em sofrimento no passado. Nem Jó e, muito menos, Elifaz nos revelam que classe de palavras fortalece, embora a continuação desse discurso de Jó e o eventual final de sua história possam oferecer uma indicação. Jó manifesta a contínua necessidade de seguir falando sobre o horror de sua experiência, sobre o seu anseio para que Deus faça algo a respeito dela e sobre como tudo é tão injusto. Seus amigos seguem na tentativa de impedi-lo de fazer isso para o seu próprio bem e, claro, para o bem deles. No clímax da história, Deus repreende Jó, mas, então, diz a Elifaz e a seus amigos que está irado com eles, pois não falaram a verdade sobre Deus, como fez Jó. No momento, os amigos estão cansados da teimosia de Jó quanto à sua situação, e nós, como leitores, podemos também estar cansados de todo esse discurso. Ele e, talvez, nós temos um longo caminho a percorrer se quisermos dar a Jó a audiência pela qual ele anseia. A extensão do livro dá uma noção do que é suportar uma pessoa passar por algo que não está ocorrendo de acordo com o nosso calendário, algo pelo qual Deus necessita nos fortalecer. Pode parecer excessivo quando somos solicitados a permanecer engajados em uma grande injustiça e em uma dor devastadora por muito tempo.

Aqui, Jó prossegue para declarar que Deus o exauriu e devastou a sua comunidade (i.e, a sua família). Deus o apequenou; as pessoas olham para ele com horror. Quando ele estava em paz, Deus o despedaçou (evidentemente, assegurando que as pessoas que têm uma vida pacífica não estão entre as preocupações primordiais de Deus). Estas são coisas terríveis a serem ditas sobre Deus, mas seria difícil para Deus negar a responsabilidade por elas. As outras formas de Jó descrever a sua experiência, ao citar, por exemplo, pessoas batendo em seu rosto ou reunindo-se contra ele, ou ao falar de Deus perfurando os seus rins e derramando a sua bílis no chão, claro, são metafóricas. Elas seguem a mesma linguagem usada em oração nos Salmos. A relevância de falar dessa maneira é refletir o fato de não haver nada ultrajante nas palavras de Jó; ele está se expressando como alguém em oração. O objetivo da oração é levar Deus a agir, e a oração lança mão das imagens mais vívidas e poderosas possíveis para alcançar esse alvo. As imagens expressam a importância real e palpável do modo com que Deus tem tratado Jó. Sim, Jó está falando a verdade sobre Deus.

Em certo sentido, falar a verdade dessa forma não tem nenhuma utilidade; não oferece alívio da dor nem remove o sofrimento, argumenta Jó. Contudo, ele segue o instinto dos sofredores para articular o que estão atravessando; isso envolve algo semelhante a lancetar uma ferida, mesmo que a ferida venha a produzir mais infecção no dia seguinte. A tarefa de um consolador é facilitar esse processo em vez de procurar impedi-lo, como os amigos fazem. Na realidade, o objetivo é unir-se ao sofredor ao falar sobre o sofrimento e a Deus dessa forma. A importância da presença dos Salmos no Antigo Testamento é a de permitir a nossa inclusão na oração de pessoas em sofrimento, a exemplo de Jó.

Jó expressou a resposta apropriada ao luto ao vestir pano de saco. O pano de saco é feito do material do dia a dia, que as pessoas comuns do povo usavam e, possivelmente, apenas em seu lar. Portanto, a aparição de Jó em pano de saco é, por si só, humilhante. Isso expressa o modo pelo qual o seu chifre (i.e., a sua força, a sua imponência e a sua condição) são rebaixados. Sua alegação de encerramento utiliza os dois lados da infidelidade da qual Elifaz falou. O seu sofrimento não pode ser explicado por ele estar errado em sua maneira de se relacionar com outras pessoas e com Deus.

JÓ 16:18—17:16
UMA TESTEMUNHA NOS CÉUS?

[18]"Terra, não cubra o meu sangue;
 não deve haver lugar (de descanso) para o meu clamor.
[19]Mesmo agora — a minha testemunha está nos céus;
 o meu advogado está nas alturas.
[20]Meus amigos são pessoas que zombam de mim,
 diante de Deus os meus olhos derramam [lágrimas].
[21]Mas ele arbitrará por um homem com Deus
 [como] um ser humano por seu amigo.
[22]Pois uns poucos anos virão,
 e irei pelo caminho do qual não retornarei

CAPÍTULO 17

¹Meu espírito está quebrantado; meus dias estão extintos;
a sepultura é para mim.

²Certamente, os zombadores estão comigo,
e na recalcitrância deles os meus olhos se alojam.

³Coloque, pois, a minha garantia junto a ti —
quem irá apertar a minha mão?

⁴Pois fechaste a mente deles para a compreensão,
portanto tu não serás exaltado.

⁵'Por uma refeição ele fala aos amigos,
e os olhos dos seus filhos falham':

⁶Ele me fez um provérbio para os povos;
tornei-me algo em cujo rosto se cospe.

⁷Meus olhos estão desgastados pela provocação;
meus membros são como uma sombra, todos eles.

⁸Os íntegros ficam devastados diante disso;
a pessoa inocente se levanta contra o ímpio.

⁹A pessoa fiel se agarra ao seu caminho;
o homem que é puro de mãos fica mais forte.

¹⁰No entanto, todos vocês, voltem, venham —
mas eu não acharei nenhum homem sábio entre vocês.

¹¹Meus dias passaram, meus planos quebraram,
os desejos do meu coração:

¹²Eles transformam a noite em dia;
a luz está mais próxima do que as trevas.

¹³Se espero pelo Sheol como o meu lar,
estendo a minha cama nas trevas,

¹⁴clamo ao Poço: 'Você é meu pai';
ao verme: 'Minha mãe', 'minha irmã'.

¹⁵E onde, então, está a minha esperança;
quem pode ver a minha esperança?

¹⁶Descerão até as portas do Sheol;
desceremos juntos ao pó?"

Quando ainda era um jovem assistente de pastor, em Londres (o que seria chamado, hoje, de um pastor de jovens, mas essa denominação ainda não havia sido inventada), um dos destacados membros do grupo de jovens, quase todos oriundos da classe média, era um adolescente de um dos projetos locais, com os quais a igreja suburbana tinha pouco contato. Ele se converteu a Cristo por meio da amizade com outro membro mais velho do grupo de jovens (que, mais tarde, se tornou um pastor de tempo integral em áreas mais próximas ao centro), mas ainda se metia em encrencas com a lei. Por conta disso, vi-me obrigado, uma vez ou outra, a comparecer com ele ao tribunal para falar com o juiz a seu favor, testemunhando a sua boa idoneidade. Não consigo me lembrar quanto isso foi eficaz...

Jó imagina ter alguém assim para acompanhá-lo perante o juiz, no tribunal. Até onde pode afirmar, o sistema legal é tendencioso contra ele, a exemplo do que ocorria com Mick, o meu amigo. Jó está convencido de que, ao contrário de Mick, não fez nada de muito errado, pelo menos nada que o torne merecedor da punição que parece lhe ter sido imposta. Ele começa imaginando que está morto e que a sua morte não veio ao fim de um período normal de vida. Logo, irá para o lugar do qual jamais retornará.

As pessoas no Antigo Testamento aceitam racionalmente a morte como o fim natural de uma vida feliz e plena, quando eles morrem "cheios" ou "plenos de dias", a exemplo de Abraão, Isaque e Davi. Todavia, a suposição racional de Jó é de que ele jamais atingirá esse ponto (essa suposição se mostrará equivocada; a expressão "farto de dias" ou "em idade avançada" é usada em relação a ele no final do livro). Ele se vê mais como Abel, que foi assassinado. Quando o sangue de alguém é derramado daquela maneira, embora a pessoa já não possa mais clamar, o seu sangue continua clamando por ela. Talvez haja uma implicação de que as pessoas não podem descansar mesmo estando mortas, caso a sua vida tenha sido abreviada dessa forma. No entanto, a vítima não é a única pessoa afetada por esse evento. Um monstruoso erro foi cometido, e isso não deve ser ignorado, porque o mundo fica fora de ordem até que algo seja feito em relação ao erro. Essa ação não seria a execução do assassino; pelo menos, isso não ocorreu com Caim, assassino de Abel, nem com Davi, mandante da morte de Urias: Deus não ordenou a execução de nenhum deles. Todavia, o assassinato não pode ser, meramente, ignorado. Pode-se dizer que o sangue de Urias teria clamado do solo, a exemplo do sangue de Abel, e que esse clamor, tanto do sangue de Urias quanto do sangue de Abel, foi ouvido por Deus, que confrontou Davi do mesmo modo que confrontara Caim, e, ainda que o resultado dessa confrontação tenha sido menos do que o pleno arrependimento, foi suficiente para haver um sentido de que o clamor fora ouvido e o erro cometido fora exposto. Jó deseja que ao morrer, o que anseia ocorrer em breve, haja a percepção de que o clamor do seu sangue seja ouvido e que o erro cometido contra ele seja reconhecido. Para esse fim, não se deve permitir que o clamor do seu sangue descanse; ele não deve ser silenciado.

No entanto, a justificação após a morte, quando ele nada saberá sobre ela, obviamente não é a melhor opção. Jó deseja testemunhar essa justificação. Assim, do nada, ele surge com a convicção de haver alguém nos céus, uma figura no tribunal de Deus, que assumirá o seu caso, mesmo agora. A introdução dessa ideia nos parece repentina, mas, talvez, não teria sido percebido assim pela audiência. O princípio da história de Jó introduziu a figura do adversário como se ele fosse familiar às pessoas, e uma visão no livro de Zacarias (capítulo 3) retrata um ajudante celestial de Deus repreendendo o adversário em relação a outro "caso" que é apresentado diante do tribunal celestial. Assim, talvez Jó esteja apelando a uma ideia bem conhecida. O tribunal celestial é espelhado no tribunal terreno (ou vice-versa). Ele incorpora figuras cuja tarefa é argumentar pela defesa, do mesmo modo que figuras cuja missão é argumentar pela acusação. Essa pessoa "arbitrará" por ele diante de Deus; Jó utiliza uma expressão que já usou ao fim do capítulo 9. Ali, ele declara que não há ninguém a desempenhar esse papel. Agora, aparentemente, ele mudou de ideia. Não há indicação do motivo pelo qual essa mudança ocorreu; talvez a única explicação seja o seu próprio desespero.

Está claro que Jó não possui nenhum advogado entre os seus amigos; eles, meramente, estão zombando dele. Assim, está sozinho, derramando as suas lágrimas perante Deus. Esse comentário aponta para outra responsabilidade que temos em nosso papel de amigos, quando alguém que conhecemos experimenta o sofrimento. A nossa função é advogar por eles junto a Deus. O livro de Salmos, provavelmente, corresponde a essa expectativa. Os inúmeros salmos de protesto a Deus, presentes no Saltério, não estão ali simplesmente para que os indivíduos orem por si mesmos. Eles estão lá para serem orados por familiares e amigos daqueles que estão sob ataque ou se encontram enfermos. Esquecemo-nos de que a oração é a coisa mais importante a ser feita em uma situação que envolve injustiça. Podemos nos apressar para "fazer" algo sem orar e correr o risco de piorar as coisas. Os amigos de Jó falham nisso com ele, obrigando-o a prantear e clamar sozinho, e confiar na possibilidade de que uma figura no céu assuma a defesa do seu caso. A sua testemunha ou advogado arbitrará por ele ou argumentará a seu favor junto a Deus (Jó usou esse verbo para se referir à sua própria argumentação diante de

Deus, no capítulo 13). Dessa maneira, ele agirá do mesmo modo que um ser humano argumentaria a favor de um amigo no tribunal terreno.

Jó está assobiando ao vento. Suas expressões de esperança possuem uma forma de se entregar imediatamente a uma tristeza renovada, e isso ocorre aqui. Seu espírito está quebrantado. Longe de estar no caminho da plenitude de dias, eles são tão bons como se estivessem extintos. O seu destino é a sepultura. Mas, aqui, a noção de quebrantamento retorna porque ele não consegue escapar, dia e noite, da consciência do desprezo e da "recalcitrância" dos seus amigos. Essa última palavra é estranha, pois, normalmente, é usada apenas em relação a pessoas em posição de poder, e especialmente a Deus. Talvez Jó esteja, agora, declarando que o tratamento que os amigos estão dispensando a ele seja um ato de resistência a Deus (uma visão que, no devido tempo, Deus confirmará). Ele está, novamente, sugerindo uma ligação com o livro de Salmos, que fornece, a pessoas na mesma posição de Jó, orações a serem feitas com respeito ao modo com que elas estão sendo tratadas por outros.

Por seu turno, isso conecta-se a um outro movimento inesperado por parte de Jó. Em lugar de sonhar com alguém que argumente a seu favor junto a Deus, ele está apelando diretamente a Deus, como se o juiz estivesse do seu lado, não contra ele. Jó oferece-se como uma garantia de que ele está certo; ele arrisca perder a sua vida, caso não esteja. Ele não tem alternativa, porque os amigos estão contra ele, de modo que não há ninguém, além dele mesmo, para lhe apertar a mão e, assim, comprometer-se em oferecer garantias a ele. Deus fechou a mente dos amigos, ele acrescenta (!), o que enfatiza a maneira desdenhosa deles de julgá-lo incapaz de cuidar da sua família em consequência de seu pecado e o modo com que abusam dele. Eles oferecem um claro contraste com a posição que pessoas íntegras, decerto, adotariam. Confrontando-os, Jó desafia os amigos a retornarem a ele com uma atitude diferente, embora não nutra a esperança de que eles assim ajam.

Essa coletânea de palavras desconexas de Jó é ainda mais difícil de compreender do que as outras, e é difícil encontrar coerência interna entre elas ou a coerência delas com afirmações feitas por ele em outras passagens. É possível que essa aparente incoerência reflita a sua dor. Além disso, essa desarticulação expressa, na poesia, a incoerência em seu pensamento, resultante de sua própria experiência. Essa passagem, uma vez mais, conecta-se com o material no livro de Salmos. Esteja formalmente se dirigindo a Deus ou não, Jó está desesperado para atrair a atenção de Deus e levá-lo a agir; como já observamos, os salmos mostram que somos livres para usar quaisquer meios, de pensar qualquer coisa, de dizer tudo o que desejamos, para alcançar esse fim.

JÓ **18:1–21**

JÓ CONTESTA A FUNDAÇÃO MORAL DO MUNDO?

[1] Bildade, o suíta, respondeu:

[2] "Quanto tempo levará até você colocar um fim às suas palavras?
Pense, e, então, conversaremos.

[3] Por que somos reputados como gado,
considerados corrompidos aos seus olhos?

[4] Aquele que se dilacera com sua ira —
por sua causa a terra será abandonada,
se moverá a rocha de seu lugar?

[5] Sim, a luz do infiel se apaga,
a chama de seu fogo não brilha mais.

[6] A luz escurece em sua tenda;
a lâmpada acima dele se apaga.

⁷Seus passos vigorosos se tornam curtos;
    seu próprio plano o faz cair,
⁸porque ele é jogado em uma rede por seus pés,
    sobre a malha ele caminha.
⁹Uma braçadeira o agarra pelo calcanhar;
    laços o prendem.
¹⁰Uma corda está escondida na terra para ele,
    uma armadilha para ele, sobre o caminho.
¹¹Por toda parte, terrores o assaltam,
    fazem os seus pés voarem.
¹²Sua iniquidade está faminta;
    o desastre está preparado para o seu tropeço.
¹³Isso consome os elementos de sua pele;
    o primogênito da morte consome os seus membros.
¹⁴Sua segurança sai de sua tenda;
    ele é levado ao rei dos terrores.
¹⁵O fogo habita em sua tenda;
    o enxofre se espalha em sua propriedade.
¹⁶Embaixo, suas raízes secam;
    acima, sua folhagem murcha.
¹⁷A lembrança dele perece da terra,
    e ele não tem mais nome no mundo exterior.
¹⁸Eles o empurram da luz para as trevas,
    o expulsam do mundo habitado.
¹⁹Ele não tem posteridade nem descendência entre o seu
    povo, e nenhum sobrevivente em seu lugar de
        permanência.
²⁰Diante de seu destino, as pessoas do Ocidente
        empalidecem;
    as pessoas do Oriente são tomadas de horror.
²¹Sim, essas são as habitações do malfeitor,
    esse é o lar daquele que não
        reconhece a Deus."

Na noite passada, assistimos ao grande filme *Dogma*, que é repleto de palavrões, violência e humor escatológico. Não é um filme para ser visto pelos mais sensíveis, impressionáveis ou melindrosos, mas é um dos filmes mais reflexivos e provocadores, teologicamente falando, de todos os tempos. Sua premissa é que lá atrás, na época do êxodo, o anjo da morte e outro anjo se rebelaram por serem os agentes de juízo de Deus e, por consequência, foram banidos do céu. Estão, portanto, aprisionados na terra para sempre. No entanto, eles, agora, descobrem uma espécie de portal no interior de uma igreja católica que lhes permitirá "voltar para casa"; uma igreja em Nova Jersey está prometendo perdão a qualquer um que atravessar o seu pórtico. O problema é que, se eles lograrem obter a readmissão ao céu com base nisso, destruirão o tecido moral e teológico da realidade ao derrotarem Deus e retornarem ao céu sem o arrependimento devido.

Bildade se solidarizaria totalmente com o dilema apresentado pelo filme. Ele sabe que a ideia de o transgressor receber a sua recompensa é integral a uma compreensão de este ser um universo moral. A questão não é quanto à possibilidade de Deus perdoar pessoas por seus delitos (o que o filme também segue retratando). Deus, na verdade, está disposto a carregar o pecado das pessoas; elas, apenas, precisam estar dispostas a permitir e aceitar a misericórdia de Deus. A questão é se existe qualquer outro fundamento, além da misericórdia de Deus, pelo qual as pessoas que se rebelam contra Deus, ou ignoram o certo e o errado, possam escapar das consequências de seus delitos.

Na visão de Bildade, Jó rejeita esses aspectos fundamentais de uma percepção genuína sobre Deus, o mundo e a humanidade, e sobre como eles se inter-relacionam; daí o protesto com o qual Bildade inicia o seu discurso. Ele deseja que Jó se

JÓ 18:1-21 • JÓ CONTESTA A FUNDAÇÃO MORAL DO MUNDO?

cale e reflita sobre as implicações das suas próprias palavras. Quando ele estiver pronto a fazer isso, haverá uma base para discussão quanto aos temas levantados por sua argumentação. No momento, essa base inexiste. A possibilidade de diálogo também é colocada em perigo (Bildade afirma) pela posição insultuosa que Jó adota em relação aos amigos. Jó poderia ser perdoado por considerar isso uma observação atrevida, dada a natureza ofensiva das palavras dos amigos a ele, mas, com frequência, é mais fácil enxergar os atalhos nas atitudes dos outros do que em si próprio. Segundo a visão de Bildade, Jó trata os seus amigos como se eles fossem tão inteligentes quanto animais rurais; talvez essa seja uma resposta ao comentário de Jó sobre o que até mesmo os animais e as aves sabem (capítulo 12). Igualmente, a alegação de Bildade quanto a Jó tratar os amigos como pessoas que estão contaminadas e que, portanto, devem ser evitadas lembra o comentário de Jó sobre contaminação e a impossibilidade (humanamente falando) de evitá-la (capítulo 14) e sugere que os amigos sejam uma má ilustração daquela realidade.

Jó necessita olhar para si mesmo, sugere Bildade. Jó é um homem consumido pela ira; é como se esse sentimento o dilacerasse, e Bildade não está exagerando. A questão que ele suscita é: O que a ira de Jó significa? O que ela busca? O ensino dos amigos é de que Deus assegura que os transgressores e os íntegros tenham recompensas apropriadas e que o que ocorreu a Jó, de algum modo, corrobora essa compreensão. A ira de Jó possui a sua base no fato de que a sua experiência não se encaixa nessa teoria. Por implicação, (Bildade acredita), Jó está questionando se há uma base moral para o modo de o mundo funcionar. Ele está solapando as fundações do mundo. Se Jó prosseguir nesse caminho, removerá o próprio alicerce ou a estabilidade do mundo. Bildade sabe que existe uma relação entre a ordem moral do mundo e a sua ordem natural, porque Deus é o senhor de ambas. Remover a fundação de uma ordem coloca em perigo a outra. Seria semelhante a ameaçar esvaziar a terra de seus habitantes ou mover as montanhas de seus lugares. Uma vez mais, a ironia aqui é que as declarações de Bildade se sobrepõem às que Deus, eventualmente, irá fazer a Jó, ao colocá-lo em seu lugar.

Nesse meio-tempo, Bildade reafirma a natureza moral da operação da vida humana. A experiência dos infiéis é a de que a lâmpada deles se apaga — isto é, eles morrem. O amigo de Jó principia com duas linhas que retratam essa realidade; então, ele retorna a como isso ocorre. O homem com uma mola em seus passos é o que tropeça, mas a segunda metade da linha sugere que isso é uma metáfora. Descreve como o homem infiel pensa que as coisas funcionam e toma as decisões e, então, como os seus próprios planos trazem a sua ruína. Expressando de outra forma, os seus próprios pés o levam a cair em uma armadilha. Três linhas o comparam a um animal para o qual o caçador arma uma cilada; talvez haja uma ligação com a comparação anterior ("é a pessoa infiel que é tão estúpida quanto um animal, não pessoas como nós"). O infiel anda em direção à armadilha que deveria ser capaz de ver, pois ele mesmo está acostumado a preparar armadilhas. Agora, entretanto, ele armou uma para si mesmo. Realidades terríveis o assaltam e provocam a sua queda.

Isso não significa, simplesmente, que o infiel traz problema sobre si mesmo. É como se houvesse forças externas que trouxessem esse problema sobre ele; como se a iniquidade ou a aflição estivessem famintas por ele, ou como se o desastre fosse preparado para assegurar a sua queda. Isso o consome. Bildade segue personificando as forças que se apossam do infiel, usando imagens do pensamento do Oriente Médio.

A própria morte é o rei dos terrores, e o primogênito da morte é, aparentemente, o filho que consome o homem infiel e, portanto, o leva ao reino da morte.

Após morrerem, eles são totalmente esquecidos. Em nossa cultura, com frequência, as pessoas almejam deixar um legado. Podem apreciar a ideia de terem os seus nomes inscritos na parede de algum edifício; desejam ser lembrados. O destino do infiel é ser completamente esquecido. Ninguém quer se lembrar dele; pelo menos, não de uma forma positiva. Igualmente, a maioria das pessoas anseia deixar descendência, pois essa é outra forma de legado, outro meio de ser lembrado dentro da família. O infiel levará os seus filhos com ele. Jó dificilmente deixaria de reconhecer uma alusão ao fato de que a morte já havia levado os seus próprios filhos. No rescaldo imediato da queda dos infiéis, o destino deles produzirá reações horrorizadas em todo o mundo, mas eles, na realidade, serão logo esquecidos.

Sim, eis como a fundação moral do mundo funciona, afirma Bildade, novamente, ao encerrar. Ao falar das habitações ou do lugar dos infiéis, ele pode estar se referindo aos lares que eles deixaram, cuja deterioração ele descreveu, ou ao lar no **Sheol**, ao qual ele acabou de aludir. Isso não faz a menor diferença. Se você for um malfeitor, receberá a sua recompensa; o delito refere-se, especialmente, à maneira com que as pessoas tratam umas às outras, à opressão e à injustiça. O mesmo é verdadeiro caso você não reconheça Deus. Como frequentemente ocorre, "conhecer a Deus" não é apenas uma questão de possuir uma familiaridade pessoal com Deus, mas de também ter um reconhecimento prático de Deus na vida de alguém. Isso sugere que a pessoa reconhece que Deus é Deus e vive à luz desse fato. Portanto, transgredir e não reconhecer a Deus, uma vez mais, cobre os dois lados da infidelidade: como nos comportamos em relação aos outros e em relação a Deus.

JÓ **19:1-29**
EU SEI QUE O MEU RESTAURADOR VIVE

1Jó respondeu:

2"Até quando atormentarão o meu espírito,
me esmagarão com palavras?

3Por dez vezes vocês me envergonharam;
não sentem vergonha de me maltratarem.

4Fosse o caso, de fato, de ter errado,
meu erro fica comigo.

5Se vocês, de fato, se exaltam acima de mim
e argumentam sobre a minha humilhação comigo,

6reconheçam, agora, que Deus me colocou no mal,
colocou um cerco em torno de mim.

7Se gritar: 'Violência', não obtenho resposta;
se clamar por socorro, não há tomada de decisões.

8Ele barrou o meu caminho, e não posso passar,
e estabeleceu trevas sobre as minhas veredas.

9Despiu-me da minha honra,
removeu a coroa sobre a minha cabeça.

10Destruiu-me por todos os lados, e eu me vou;
desarraiga a minha esperança como uma árvore.

11Sua ira acende-se contra mim;
considera-me como um de seus inimigos.

12Suas tropas vêm juntas;
construíram o seu caminho contra mim;
acamparam ao redor da minha tenda.

13Colocou a minha parentela longe de mim;
meus conhecidos, certamente, se tornaram estranhos para
mim.

14Meus parentes e conhecidos se afastaram;
os hóspedes em minha casa me tiraram da cabeça.

15Minhas servas me consideram um estranho;
aos olhos delas tornei-me um estrangeiro.

16Chamo o meu servo, mas ele não me responde
quando com minha própria boca lhe peço por graça.

JÓ 19:1-29 • EU SEI QUE O MEU RESTAURADOR VIVE

[17]Meu hálito é estranho à minha esposa;
sou abominável aos meus irmãos.
[18]Mesmo crianças pequenas me rejeitam;
quando me levanto, elas falam contra mim.
[19]Todos os meus amigos íntimos me detestam,
e aqueles com quem me preocupo voltaram-se contra mim.
[20]Meus ossos se apegam à minha pele e à minha carne,
e escapei só com a pele dos meus dentes.
[21]Sejam graciosos comigo, sejam graciosos comigo, vocês são
meus amigos,
pois a mão de Deus me tocou.
[22]Por que me perseguem como Deus,
e por que não estão cheios da minha carne?

[23]Se apenas, então, as minhas palavras fossem escritas,
se apenas fossem escritas em um registro,
[24]com uma pena de ferro e de chumbo,
gravadas em um penhasco para sempre!
[25]Mas eu sei que o meu Restaurador vive
e finalmente se levantará sobre o pó.
[26]Após a minha pele, portanto, ter sido despida,
longe da minha carne, eu verei Deus,
[27]a quem verei por mim mesmo;
os meus olhos o terão visto, não um estranho.
Meu coração dentro do peito falha
[28]quando dizem: 'Como vamos persegui-lo?' —
a raiz da questão está em mim.
[29]Tenham medo vocês da espada,
pois a [sua] ira é iniquidade [digna] da espada, para que
vocês reconheçam que há julgamento."

Na primavera de 1741, durante um período de vinte e quatro
dias, Georg Friedrich Händel musicou uma compilação de textos bíblicos, a maioria deles extraídos do Antigo Testamento,

que havia sido feita por um proprietário de terras e patrono das artes, chamado Charles Jennens. Nesse libreto, Jennens preocupou-se particularmente em encorajar a crença de que Jesus era o Messias predito pelo Antigo Testamento, em um contexto no qual os deístas e judeus não aceitavam essa crença. Considerando que a carreira de Händel estava em declínio nos anos 1730, a obra *O Messias* restaurou a sua popularidade pública. A parte 3 dessa obra, que olha para a segunda vinda de Cristo, começa com as linhas de Jó 19 (v. 25-27), na *ACF*:

> "Porque eu sei que o meu Redentor vive, e que por fim se levantará sobre a terra.
>
> E depois de consumida a minha pele, contudo ainda em minha carne verei a Deus,
>
> Vê-lo-ei, por mim mesmo, e os meus olhos, e não outros o contemplarão; e por isso os meus rins se consomem no meu interior."

Jó não está falando sobre o Messias, embora não haja nada de estranho no fato de alguém usar as palavras de Jó para estabelecer um ponto distinto do que foi expressado por ele. O Novo Testamento faz o mesmo com o Antigo Testamento (embora pareça como se não tivesse ocorrido aos escritores do Novo Testamento usarem Jó 19 dessa maneira). O Espírito Santo, que inspirou o texto original, também pode inspirar novos usos do mesmo texto, mesmo que tenham pouco ou nada a ver com o significado original. Pode-se ver que as palavras de Jó 19, lidas no contexto da morte e da ressurreição de Jesus, em lugar do contexto da vida de Jó, seria uma poderosa expressão da importância de Jesus.

No contexto da vida de Jó, elas representam outra declaração da convicção de que, de alguma forma, Jó será justificado como um homem cuja vida é de submissão a Deus, um homem íntegro e reto. Isso está bem claro, mas Jó expressa a sua esperança de uma forma atormentadoramente oblíqua, e os versos recebem traduções variadas nas muitas versões modernas da Bíblia. Talvez isso, por si só, seja um símbolo de como Jó está tentando expressar algo que é capaz de articular apenas parcialmente. Isso também nos lembra que o homem descrito pela história sofre com dores excruciantes e uma sensação de abandono terrível. Em certo sentido, Jó está em completa lucidez, envolvido em uma interessante discussão teológica ao longo do livro, mas, talvez, o autor esteja mais disposto do que percebemos para deixar Jó e seus amigos alongarem-se em uma expressão mais emocional do que racional.

No Antigo Testamento, um "redentor" ou "resgatador" é alguém que pertence à sua família, mas que possui mais recursos ou poder que você e, portanto, está em posição de ajudá-lo quando estiver em necessidade. Uma situação clássica na qual o assunto surge é quando as pessoas estão com problemas financeiros e correm o risco de perder sua terra ou sua liberdade. Assim, Deus pode usar alguém com recursos para ser um redentor, embora seja possível que essa pessoa use esses recursos para engrandecimento próprio. Dessa forma, Boaz é o redentor ou resgatador de Rute, e Deus é o redentor de Israel, pois Deus trata os israelitas como membros de sua família, aos quais ele deve obrigações familiares. A tarefa de um redentor é, portanto, ficar ao lado do familiar necessitado e agir para restaurar a sua situação, como ela deveria ser — esse é o motivo de eu ter usado a palavra "restaurador". Nesse contexto, Jó está falando sobre alguém que irá restaurar a situação entre ele e Deus. A mão divina o tocou de uma forma pesada e negativa; Deus o persegue e o vigia (e seus amigos fazem o mesmo), e ele nem mesmo sabe o motivo. Assim, Jó anseia ver Deus para que os dois possam acertar as coisas em uma reunião da assembleia de Deus, semelhante à descrita na abertura da história. Deus deve permitir a possibilidade de que, nesse encontro, seja mostrado a Jó onde está o seu erro. Todavia, Jó está convencido de que será capaz de provar na reunião que é íntegro e reto. O papel do seu restaurador, então, será o de promover esse encontro e de apoiá-lo quando ele ocorrer. A classe de pessoa da qual Jó está falando é descrita no capítulo 16 como sua testemunha ou seu advogado, uma pessoa para arbitrar por ele junto a Deus. (Há, portanto, mais de um problema quanto à ideia de que Jó esteja discorrendo sobre alguém como o Messias e, especialmente, sobre Jesus. Um problema é que o papel de Jesus não é o de provar que estamos certos, mas nos redimir, exatamente por sermos errados. Outro problema é que a ideia coloca Jesus contra Deus, como se Deus fosse contra nós e Jesus fosse por nós.)

Jó começa o parágrafo em questão com uma súplica desesperada aos seus amigos, para que eles o tratem com graça e parem de persegui-lo: ainda não estão satisfeitos pelo modo com que estão consumindo a sua carne? Consumir os pedaços de alguém é uma expressão de acusação, de modo que o ponto de Jó pode ser o de que eles jamais se cansam de acusá-lo. O trecho de abertura do capítulo fornece a mais detalhada descrição (embora, claramente, hiperbólica) do tratamento que os amigos, as demais pessoas da comunidade e Deus lhe estão dispensando. No entanto, à luz da percepção de que essa perseguição por parte de seus amigos e de Deus persistirá até ele morrer, Jó questiona sobre a possibilidade de deixar algum registro de seus argumentos para que persistam depois dele, inscrito em uma rocha do mesmo modo que os reis, às vezes, faziam, ao deixarem um registro de suas conquistas e realizações.

Se "apenas" isso pudesse ser feito, seria algo a apoiar Jó. Ele já deixou claro que sabe que possui uma testemunha ou um advogado, alguém para dialogar com Deus a seu favor. Como ele pode ter essa certeza? Talvez saiba que, de algum modo, o universo deve ser um lugar justo. Ou, talvez, seja do conhecimento comum a existência de uma assembleia nos céus para decidir sobre questões concernentes a este mundo e que haja nela membros cuja tarefa seja a de assegurar que as decisões sejam justas. Jó sabe que existem muitos ajudantes divinos, membros do gabinete celestial (seres que o Novo Testamento denomina de "anjos") envolvidos no mundo e conscientes do que se passa aqui. Dessa forma, ele sabe que possui um potencial restaurador no céu. E, embora não esteja satisfeito com a ideia de encontrar justificação apenas após a sua morte, não antes dela, isso será melhor do que nada.

Ao falar sobre o seu restaurador se levantando "sobre o pó" para testemunhar em seu favor, Jó parece imaginar essa assembleia acontecendo na terra. O próprio Jó estará morto; sua carne terá desaparecido há muito tempo. Ele estará no **Sheol**, mas o Antigo Testamento, ocasionalmente, sugere que, de algum modo, as pessoas no Sheol ainda podem estar cientes das coisas; portanto, mesmo que o corpo de Jó tenha perecido, ele pode ainda ser capaz de "ver Deus".

As duas linhas de encerramento nos lembram que Jó está falando aos seus amigos no contexto da incansável perseguição deles e da alegação de que a raiz do problema de Jó está nele mesmo, em sua própria vida ou atitude. Elifaz, anteriormente, falou sobre como a espada ameaçava a pessoa infiel. Jó adverte os seus amigos de que a espada os ameaça também por causa da ira deles contra o próprio Jó. Sua convicção, expressa no versículo 7, não é a sua palavra final.

JÓ **20:1-29**
COMO OS ÍMPIOS OBTÊM A SUA RECOMPENSA

¹Zofar, o naamatita, replicou:

²"Por essa razão, as minhas inquietações me fazem responder,
por causa dos sentimentos dentro de mim.

³Ouço a correção que me desonra,
e um espírito da minha compreensão me faz replicar.

⁴Você não reconhece [como tem sido] desde a Antiguidade,
desde quando a humanidade foi colocada na terra,

⁵que o grito das pessoas infiéis é o mais breve,
a celebração dos ímpios dura um instante?

⁶Embora a sua exaltação suba aos céus
e a sua cabeça toque as nuvens,

⁷como seu esterco, ele perece para sempre;
as pessoas que o viram dizem: 'Onde ele está?'

⁸Como um sonho, ele se vai, e as pessoas não o encontram;
ele é expulso como uma visão noturna.

⁹O olho que o viu não fará isso novamente;
sua casa não o verá mais.

¹⁰Seus filhos buscam o favor de pessoas pobres;
as mãos deles refazem a sua riqueza.

¹¹Seus ossos estavam cheios de sua juventude,
mas com ele se deitam no pó.

¹²Embora o mal seja doce em sua boca
e o esconda debaixo de sua língua,

¹³enquanto ele salva e não o deixa ir,
mas o retém dentro de sua boca,

¹⁴a comida em seu estômago
torna-se em veneno de víboras dentro dele.

¹⁵A riqueza que engole, ele vomita,
quando Deus a descarrega de suas entranhas.

¹⁶Ele suga o veneno de áspides;
a língua de uma víbora o mata.

JÓ 20:1-29 • COMO OS ÍMPIOS OBTÊM A SUA RECOMPENSA

[17]Ele não apreciará os regatos,
os rios, os riachos de mel e de creme.
[18]Ele devolve os ganhos
e não os engole;
não tem prazer de acordo
com a riqueza de sua recompensa.
[19]Porque ele esmagou, abandonou os pobres,
apoderou-se de uma casa que não construiu,

[20]porque não conhece contentamento interior;
ele não deixa escapar nada do que é desejado.
[21]Não haverá sobrevivente para comer;
portanto, a sua boa sorte não durará.
[22]Na plenitude de sua suficiência, as coisas se tornarão
endireitadas para ele;
a força total do problema virá sobre ele.
[23]Seja para encher a sua barriga;
que envie sobre ele a sua ira ardente,
e chuva sobre ele com sua batalha.
[24]Se ele fugir de uma arma de ferro,
possa uma flecha de bronze atravessá-lo.
[25]Quando ele a puxar para fora e ela sair de seu corpo,
a coisa brilhando para fora de sua vesícula,
que o terror venha sobre ele,
[26]que a escuridão total esteja escondida à espera de seus
tesouros.
O fogo o consumirá, não assoprado;
que ele paste sobre o sobrevivente em sua tenda.
[27]Os céus revelarão a sua iniquidade;
a terra se levantará contra ele.
[28]Que uma inundação remova a sua casa, torrentes no dia
da sua ira.
[29]Esse é o destino da pessoa infiel por parte de Deus,
a posse ordenada a ele por Deus."

Recentemente, um pastor nos Estados Unidos publicou um livro que questiona se as pessoas que não acreditam em Cristo irão mesmo para o inferno. O pastor é alguém com o dedo no pulso da cultura norte-americana e ele logrou desenvolver uma congregação enorme. Os editores também souberam como trabalhar o potencial do livro, ao postarem um vídeo publicitário na Internet, alguns meses antes do lançamento do livro, causando um grande alvoroço e intensa polêmica antes mesmo que a obra estivesse disponível para aquisição. Assim, estou entre as inúmeras pessoas que estão escrevendo sobre o livro sem nem mesmo tê-lo lido, mas não o estou criticando. Estou apenas enfatizando um aspecto de seu contexto cultural — no qual o inferno não é uma ideia com a qual as pessoas se preocupam muito. Muita coisa mudou desde os dias de Jonathan Edwards. Um amigo meu gosta de afirmar que o motivo pelo qual Deus castiga as pessoas é o desejo de purificar, o que significa que não é punição, mas disciplina. A noção de punição, de castigo, está fora de moda, seja no âmbito geral, seja no âmbito religioso.

Isso seria liberal demais para Zofar, do mesmo modo que para Bildade (e, a bem da verdade, também para Elifaz e Jó), cuja tese Zofar, novamente, reafirma. Um dos motivos pelos quais Zofar sente-se perturbado pela atitude e pelo questionamento de Jó é por ele desonrá-lo ao desconsiderar o seu ensino. Jó está tratando o amigo como um tolo. No entanto, o discurso de Zofar sobre sentimentos inquietantes sugere que ele tem consciência de que Jó está questionando os fundamentos da sua cosmovisão. A base para a sua atitude em relação à vida é que tanto a retidão quanto a transgressão são recompensadas. Se Jó estiver certo sobre as coisas não funcionarem como Zofar crê e diz, qual é, então, o alicerce para a nossa atitude em relação à vida? Involuntariamente,

Zofar está insinuando que ele mesmo é vulnerável à crítica do adversário de Jó. Estaria ele comprometido com a fidelidade e a retidão apenas ou, principalmente, porque há uma recompensa? (a questão que é mais fundamental ao livro de Jó do que "Por que o inocente sofre?") Caso Jó esteja certo e a fidelidade e a retidão não recompensem, isso enfraqueceria o compromisso de Zofar?

Todavia, Zofar acredita que a transgressão deve ter a sua recompensa e que é assim desde o princípio. Se Zofar tivesse sido capaz de ler Gênesis, pode-se imaginar que teria reforçado a sua visão desse livro: Adão e Eva e, então, Caim ilustram o seu ponto, do mesmo modo que a história sobre o dilúvio e o que vem depois. Claro que a história de Abel é mais parecida com a de Jó, e não ouvimos se Lameque sofreu por sua conduta. Sabiamente, Zofar restringe-se a enfatizar o ponto sobre o infiel. Ele não nega que os "Abéis" deste mundo sofrem, mas simplesmente afirma que os "Cains" obtêm o seu devido pagamento.

É assim, ele acrescenta, mesmo (talvez, especialmente) quando são pessoas que vivem realmente bem e angariam um significativo poder. Aqui, o seu ensino se iguala ao ensino de profetas como Isaías, que enfatiza, principalmente, que aqueles em posição de majestade e de proeminência são humilhados. Isso é verdadeiro em relação a Israel e também aos líderes de superpotências, como o rei da Babilônia. Isaías 14 usa as mesmas palavras de Zofar, ao falar sobre a determinação do rei babilônio de "subir aos céus". Aqueles que alcançam uma posição de poder, de proeminência ou de prestígio, mas carecem de retidão moral para estar lá, não conseguem manter essa posição, afirma Zofar. Desaparecem tão rápida e completamente quanto o esterco que as pessoas usam como combustível. Podem até parecer financeiramente intocáveis, mas todo o seu império financeiro colapsa.

Zofar observa que a pessoa infiel leva a sua família com ela; nenhum deles sobreviverá. Isaías, de modo similar, comenta que a queda e a morte do rei da Babilônia, igualmente, significarão a morte de seus filhos e potenciais sucessores. Pessoas em uma sociedade tradicional reconhecem que eles não são, meramente, indivíduos independentes, mas partes de um sistema familiar, interligados na teia da vida. Sem pertencerem a uma família, eles, na verdade, não existem em um sentido pleno, e o destino do cabeça da família é decisivo para toda ela. A vida dos familiares está vinculada à vida do cabeça. Ela é beneficiária de sua prosperidade e de suas conquistas, da mesma forma que sofre com a sua queda.

Assim, o homem infiel deve devolver a sua riqueza ilicitamente adquirida, e seus filhos são reduzidos a mendigar dos pobres. Talvez a implicação seja a de que essas pessoas pobres sejam aquelas expulsas de suas terras pelo pai deles. Elas, agora, retomam a sua propriedade e se tornam aqueles aos quais os filhos dos infiéis podem e devem pedir esmola. Zofar, mais tarde, refere-se às casas que foram tomadas das pessoas pelo infiel; ele as esmagou e as abandonou à própria sorte, em lugar de usar os seus recursos para sustentá-las. Não importa quanto ele possua, jamais se sentirá satisfeito; é assim que a ganância funciona. Ele jamais deixou de realizar os seus desejos e, inevitavelmente, às custas de outras pessoas que terminaram empobrecidas. Contudo, como resultado, ele mesmo se transforma, rapidamente, de um homem que parecia mais jovem do que os seus anos (porque podia se dar ao luxo de comer bem?), em um indivíduo que morre antes de seu tempo.

Zofar apresenta uma vívida imagem para transmitir como isso ocorre. O homem infiel é semelhante a alguém que desfruta de uma boa refeição, mas a comida cujo sabor é tão excelente é fruto da maldade que ele tanto aprecia. Há alguma inevitabilidade quanto ao modo de as coisas colapsarem e o alimento se transformar em veneno. O infiel engoliu a riqueza das pessoas, mas, na verdade, ela jamais vai além da sua boca, e ele termina por vomitá-la. Trata-se de um processo natural, mas no qual Deus está envolvido; ele o faz lançar para fora. Levando a metáfora em uma direção mais literal, o poderoso, de fato, está em posição de se alimentar bem, mas acaba não sendo capaz de comer a luxuosa comida ao alcance de sua riqueza. Deus derrama ira sobre ele, como um guerreiro fazendo chover ataques em batalha. Os céus e a terra têm testemunhado os seus feitos infiéis, e eles proclamam essas ações abertamente para reivindicar e, até mesmo, exigir essa ação da parte de Deus. A ironia final na descrição de Zofar sobre a ação divina é denominá-la como a distribuição de um lote ou posse, palavras que em outras passagens do Antigo Testamento significam dádivas boas e graciosas de Deus para o seu povo, especialmente na forma de lotes de terra.

Zofar não vê problema em orar para que coisas assim ocorram a pessoa infiéis. Ele não tem nenhum infiel particular em mente, de maneira que um significado desse tipo de oração é que ele aumenta a sua própria motivação para um viver fiel e generoso. (Presumidamente, os amigos de Jó são pessoas prósperas e íntegras, a exemplo do próprio Jó, mas eles poderiam ser tentados a se desviar por causa da sua prosperidade e condição social.)

JÓ 21:1–34
SE APENAS OS ÍMPIOS OBTIVESSEM A SUA RECOMPENSA!

¹Jó replicou:

²"Escutem atentamente a minha palavra;
que seja esse o seu consolo.

3Suportem-me enquanto falo,

e, após eu ter falado, podem zombar.

4É o caso de o meu lamento ser contra um ser humano?

5Olhem para mim e fiquem devastados;

ponham a mão em sua boca.

6Quando atento para isso, fico aterrorizado;

o tremor apodera-se da minha carne:

7Por que as pessoas infiéis vivem,

enquanto envelhecem ficam mais fortes em recursos?

8A sua descendência é estabelecida diante deles,

com eles, seus descendentes estão diante de seus olhos.

9Seus lares estão em paz, sem medo;

nenhuma vara de Deus está sobre eles.

10Seu touro procria e não falha;

sua vaca dá à luz e não aborta.

11Eles enviam os seus pequenos como ovelhas;

seus filhos saltam de alegria.

12Elevam [a sua voz] ao tamborim e à harpa,

celebram ao som da flauta.

13Completam os seus dias em boa sorte

e em paz descem ao Sheol.

14Dizem a Deus: 'Afasta-te de nós,

não queremos reconhecer os seus caminhos.

15O que é Shaddai para o servirmos,

e o que ganhamos se orarmos a ele?'

16Ora, a boa sorte deles não está em seu próprio poder;

os planos das pessoas infiéis estão longe de mim.

17Com que frequência a lâmpada das pessoas infiéis se apaga

e o desastre devido cai sobre elas,

o destino que ele atribui em sua ira,

18[ou] são como palha diante do vento,

como a palha que a tempestade arrebata

19[ou] Deus guarda a sua punição para os seus filhos? —

ele deveria lhe retribuir para que o reconheça.

JÓ 21:1-34 • SE APENAS OS ÍMPIOS OBTIVESSEM A SUA RECOMPENSA!

²⁰Seus olhos deveriam ver a sua destruição;
  ele deveria beber da ira de Shaddai.
²¹Pois o que ele quer para sua casa depois dele,
  quando o número de seus meses foi reduzido?

²²Pode alguém ensinar conhecimento a Deus
  quando ele toma decisões sobre pessoas nas alturas?
²³Uma pessoa morre em plena força,
  despreocupada e em paz.
²⁴Seus baldes estão cheios de leite,
  e a medula em seus ossos é suculenta.
²⁵Outra pessoa morre atormentada em espírito;
  ela não desfrutou de boa sorte.
²⁶Juntos, eles se deitam no pó,
  e os vermes os cobrem.

²⁷Ora, eu conheço as suas intenções,
  os planos com os quais farão violência contra mim,
²⁸para que digam: 'Onde está a casa do líder,
  onde está a tenda que era a habitação das pessoas
    infiéis?'
²⁹Vocês nunca perguntaram às pessoas que viajam,
  não reconheceram as suas evidências,
³⁰de que no dia do desastre a pessoa má encontra alívio,
  no dia em que atos de ira são realizados?
³¹Quem descreve a sua conduta diante de seu rosto? —
  quem o retribui pelo que ele fez?
³²Esse homem é levado à sepultura,
  e alguém vigia o seu túmulo.
³³Os torrões no vale são doces para ele;
  atrás dele todos o seguem,
  e não há contagem dos que o precedem.
³⁴Então, como podem me consolar com trivialidade? —
  quanto às suas respostas, permanece a transgressão."

Dois ou três anos atrás, os Estados Unidos e o Ocidente, em geral, experimentaram uma "grande derrocada financeira", na qual o fator fundamental para a crise foi o processo pelo qual as instituições financeiras emprestavam dinheiro por meio de hipotecas a pessoas que não tinham condições de honrá-las. Parte da responsabilidade pela crise repousa sobre as instituições financeiras que introduziram inovações irresponsáveis no processo pelo qual o investimento operava, resultando em lucros enormes aos seus executivos mediante as taxas envolvidas no sistema de hipotecas. Embora questões nacionais e internacionais, levantadas por essa derrocada, tenham afetado e envolvido as pessoas como um todo, alguns dos mais fortes sentimentos sobre o colapso eram dirigidos aos dirigentes executivos das instituições financeiras. Praticamente nenhum deles foi processado, e muitos continuaram recebendo salários de milhões de dólares por ano. Por outro lado, muitas pessoas comuns perderam as suas casas.

Jó está protestando sobre esse tipo de realidade. Ele sente-se desgostoso com a maneira pela qual o mundo opera para aqueles que prosperam por causa da infidelidade a Deus e aos outros; Jó está furioso por Deus permitir que as coisas funcionem assim. Elifaz acusou Jó de desencorajar o lamento das pessoas e a oração que questiona Deus. Vocês deveriam me ouvir orar dessa maneira, então, afirma Jó.

Sua experiência e, talvez, as próprias palavras de seus amigos o fizeram encarar certas realidades sobre como o mundo opera. Reconhecer essas realidades, agora, o assusta, e ele não sabe para onde ir com os fatos diante dele. Por que os infiéis vivem bem durante toda a sua vida e morrem confortavelmente em seu leito? As generalizações de Jó não são exageradas. Ele não está negando que algumas pessoas ímpias, ou mesmo a maioria, obtêm a sua devida retribuição, embora a sua pergunta "Com que frequência?" chegue perto de implicar que muitos ímpios vivem em prosperidade. Jó almeja que, pelo menos, os seus amigos reconheçam o fato de que alguns não recebem essa retribuição. Por outro lado, algumas pessoas fiéis não obtêm a sua merecida recompensa, que é a matéria que mais diretamente o preocupa, e que os amigos também se recusam a reconhecer.

O retrato da boa vida que os infiéis podem desfrutar segue, naturalmente, aquele ambiente social, mas é reconhecível o bastante para leitores em um contexto ocidental. Tais pessoas podem viver com prosperidade e até mesmo desfrutarem de uma vida cada vez melhor; podem ter uma vida familiar plena e feliz com seus filhos, cientes de que eles estão crescendo e florescendo, e podem viver com segurança. Eles participam na celebração e festividade da comunidade.

Eles não têm nada a temer; objetivamente, nenhuma ameaça de Deus paira sobre a cabeça desses, apesar de serem "ateus práticos". Na verdade, não desacreditam em Deus na teoria, mas apenas não veem motivos para considerar Deus na equação de sua vida. Igualmente, não consideram a oração necessária e esperam que Deus se mantenha longe deles. Talvez jamais façam essa declaração verbalmente, mas o seu modo de viver implica que declaram isso internamente. E (Jó diz, mais tarde) ninguém ousa confrontá-los quanto ao estilo de vida deles. Possivelmente, os sistemas que colocam os ricos e confortáveis nessa posição permanecem em operação, em parte porque desafiar o sistema significaria que os menos favorecidos jamais teriam a oportunidade de trocar de lugar com os mais abastados. Talvez prefiramos ter corrupção e maldade e a chance de nos tornarmos ricos a um sistema que nos assegure apenas um viver modesto. Embora, em teoria, prefiramos ser bons e ricos, secretamente acreditamos que essa combinação não seja viável.

Jó sabe que, na realidade, os infiéis não estão no controle de sua boa sorte e ele não tem a intenção de imitar o estilo de vida deles. Mas ele não consegue enxergar a razão de Deus permitir que vivam da maneira em que vivem. Pode até mesmo parecer que, quando o dia da calamidade chegar, os infiéis serão mais favorecidos do que os íntegros. Em nosso próprio mundo, os líderes depostos, normalmente, deixam o seu país com dinheiro suficiente para viver bem em qualquer outro lugar do planeta, possibilidade essa vetada aos pobres. É fato que, algumas vezes, os filhos ou os netos testemunham o colapso do império herdado ou acabam em dor e sofrimento em razão dos pecados dos pais. Essa é uma forma de juízo sobre os pais, mas eles jamais têm consciência disso, e Jó deseja que eles experienciem isso. Ele reconhece, em teoria, que não se pode dizer a Deus como governar o mundo, mas, na prática, está preparado para ir e fazer algumas observações a Deus. Sim, a morte atinge tanto os fiéis quanto os infiéis; ela é o grande nivelador. Na sepultura, todos são iguais. Todavia, os infiéis podem continuar sendo honrados após a morte. Eles obtêm um sepultamento honroso e descansam em paz e esplendor. As pirâmides são um grande testemunho desse fato.

Jó sabe que os seus amigos irão reiterar as verdades irreais que lhes são familiares, usando-as como armas contra ele, pois, caso estejam certos, eles estabelecerão que Jó não pode ser a pessoa íntegra que reivindica ser. Assim, a sua declaração sobre a trivialidade vazia do consolo oferecido por eles é uma subestimação. Jó vai mais direto ao ponto em sua afirmação final quanto às réplicas dos amigos constituírem uma transgressão, uma afronta a ele. No entanto, eles também afrontam Deus porque estão dando uma descrição das ações de Deus no mundo que, simplesmente, não é verdadeira. Uma afirmação da verdade deve considerar tanto a força do que Bildade e seus amigos dizem (que Deus faz o mundo funcionar de modo moral) quanto a força do que Jó diz (que, com frequência, Deus não faz isso).

JÓ **22:1–30**
ELIFAZ REESCREVE A VIDA DE JÓ EM VEZ DE REVISAR A SUA PRÓPRIA TEOLOGIA

¹Elifaz respondeu:
²"É um homem útil a Deus,
    para que uma pessoa de discernimento o sirva?
³É desejável para Shaddai quando você é justo,
    ou há lucro quando você é reto em seus caminhos?
⁴É por sua submissão que ele o reprova
    e vem tomar uma decisão com você?
⁵A sua maldade não é grande,
    e não há fim aos seus atos de transgressão?
⁶Pois, sem causa, você toma garantias de seus irmãos
    e rasga as roupas dos desnudos.
⁷Você não dá água para a pessoa cansada,
    retém o pão do faminto,
⁸como um homem forte a quem a terra pertence,
    um homem honrado que nela vive.
⁹As viúvas, você manda embora de mãos vazias;
    a força dos órfãos é quebrada.
¹⁰Eis por que as armadilhas estão ao seu redor
    e o terror súbito o apavora,
¹¹ou trevas nas quais você não pode ver,
    e uma inundação de água o cobre.

¹²Não está Deus nas alturas dos céus? —
    Veja a altivez das estrelas, quão altas!
¹³Você diz: 'O que Deus sabe;
    pode ele tomar decisões através da nuvem de trovão?
¹⁴As nuvens são uma tela para ele,
    e ele não pode ver enquanto anda pelo circuito dos céus.'

¹⁵Você observa o caminho antigo
  que os homens rebeldes trilharam,
¹⁶que murcharam quando não era hora,
  cuja fundação foi arrastada em uma enchente,
¹⁷pessoas que disseram a Deus: 'Afasta-te de nós',
  e 'O que Shaddai fará por eles?'?
¹⁸Mas ele foi aquele que encheu as suas casas com coisas boas;
  os planos das pessoas infiéis estão distantes de mim.
¹⁹As pessoas que vivem no caminho reto veem e celebram,
  a pessoa inocente zomba deles:
²⁰'Não é o caso de que aqueles que se levantaram contra nós
    desapareceram,
  e o que foi deixado deles o fogo consumiu?'

²¹Seja útil para ele e fique em paz;
  por essas coisas o bem virá a você.
²²Aceite o ensino de sua boca
  e guarde as palavras dele em sua mente.
²³Se você retornar a Shaddai, será edificado,
  quando mover a injustiça para longe de sua tenda.
²⁴Você colocará metal precioso no pó,
  ouro de Ofir na rocha do ribeiro.
²⁵O Todo-poderoso será o seu metal precioso,
  a sua prata seleta.
²⁶Quando, então, você se deleitar em Shaddai
  e elevar o seu rosto a Deus,
²⁷orará a ele, e ele o ouvirá,
  e pagará os seus votos.
²⁸Você estabelecerá um decreto, e isso lhe acontecerá,
  e em seus caminhos a luz brilhará.
²⁹Quando as pessoas fizerem outras caírem, você dirá:
  'Levanta-os',
  e ele livrará os humildes de olhos.
³⁰Ele resgatará aquele que não é inocente —
  ele encontrará resgate pela pureza de suas mãos."

JÓ 22:1-30 • ELIFAZ REESCREVE A VIDA DE JÓ EM VEZ DE REVISAR A SUA PRÓPRIA TEOLOGIA

Meus anos iniciais de ensino coincidiram com um período no qual muitas igrejas estavam redescobrindo a possibilidade de orar pela cura dos enfermos e de descobrir que muitos foram curados. Foi, de fato, uma redescoberta estimulante, mas ela também suscitou a questão quanto a algumas pessoas serem curadas e outras não (essa era uma questão crucial para mim por causa da minha esposa ter esclerose múltipla e Deus jamais a ter curado, embora eu testemunhasse Deus alcançar muitas coisas por meio de sua enfermidade). É possível comprar livros contendo listas de dez motivos pelos quais as pessoas não experimentam a cura. Ao fazerem essa pergunta, as pessoas levantavam questões complexas para os que oravam e/ou para os enfermos. Além do fardo de estar doente, havia, agora, um fardo adicional. A culpa por não experimentar cura é minha? Não tenho fé suficiente ou sou culpado por algum pecado não confessado?

Jó é vítima de um instinto similar por parte de seus amigos. Alguém disse que eles estão preparados para reescrever a vida de Jó, em vez de revisarem a própria teologia, e esse discurso de Elifaz expõe essa disposição de modo mais explícito. Elifaz principia com a convicção de que os atos dos seres humanos, sejam bons ou maus, não fazem diferença a Deus, pois ele é totalmente independente de nós. Por implicação, a nossa experiência reflete as nossas próprias ações, não um propósito, um desejo ou uma necessidade de Deus. Uma vez mais, a cena ocorrida nos céus, no começo da história, sugere que Elifaz está errado e abre para nós outro significado importante naquela cena desconcertante. Seria o caso de Deus permanecer distante da terra e, de fato, não ter envolvimento conosco? Poderia Deus ter dado início ao mundo e, então, o deixado aos seus próprios dispositivos? Nosso trabalho, como seres humanos, é seguir vivendo uma vida moral no mundo e buscando a justiça aqui, supondo que Deus está sentado na galeria, apenas observando o que ocorre abaixo, mas não ativamente envolvido com o nosso viver? De maneiras distintas, tanto a cena de abertura quanto o discurso premente de Jó a Deus mostram que não é assim. De fato, o mundo interessa ao Criador.

Se, na verdade, a nossa experiência reflete as nossas próprias ações, que ações poderiam ter levado ao sofrimento de Jó? Sua grande vantagem e, ao mesmo tempo, desvantagem, é a sua riqueza e proeminência na comunidade. Ele é "um homem forte [...] um homem honrado". Elifaz conhece os dilemas que acompanham os privilégios; um interminável séquito de viúvas, órfãos, pessoas que caíram em dívidas e aqueles cujas famílias nada têm para comer, fazem fila à entrada da tenda de Jó. Ele não pode dizer sim a todos sem comprometer o futuro de sua própria família, e isso significa responder não a muitos deles. O problema não está vinculado às coisas que ele fez, mas ao que ele falhou em fazer. Eis o que Elifaz supõe ser a causa para a experiência de disciplina de Jó. Trata-se de uma hipótese assustadora para os que vivem no mundo ocidental, que se questionam se têm algum direito de viver em condições melhores do que as pessoas em dois terços do mundo, ou quanto aos que possuem uma vida bem mais próspera do que muitos compatriotas. Talvez seja esse o motivo de sermos tão infelizes.

Quando Elifaz tenta imaginar como Jó pode ter pecado (um empreendimento deveras horrível da imaginação, quando se pensa nisso), havia uma outra avenida digna de exploração. Suponha que o problema esteja nas atitudes de Jó tanto quanto em suas ações externas? Talvez ele não tenha adorado outros deuses publicamente, mas, em segredo, buscou o auxílio deles, na privacidade de seu coração ou de seu lar. Essa é uma

JÓ 22:1-30 • ELIFAZ REESCREVE A VIDA DE JÓ EM VEZ DE REVISAR A SUA PRÓPRIA TEOLOGIA

possibilidade que os Profetas, às vezes, levantam. Ou, ainda, pode ter considerado a possibilidade de Deus não estar envolvido em nossa vida e, assim, na prática, ter vivido como se Deus não existisse. Estranhamente, Elifaz está acusando Jó de uma posição que ele próprio tem assumido: Deus tem poucos motivos para se importar com o que os seres humanos fazem. Isso também lembra a posição que Jó atribui aos infiéis no capítulo anterior. De certa maneira, então, Elifaz acusa Jó de dissimulação ao falar da atitude dos infiéis como se essa não fosse a sua própria atitude. Jó falou como se Deus, nos altos céus, dificilmente fosse capaz de ter ciência sobre tudo o que está acontecendo aqui embaixo. Isso seria muito conveniente para Jó (Elifaz sugere), porque ele pertence à companhia dos infiéis que, realmente, desejam ver Deus distante deles e que não reconhecem que o bem-estar do qual desfrutam deriva de Deus, o grande rio. Portanto, não surpreende o fato de Jó estar experimentando a mesma queda que os infiéis experimentam (de acordo com a teologia de Elifaz).

Contudo, Elifaz é amigo de Jó e deseja que ele retorne de sua posição supostamente descrente. Uma vez mais, com certa inconsistência, Elifaz encoraja Jó a fazer algo semelhante ao que ele mesmo sugeriu ser impossível, no começo do seu discurso, usando o mesmo verbo incomum que ele usou aqui. Não podemos servir ou beneficiar a Deus, ele disse. A inconsistência ou incoerência de Elifaz, nesse capítulo, do mesmo modo que as suas tentativas de inventar falhas pelas quais Jó é culpado, constitui um sinal de que ele está se debatendo para dar um sentido teológico ao que ocorreu com Jó. Ele almeja levar Jó de volta à sua posição anterior de bênção e, para esse fim, quer que Jó retorne a Deus, mas isso pressupõe que Jó tenha se afastado de Deus. Igualmente, a promessa de que Deus será aquele a quem Jó irá valorizar, deixando de lado a sua riqueza (caso seja a alusão do v. 24), pode sugerir que Jó se apegou excessivamente à sua riqueza. Ao sugerir essa possibilidade, Elifaz estaria fazendo outra suposição sobre a atitude errada que poderia ter causado a vinda dos problemas sobre Jó.

Assim, Elifaz promete que a relação de Jó com Deus pode ser restaurada. Jó poderá desfrutar da relação ideal com Deus, presente no Antigo Testamento, que envolve elevar o rosto a Deus em oração e louvar, recebendo a bênção divina sobre os seus planos e a iluminação de seu caminho, além de estar em uma posição de mostrar misericórdia a pessoas que caíram, e até aos que as levaram a cair. O problema é que essas promessas são alicerçadas em uma suposição falsa: que Jó necessita se arrepender das transgressões que cometeu, a exemplo de um réu que barganha uma pena menor ao admitir culpa quando é inocente.

JÓ **23:1–17**
QUEM SE MOVEU?

¹Jó replicou:
²"Meu lamento está, de fato, atormentado hoje,
    embora a minha mão seja pesada sobre o meu gemido.
³Se apenas eu soubesse como encontrá-lo,
    poderia ir à sua habitação.
⁴Exporia o meu caso diante dele,
    encheria minha boca com argumentos.
⁵Conheceria as palavras que ele responderia a mim,
    compreenderia o que ele me diria.
⁶Contenderia ele comigo com grande força? —
    Não, certamente, colocaria [sua mente] sobre mim.
⁷Ali, um homem íntegro argumentaria com ele,
    e eu escaparia para sempre daquele que toma
        as decisões sobre mim.
⁸Se eu for para o oriente, ele não está lá,
    e para o ocidente, não o percebo,

JÓ 23:1-17 • QUEM SE MOVEU?

⁹para o norte, onde ele age, não o contemplo;
    ele pode se voltar para o sul, mas não o vejo.
¹⁰Mas ele conhece o meu caminho;
    se ele me testar, sairei como ouro.
¹¹Meus pés seguiram o seu caminho;
    mantive o seu caminho e não me desviei.
¹²Do comando de seus lábios não me apartei;
    entesourei as palavras de sua boca mais do que
        aquilo que foi decretado a meu respeito.

¹³Ele é único; quem pode demovê-lo? —
    o que ele deseja, faz,
¹⁴porque ele pode completar o que foi decretado
    a meu respeito,
        e há muitas coisas como essas em sua mente.
¹⁵Portanto, estou apavorado com a sua presença;
    quando eu considero, tenho pavor dele.
¹⁶Deus fez a minha mente desmaiar;
    Shaddai me aterrorizou,
¹⁷porque não estou aniquilado diante das trevas,
    mas a escuridão cobre o meu rosto."

Uma frase que, com frequência, surge nos quadros de boletins da igreja diz: "Se Deus parece distante, adivinhe quem se moveu?" Obviamente, existe certa verdade no que a sentença sugere quanto ao nosso relacionamento com Deus, mas ela, no entanto, me faz refletir de outra maneira. Conheci períodos nos quais Deus parecia muito distante e eu não achei que me movi ou me afastei dele. Lembro-me de ter saído de um culto na capela de meu seminário, na Inglaterra, totalmente desolado por sentir que não havia estado com Deus da mesma forma que as demais pessoas pareciam ter estado. Disse isso a um aluno que me perguntou o que eu havia achado do culto, e ele respondeu: "Talvez Deus queira que você esteja naquele lugar no momento." Foi uma resposta dura, mas é possível que ele estivesse certo, e, com o tempo, aquele sentimento foi embora; passei, novamente, a sentir que Deus estava comigo. Agora, ocasionalmente, converso com pessoas que não têm a mesma certeza da presença de Deus que outrora tinham e que sentem estarem fazendo tudo o que podem para chegar a Deus, mas não recebem nenhuma resposta.

Jó sabe que Deus se moveu, mas não consegue chegar a um motivo. Precisamos nos lembrar sempre de que a compreensão do Antigo Testamento sobre a presença e a ausência de Deus é diferente da percepção ocidental. Preocupamo-nos com a *sensação* da presença de Deus. Com frequência, a evidência da ausência de Deus é a falta desse sentimento. No Antigo Testamento, a evidência da presença de Deus é o que ele faz; Deus age em nossa vida. Quando Jesus exclamou as palavras do salmo 22: "Meu Deus! Meu Deus! Por que me abandonaste?", ele não quis dizer que Deus estava distante, lá no céu. Deus estava presente, olhando Jesus ser crucificado, sofrendo tanto quanto Jesus, mas nada fazendo em relação ao fato de Jesus estar sendo executado. O abandono de Deus em relação a Jesus consistiu em sua recusa por agir. Foi nesse sentido que Deus havia se movido. Em outras ocasiões, Deus agiu em resposta às orações de Jesus; agora, não.

Havia um motivo para Deus abandonar Jesus, do mesmo modo que havia uma razão para Deus abandonar Jó. Este homem tem sido considerado um "tipo", um "modelo" de Cristo, e isso está ligado a esse sentimento de abandono. Jó sofreu por nós, para nos possibilitar encarar o sofrimento que não compreendemos, para aprendermos como reagir a ele e como não tentar ajudar alguém que está sofrendo. Ou pode-se comparar Jó com o homem que nasceu cego, não por causa de seu pecado ou do pecado de seus pais, mas por causa do que Deus alcançaria por meio de sua cura por Jesus (João 9). Elifaz acha que conhece o motivo de Jó ter sido abandonado por Deus. Tudo o que Jó sabe é que Deus se afastou dele e que nada fez para protegê-lo, exceto preservá-lo minimamente vivo (que foi o limite imposto ao adversário por Deus), e que se recusa a oferecer resposta aos seus pedidos por um encontro no qual eles possam conversar sobre que diabos está acontecendo.

Jó começa com uma declaração de quão atormentado ele se sente e com um comentário que sugere que ele está sendo menos incisivo e barulhento do que poderia estar, caso não estivesse se controlando. O motivo particular por ele desejar encontrar-se com Deus é aquele recorrente em seus protestos. Ele quer um encontro face a face a fim de arguir o seu caso junto a Deus, para defender a sua reivindicação de ter um viver íntegro e reto, e de compelir Deus (!) a lhe contar por que ele está sofrendo daquela maneira. A distinção em relação aos protestos anteriores é que, então, ele não tinha muita confiança de que algum dia poderia esperar ganhar um caso com Deus, não porque seu caso não fosse convincente, mas por Deus simplesmente não se dispor a entrar em uma discussão com ele. Nesse caso, então, talvez aqui ele esteja assobiando ao vento, embora, talvez, seja capaz de fazê-lo pelo fato de falar como um homem íntegro. É possível que ainda não esteja certo da justiça de Deus, mas, paradoxalmente, ele ainda acredita na justiça da realidade, do mundo. Se abandonarmos essa crença, será difícil seguir vivendo, nos preocuparmos com qualquer coisa. Caso Jó ainda tenha dificuldades em acreditar na justiça divina, talvez ele possa se perguntar se, pelo menos, a justiça da realidade possibilitará a sua justificação, obrigará Deus a reconhecer a sua retidão; então, ele terá resolvido a sua questão junto a Deus. Jó será capaz de escapar de Deus, aquele que exerce autoridade e toma decisões sobre ele.

O problema é que Jó, na verdade, não sabe onde encontrar Deus a fim de ter esse encontro confrontacional, e, após expressar essa convicção ou esperança sobre o que um encontro assim poderia resultar, Jó reverte para o início de seu protesto atual. Onde Deus vive? Onde Jó pode enfrentar o leão em sua própria cova? Ele olha para as quatro direções da bússola. As expressões hebraicas, aqui, são mais vívidas que as traduções. No hebraico, as pessoas se orientam com base no Oriente, onde nasce o sol, em vez de no norte, a exemplo do funcionamento da bússola. Assim, Jó se imagina indo para a "frente", para a direção leste; Deus não está lá. Ele, então, imagina-se indo para "trás", na direção oeste. A seguir, fala em ir para a esquerda, isto é, na direção norte, caso você inicie de frente para o Oriente. A referência ao norte como o lugar onde Deus age pode refletir o fato de que o norte era imaginado como a localização do gabinete de Deus, o local no qual são tomadas as decisões concernentes aos eventos no mundo; portanto, esse seria um bom lugar para se encontrar Deus, mas também não era. Por fim, Jó volta-se para a direita, isto é, na direção sul, onde o monte Sinai estava; os israelitas estavam acostumados a pensar em Deus vindo daquela direção. Foi para lá que Elias peregrinou ao encontro de Deus, quando o profeta achou que Deus poderia tê-lo abandonado nas mãos de Jezabel, e Deus lhe apareceu ali. Será que Deus, novamente, se retirou para lá? No entanto, Jó também não o encontra ali. Ele olha para a frente e para trás, para a esquerda e para a direita, e nada vê.

Ao falar sobre o seu viver e o seu caminho, Jó reverte para a sua convicção de que merece ser justificado, e que, portanto, certamente será. Jó pode reunir as expressões "seu caminho" e "meu caminho". Dizem que "I Did It My Way" [Eu fiz do meu jeito] é a canção mais gravada da história, mas Jó jamais cantou essa canção em algum caraoquê na terra de Uz. É perigoso reivindicar que eu fiz do jeito de Deus, mas Jó foi levado por seus amigos a refletir muito sobre se ele fez isso, e persiste em reclamar isso; sabemos, com base na introdução a essa história, que essa reivindicação é justa. O discurso de Jó em termos de provação estabelece uma ligação irônica com os eventos no céu que conduzem ao andamento da história, pois um teste é exatamente o que o adversário leva Deus a concordar. Deus sabia que esse teste provaria que Jó era puro como ouro refinado. Jó também sabe disso, mas o que ele não sabe é que Deus estava convencido disso. Na verdade, a ideia soa inimaginável, pois parece mais provável que Deus necessite ser convencido.

Jó alega ter se comprometido a trilhar o caminho de Deus mais do que havia sido decretado a ele, mais do que a lei de Deus exigia. O modo pelo qual ele estabelece esse ponto é incomum, mas o pano de fundo está na maneira pela qual ele, então, reutiliza a expressão "o que foi decretado a meu respeito", em referência aos planos de Deus em sua vida, que não tem sido, de modo algum, algo confortável e que pode, muito bem, se tornar mais desconfortável ainda. Não, o fato de Deus ter um plano para a nossa vida pode não ser encorajador. Assim, quando Jó pensa sobre o futuro, ele o faz com uma apreensão maior. No entanto, ele não tem nenhuma intenção de desistir e de reconhecer a culpa quando é inocente. Ele está sangrando, mas não abatido. A sentença vem do poeta William Ernest Henry, uma vítima da tuberculose que se recusava a ser vencido pela enfermidade, mas também significava muito a respeito de Nelson Mandela, quando ele estava na prisão.

JÓ 24:1-25
POR QUE OS TEMPOS NÃO SÃO CUMPRIDOS POR SHADDAI?

[1]"Por que os tempos não são cumpridos por Shaddai? —
Aqueles que o reconhecem não veem os seus dias.
[2]As pessoas movem as pedras de demarcação,
carregam os rebanhos e os apascentam,
[3]levam o jumento do órfão,
tomam o touro da viúva como um penhor,
[4]forçam os necessitados a sair do caminho,
e os humildes a se esconderem juntos na terra.
[5]Eis que são jumentos selvagens no deserto,
que saem no curso do seu trabalho,
procurando por comida;
a estepe é alimento para eles, para os meninos.
[6]No campo aberto, eles colhem a sua forragem;
respigam a vinha dos infiéis.
[7]Dormem nus pela falta de roupas;
não há cobertura contra o frio.
[8]Molham-se com a chuva da montanha
e, por falta de abrigo, agarram-se à rocha.
[9]As pessoas arrancam os órfãos do peito,
tomam o bebê de uma pessoa humilde como um penhor.
[10]Andam por aí nus por falta de roupas,
e [andam por aí] famintos, embora carreguem feixes.
[11]Entre os seus próprios terraços, eles prensam azeite
e pisam nos lagares, mas estão sedentos.
[12]Da cidade, os homens gemem;
a alma dos feridos clama por socorro,
mas Deus não acusa por impropriedade.
[13]Essas pessoas — elas estão entre os que são rebeldes contra
a luz;
não reconhecem os seus caminhos;
não vivem em suas veredas.

¹⁴À primeira luz, o assassino se levanta
para que possa matar os humildes e os necessitados
e, à noite, se torna como um ladrão,
¹⁵enquanto o olho do adúltero espera pelo crepúsculo,
dizendo: 'Nenhum olho me contemplará',
e cobre o seu rosto.
¹⁶Ele invade casas na escuridão;
de dia, se enclausuram;
eles não reconhecem a luz.
¹⁷Porque, para todos eles, a manhã é sombra mortal,
quando ele reconhece o terror da sombra mortal.

¹⁸Ele é uma pequena coisa na superfície da água;
a sua alocação na terra é desprezada;
ninguém volta por suas vinhas.
¹⁹A seca e o calor consomem a água da neve;
o Sheol [consome] as pessoas que ofenderam.
²⁰O ventre o remove da mente;
o verme o considera doce.
Ele não é mais mantido na mente;
a transgressão quebra-se como árvore.
²¹Ele faz o mal à mulher estéril,
que não carrega um filho,
e não faz o bem à viúva.
²²Embora arrastasse touros com a sua força,
ele pode permanecer, mas não está seguro em sua vida.
²³[Deus] pode lhe dar segurança, e ele pode relaxar,
mas os seus olhos estão sobre os caminhos deles.
²⁴Eles estão no alto por um tempo e depois não há nada
deles;
são abatidos, como uma malva eles enrugam,
e, como uma cabeça de grão, murcham.
²⁵Se não for assim, quem pode provar que sou um mentiroso,
tornar a minha palavra em nada?"

JÓ 24:1-25 • POR QUE OS TEMPOS NÃO SÃO CUMPRIDOS POR SHADDAI?

Algum tempo atrás, eu costumava seguir um conjunto de leituras bíblicas diárias, chamado *Daily Light on the Daily Path* [Luz diária no caminho diário], que incluía versículos sobre diferentes tópicos para cada manhã e cada noite. Os versículos eram impressos no corpo principal da página e as referências no rodapé, para que o leitor pudesse examiná-las na Bíblia, embora o propósito das leituras dificilmente tornasse isso necessário. Certa ocasião, estava internado em um hospital e, portanto, dispunha de muito tempo livre. Assim, comecei a examinar os versículos em seu contexto e descobri, para minha consternação e perplexidade, que muitos dos versículos encorajadores sobre Deus e sobre o relacionamento de Deus conosco foram extraídos dos discursos dos amigos de Jó, aos quais conhecia como sendo os elementos maus do livro. Além disso, muitas das declarações de Jó eram indistinguíveis das afirmações de seus amigos e, igualmente, das próprias declarações de Deus, quando, por fim, ele fala com Jó. Isso sugere que o problema com as afirmações dos amigos de Jó não é o fato de elas serem inverdades, mas o fato de eles as considerarem como absolutas. Jó, no entanto, reage na direção oposta e arrisca-se a concluir que elas não contêm verdade alguma.

O último parágrafo dessa declaração, feita por Jó (v. 18-25) soa como se saísse da própria boca de seus amigos. Ele declara que os infiéis recebem a sua devida retribuição. O malfeitor é semelhante a alguém débil, frágil ou inconsistente, levado embora por uma pequena corrente. Sua terra é, igualmente, frágil e inconsistente, que falha em produzir. Não há uvas a serem colhidas em suas vinhas, e a morte o leva tão facilmente quanto o calor do verão seca os rios alimentados pelo derretimento da neve. Sua mãe e os demais se esquecem dele; os vermes o consomem, e ele mais se parece com uma árvore partida pelo vento. O tratamento perverso que ele dá às mulheres vulneráveis o leva a não ser capaz de manter a forte posição que supostamente ele ocuparia. Embora Deus lhe permita desfrutar de alguma segurança temporária, os olhos de Deus permanecem sobre ele. A segurança falha, e ele desaparece. As palavras finais, na última linha, são, então, uma forte afirmação da verdade do parágrafo, que enfatiza o modo contundente pelo qual Jó declara as convicções que os amigos, normalmente, expressam. Talvez Jó esteja imitando as palavras dos amigos e, portanto, falando de modo irônico ou sarcástico. Ou, ainda, dizendo o que gostaria que acontecesse aos infiéis pela mão de Deus. Acho esse discurso provavelmente comparável a algumas declarações presentes em Salmos (e anteriores, em Jó), nas quais as pessoas declaram a sua confiança quanto à punição dos ímpios, cuja disposição de expressá-las constitui uma indicação de que o orador não pertence à companhia dos ímpios. Se aqueles, a exemplo de Elifaz, estão certos sobre Jó ser um transgressor secreto e/ou ser a espécie de pessoa que negligencia os necessitados, seria preciso uma grande frieza da parte de Jó para fazer essa declaração sobre o destino dos malfeitores.

Essa compreensão coaduna com a primeira parte do capítulo, embora o versículo de abertura, a princípio, pareça ir contra essa percepção. O contexto mostra que os tempos e dias referidos são os tempos e dias estabelecidos por Deus — ou que deveriam ser estabelecidos — para trazer o devido juízo sobre os malfeitores (Jó alterna em termos de falar "eles" e "ele", o que é mais comum no hebraico do que em nosso idioma). Deus deveria determinar as coisas de modo que as pessoas que o conhecem e vivem fielmente pudessem ver a punição dos infiéis, mas ele não faz isso. A evidência é a predominância das ações opressoras citadas a seguir: mudar as pedras de demarcação significa privar uma família de sua própria terra; Jó segue referindo-se ao roubo paralelo de seus animais. O resultado das ações é o exílio da família da vida regular junto à comunidade e a transformação dela em pessoas que andam à busca de alimento onde seja possível obtê-lo. Elas não podem mais cumprir a sua vocação humana como fazendeiros em sua própria terra ou cuidar de si mesmas. No processo de perder a sua terra, elas perdem os seus filhos, entregues à servidão aos seus credores. Com ironia adicional, as sobras das colheitas com as quais devem se satisfazer são das mesmas pessoas infiéis que os roubaram e os expulsaram de sua propriedade. Além disso, acabam envolvidas na coleta e na prensagem das azeitonas de oliveiras que, outrora, eram suas, e em terraços que, antes, eram seus. A descrição de Jó indica o costume dos povos do Oriente Médio de, normalmente, transformar as encostas das colinas em áreas cultiváveis nas quais oliveiras, vinhas e outras árvores frutíferas eram plantadas. Igualmente, essas pessoas trabalham como diaristas pisando uvas nos lagares e colhendo grãos, mas que não podem beber do suco ou moer os grãos para fazer pão; assim, elas seguem sedentas e famintas. Após perder as suas fazendas, elas perdem também os seus lares, e, embora dormir ao relento possa parecer bom durante o verão, o mesmo não se pode dizer do inverno. Ainda, perder a sua propriedade também significa perder a capacidade de confeccionar roupas apropriadas para mantê-las aquecidas no inverno. A exemplo do que normalmente acontece, isso pode levá-las a buscar refúgio na área urbana, de modo que é da cidade que sobe um clamor a Deus por socorro e pela punição dos opressores. Entretanto, Deus é como um policial que nada faz para acusar e condenar esses transgressores.

O parágrafo intermediário do capítulo segue mencionando a cidade para descrever outros problemas característicos em uma comunidade na qual a vida social está desmoronando e na qual ocorrem assassinatos, roubos e adultérios. Igualmente, também brinca com o significado duplo da luz, tanto literal quanto metafórico. Muitas ofensas nessas categorias são aquelas que as pessoas cometem sob a cobertura da escuridão, o que simboliza o fato de os seus perpetradores serem pessoas que rejeitam a luz, num sentido mais amplo. Portanto, o parágrafo termina descrevendo o temor dessas pessoas pela manhã porque, para elas, a luz do dia carrega a conotação de trevas, no sentido de ser indesejada.

Os primeiros dois parágrafos do capítulo, então, possuem implicações relacionadas àquelas do terceiro. Jó lamenta a maneira pela qual os vigaristas e outros malfeitores se comportam na comunidade e lamenta o fato de Deus nada fazer a respeito. Embora os seus amigos possam tê-lo induzido a retratar os fatos com cores mais sombrias do que elas são, ele está certo de que mesmo que possamos, às vezes, ver a impiedade punida, isso é muito raro (e, portanto, anelamos pelo dia em que isso seja possível). Seria difícil a Jó lamentar dessa forma caso ele fosse, de fato, a espécie de pessoa que Elifaz pensa que ele é. Seus protestos sobre a inação de Deus e suas declarações sobre a certeza de punição aos malfeitores têm a mesma implicação com respeito à própria retidão de Jó. O seu lamento, portanto, levanta questões quanto à nossa cumplicidade na transgressão. Às vezes, somos cúmplices por tornar a transgressão possível; outras vezes, por nossa omissão em agir como poderíamos para impedi-la.

JÓ **25:1—26:14**
UM GEMIDO E UM SUSSURRO

[1]Bildade, o suíta, respondeu:

[2]"O governo e o temor estão com ele;
ele traz paz em suas alturas.

[3]Há alguma contagem de suas tropas,
ou em quem a sua luz não brilha?

[4]Ou como pode um mortal ser justo diante de Deus;
como pode alguém nascido de mulher ser inocente?

⁵Até mesmo a lua não é brilhante,
   e as estrelas não são inocentes aos seus olhos.
⁶Quanto menos um mortal, um verme,
   ou um ser humano, uma larva."

CAPÍTULO 26

¹Jó replicou:
²"Como você ajudou uma pessoa sem forças,
   livrou um braço sem poder.
³Como aconselhou alguém sem entendimento,
   e fez conhecida a sabedoria em abundância.
⁴A quem você dirigiu palavras,
   cujo fôlego saiu de você?
⁵Os fantasmas são feitos para se contorcerem sob as águas
   e aqueles que habitam neles.
⁶O Sheol está nu diante dele;
   não há cobertura para Abadom.
⁷Aquele que estendeu o céu do norte sobre o vazio,
   suspendeu a terra sobre o nada,
⁸embrulhou as águas em suas nuvens
   (a nuvem de tempestade não se rompeu debaixo delas),
⁹encobriu a vista de seu trono,
   espalhou a sua nuvem de tempestade sobre ele.
¹⁰Marcou o horizonte sobre a superfície das águas,
   na fronteira da luz com as trevas.
¹¹Os pilares dos céus estremecem;
   ficam perplexos por sua repreensão.
¹²Por seu poder, ele acalmou o mar;
   por sua sabedoria, esmagou Raabe.
¹³Por seu vento, os céus ficaram límpidos;
   sua mão perfurou a serpente entrelaçada.
¹⁴Eis que essas são as orlas dos seus caminhos,
   e um sussurro é a palavra que ouvimos dele.
   Então, quem compreende o trovão dos seus poderosos
      atos?"

Na noite passada, em nosso grupo de estudo bíblico, discutíamos sobre o relato da fuga de Elias para o monte Horebe, quando Jezabel estava tentando matá-lo. Há vento, terremoto e fogo, além de um leve sussurro — o "murmúrio de uma brisa suave", segundo a *NVI*. Qual a relação entre essas coisas? Alguém no grupo questionou se Deus estava alterando entre falar por meio do terremoto, do fogo e, por fim, por meio de um sussurro, o que se encaixa em nosso contexto cultural ocidental. Apreciamos a ideia de Deus nos falar com uma voz calma e suave, mas, na Escritura, não parece ser uma mudança de um meio ao outro.

Jó 26 vê a importância tanto do sussurro quanto do trovão. Primeiro, a contribuição final de Bildade ao debate começa com uma descrição da soberania de Deus. Ele é o único que possui autoridade e, portanto, atrai temor, e Deus faz isso nos céus (embora, não haja dúvidas de que na terra também). Existem tanto forças sobrenaturais quanto terrenas resistentes a Deus; o Leviatã e Raabe já foram citados como símbolos dessa resistência. Deus não considera como garantido que mesmo a lua e as estrelas sejam brilhantes e inocentes; até elas podem estar atuando contra o propósito divino. No entanto, Deus possui a força para superar esses poderes e pode fazer a sua luz brilhar para dissipar as forças de resistência.

Entrelaçados com os comentários sobre os poderes sobrenaturais estão os comentários sobre os seres humanos. A questão sobre se eles são justos ou inocentes diante de Deus, presumidamente, também diz respeito a se eles são verdadeiramente fiéis, genuinamente inocentes, de resistirem a Deus. Jó tem argumentado que ele mesmo é fiel e inocente e que deseja ter a chance de apresentar-se diante de Deus e convencê-lo a reconhecer isso (a ironia contínua é que a história começa com essa afirmação, mas Jó não a conhece).

Bildade ridiculariza a ideia com base no que Deus é e no que os seres humanos são. Se Deus é superior aos seres sobrenaturais, decerto é ainda mais superior a seres terrenos como nós, mortais e fracos, a caminho de serem consumidos por vermes e larvas. Como um ser revestido de larvas, Jó questionou o motivo de Deus se importar com um ser humano como ele, em comparação com as entidades tais como o mar ou o dragão. Não poderia Deus ignorar as pequenas rebeliões das quais Jó é culpado (veja Jó 7)? Bildade joga de volta as próprias palavras de Jó em seu rosto, mas lhes dá uma orientação diferente.

Por seu turno, Jó lança palavras de volta a Bildade. Considerando que Jó é, agora, um homem sem forças e cujo braço não tem poder, que necessita de libertação de sua terrível condição, como as palavras de Bildade o ajudam? Considerando que Jó é um homem que não compreende o que está acontecendo em sua vida, Bildade lhe ofereceu alguma verdadeira sabedoria? Quem Bildade consultou para obter as palavras que ele expressa? (Resposta: ninguém.) Qual fôlego, espírito ou inspiração estava operando por meio de Bildade naquelas palavras? (Resposta: nenhum.) É possível conjecturar que Bildade tenha estado na companhia de seus próprios temores e que esteja dizendo o que ele mesmo precisa ouvir, para reafirmar que não é igual a Jó e que não terminará como ele. Bildade está falando para si mesmo. E, já que ele não está dando ouvidos a Jó, este também está falando para si mesmo.

O último parágrafo dessa passagem bíblica, a princípio, parece dar continuidade ao discurso de Jó, mas veremos que o capítulo 27 inicia nos informando que o próprio Jó é que começa a discursar novamente, o que sugere que não é Jó falando na passagem de 26:5-14. Além disso, nessa parte do livro, as contribuições dos diferentes participantes se tornam um pouco confusas (como já ocorreu no capítulo 24). As poucas linhas de Bildade foram bem mais breves do que o discurso de qualquer outro até aqui, e Zofar não faz outra contribuição para completar a terceira sequência de discursos nesse debate, embora, às vezes, Jó diga coisas que soariam muito bem nos lábios de Bildade ou de Zofar (como ocorreu no capítulo 24). Dessa forma, os estudiosos têm questionado se o livro, outrora, já conteve uma terceira sequência completa de discursos que foram misturados. O problema é que não há um consenso sobre como realocar os discursos, e, assim, eu trabalho com o livro como ele se apresenta. Um dos efeitos desse arranjo é que as contribuições dos três amigos diminuem gradualmente; eles expressaram tudo o que poderiam dizer. Eu, então, concluo que o novo começo, no capítulo 27, confirma que as palavras de 26:5-14 não são as palavras de Jó, mas uma declaração que não é atribuída a ninguém. Por implicação, trata-se de uma declaração do narrador do livro, a pessoa que conta a história (veremos que o mesmo é verdadeiro em relação ao capítulo 28).

Como tal, os versículos 5-14 incluem outra declaração da grandeza de Deus. Eles iniciam adicionando algo às palavras de Bildade sobre a soberania divina em relação às forças sobrenaturais. Deus também é soberano com respeito ao reino dos mortos. Os fantasmas (os mortos) são retratados como vivendo sob a terra e abaixo do mar que está sob a terra, que, em si mesma, é uma espécie de ilha flutuante. **Sheol** e **Abadom** são dois nomes hebraicos para o lugar no qual os mortos estão (veja os comentários sobre o capítulo 11). Eles estão expostos aos olhos de Deus; a morte não é um reino para o qual se pode escapar de Deus. Portanto, se contorce de medo ao ser confrontada pelo poder aterrorizante de Deus.

O poema segue falando sobre as alturas dos céus e descrevendo o processo pelo qual Deus os trouxe à existência. Foi como se Deus tivesse estendido uma grande tenda sobre a terra. O chão da tenda é, então, a própria terra (suspensa sobre o nada); a tenda é o céu e a área no interior da tenda é o espaço entre a terra e o céu. A menção específica ao norte conecta-se com a ideia de que lá está a localização do gabinete celestial de Deus, ao qual, talvez, Jó tenha aludido em suas palavras sobre ir aos quatro pontos cardeais: Leste, Oeste, Norte e Sul. As nuvens são os armazéns da chuva, com sua capacidade de reter a água em vez de deixá-la inundar a terra (o mesmo retrato que em Gênesis 1). Elas também agem como um escudo para o trono de Deus nos céus, para assegurar que a resplandecente visão de Deus não consuma as pessoas que olham da superfície terrestre; uma espécie de véu protetor.

Na terra, estamos cercados por um horizonte circular, o que sugere uma imagem para outro aspecto da obra de Deus. É como se o horizonte defina os limites para o mundo habitado criado por Deus, do mesmo modo que os limites para o reino no qual a luz brilha; além, prevalecem as trevas. Pilares invisíveis sustentam a tenda como mastros de uma tenda real (talvez as montanhas que se elevam em direção ao céu sugiram a imagem de algo sustentando o céu), mas eles estremecem quando Deus age com poder para derrubar os poderes resistentes, retratados como o mar ou Raabe ou a serpente.

Tudo é muito impressionante. Contudo, constituem apenas as orlas dos caminhos de Deus; isto é, a imponência do mundo físico fornece apenas uma leve impressão dos atos reais e do poder de Deus. Ainda mais importante no contexto do livro de Jó é que a palavra ou mensagem que ouvimos é apenas um sussurro das dimensões da verdade sobre Deus. Não surpreende, então, que Jó proteste por Bildade oferecer uma ínfima percepção sobre como a vida funciona e sobre como Deus opera. Compreendemos apenas o contorno disso. O problema com os amigos de Jó é que eles consideram a borda como o todo, o sussurro como a voz plena. Por seu turno, o problema de Jó é que ele acha que deveria ser capaz de compreender o todo, a voz plena. À medida que o debate se encaminha para o fim, o narrador traça um ponto que será elaborado por Deus. O livro, portanto, gradualmente, começa a nos levar a refletir na forma em que precisaremos pensar à luz dessa história como um todo. O sussurro é importante, mas devemos nos lembrar de que é apenas um sussurro.

JÓ **27:1–23**
ODEIO AS PESSOAS QUE TE ODEIAM

[1]Jó, uma vez mais, retomou o seu poema:

[2]"Pela vida de Deus que afastou o meu caso,
Shaddai, que atormentou a minha vida,

[3]enquanto ainda houver algum fôlego em mim,
e o espírito de Deus estiver em minhas narinas,

[4]se os meus lábios falarem errado
ou a minha língua proferir engano [...]

[5]Longe de mim que eu diga que vocês estão certos;
até o meu último respirar, não afastarei a minha
integridade de mim.

[6]Apegar-me-ei à minha justiça e não a deixarei ir;
minha consciência não tem me reprovado ao longo de
meus dias.

[7]Que o meu inimigo seja como os infiéis;
que a pessoa que se levantar contra mim seja como o
malfeitor.

[8]Pois qual é a esperança do homem ímpio quando ele é
cortado,
quando Deus retira a sua vida?

[9]Deus ouvirá o seu clamor
quando a aflição vier sobre ele,

[10]ou ele se deleitará em Shaddai,
chamará a Deus a qualquer hora?

JÓ 27:1-23 • ODEIO AS PESSOAS QUE TE ODEIAM

¹¹Eu os ensinarei sobre a mão de Deus;
   o que está com Shaddai, não ocultarei.
¹²Eis que vocês viram, todos vocês,
   Então por que essa total trivialidade que manifestam?

¹³Esta é a porção de um homem que é infiel a Deus,
   a alocação que as pessoas impiedosas recebem de Shaddai.
¹⁴Se os seus filhos forem muitos — é para a espada,
   e os seus descendentes não se fartarão de pão.
¹⁵As pessoas que sobreviverem a ele, serão enterradas pela
      Morte,
   e suas viúvas não prantearão.
¹⁶Se ele empilhar a prata como o pó
   e acumular roupas como pilhas de lama,
¹⁷ele pode armazenar, mas uma pessoa fiel as vestirá,
   e uma pessoa inocente repartirá a prata.
¹⁸Ele constrói uma casa como um ninho,
   como o acampamento que uma sentinela faz.
¹⁹Ele pode deitar-se como um homem rico, mas não fará isso
      de novo;
   quando ele abrir os olhos, não há nada disso.
²⁰Terrores o dominam como água;
   à noite, uma tempestade o arrebata.
²¹O vento leste o leva, e ele se vai;
   isso o varre de seu lugar.
²²Lança-se contra ele e não o poupa,
   embora ele fuja às pressas de sua força.
²³Bate palmas contra ele
   e assobia para ele de seu lugar."

Quando participei de "dias silenciosos" para reflexão e oração, os três textos favoritos incluem aquele sobre o "murmúrio de uma brisa suave", já citado em meu comentário sobre Jó 25 e 26, "Fiquem quietos e saibam que eu sou Deus", do salmo 46, e o lembrete no salmo 139 de que, não importa para onde eu vá, Deus lá estará. No entanto, em outras ocasiões, fiquei ao lado de pessoas que apreciavam o salmo 139 e, então, descobri que esse salmo, nos seus versículos finais, fala sobre odiar pessoas que odeiam Deus, o que é perturbador. Como alguém, tão sensível espiritualmente na parte inicial do salmo, pode falar sobre ódio no trecho final do mesmo salmo?

Certas palavras de Jó suscitam questões similares, embora com uma distinção. Parte do pano de fundo é que Jó apodera-se do microfone novamente, após o narrador ter comentado que o que vemos são apenas os contornos dos caminhos de Deus, e começa com uma declaração sobre a sua integridade pessoal. Trata-se de uma reivindicação mais forte do que qualquer outra que ele tenha feito até aqui, embora Jó venha a fazer uma ainda mais detalhada no capítulo 31. Primeiro, ele declara uma maldição sobre si mesmo, caso não esteja dizendo a verdade e caso não permaneça assim enquanto o fôlego de Deus estiver nele. Jó pede a Deus para agir contra ele, se esse for o caso. Não há meios de Jó concordar com as difamações lançadas por seus amigos sobre a sua integridade (para falar em não desistir de sua integridade, Jó usa o mesmo verbo que usou em sua referência a Deus desistir de seu caso). Como de costume, ele não está arguindo que é perfeito ou sem pecado, mas apenas que, basicamente, é uma pessoa justa e íntegra. Jó sente que não merece a espécie de experiência por que tem passado, mais do que os seus amigos, e sabemos, conforme a descrição do narrador no início da história, que ele está certo em sua reivindicação. Jó poderia ter exposto esse ponto em termos de ódio, como o salmista, um ódio que denota o compromisso de repudiar mais do que uma justiça autopiedosa ou um preconceito absoluto. O ódio em relação a uma ação iníqua ou a pessoas ímpias (no sentido de repúdio) é uma parte necessária da integridade. Embora seja perigoso estar preparado para "odiar" outras pessoas, às quais vemos como impiedosas ou infiéis, não estar preparado para odiá-las pode ser ainda mais perigoso. Jesus espera que as pessoas estejam preparadas para "odiar" os seus pais. Além disso, estar preparado para "odiar" e amaldiçoar a si mesmo pode indicar a capacidade de exercer, com segurança, o poder de amaldiçoar — ou de abençoar.

Paradoxalmente, na mesma linha na qual ele chama pela maldição de Deus, Jó indica que Deus é o seu problema. Deus afastou o seu caso, que é o tipo de ação que não se deve adotar, caso seja alguém com autoridade para tomar decisões sobre disputas na comunidade. Deus se recusou a tomar uma decisão referente a ele. Isso tem aumentado o seu tormento (algumas traduções utilizam a palavra "amargura", mas Jó não está falando sobre sentimentos amargos, mas sobre a amargura objetiva do destino que Deus lhe impôs). Deus começou atormentando-o com as perdas descritas na abertura do relato, mas, aqui, a observação sobre o tormento segue o comentário sobre Deus ter afastado o seu caso; esse é o segundo tormento de Deus sobre Jó.

Contra esse cenário é que Jó segue declarando o desejo de que o seu inimigo ou a pessoa que se levanta contra ele tenha o mesmo destino do infiel, do malfeitor ou do ímpio. Jó, até então, ainda não havia falado sobre ter um inimigo ou alguém se levantando contra ele ("amigos" está no plural e, em que pese toda a força de sua discussão com eles, Jó jamais se refere a eles como seus inimigos). Ele utiliza outra palavra para se referir a um "inimigo" ou "adversário", mas essa parecia ser uma pessoa hipotética; Jó não tinha uma pessoa particular em mente. Aqui, igualmente, ele está se referindo a qualquer inimigo que possa ter em algum momento, e o ponto do desejo é o que ele pressupõe ser o destino do infiel, do malfeitor ou do ímpio, porque essa é a acusação dos amigos contra ele e o que o tratamento de Deus sobre ele implica que ele é. Com efeito, ele diz: "Suponha que eu tenha um inimigo; então, desejo que ele seja tratado como um infiel, um malfeitor ou um ímpio. E você sabe qual é esse tratamento, não sabe?" Para o caso de você ter esquecido, Jó o relembra. Ele não tem esperança; é cortado por Deus; suas orações não são ouvidas; ele não tem a oportunidade de desfrutar de um relacionamento com Deus; ele não consegue invocar a Deus.

Jó está afirmando que é assim que a vida funciona, ou, pelo menos, como deveria funcionar. Todavia, os seus amigos o veem como um exemplo de um malfeitor. Assim, caso estejam certos, Jó está afirmando como deveria ser o seu próprio destino. Por implicação, isso é implausível. A ironia no discurso de Jó é que ele, implicitamente, está afirmando que Deus o trata como a um inimigo. Jó não consegue crer que Deus esteja agindo errado; Jó deseja que Deus afirme que ele está enxergando da maneira correta, mas algo deve estar incorreto, ou a situação de Jó seria diferente.

Portanto, Jó prossegue dizendo: "Posso dar-lhes uma palestra sobre como a mão de Deus opera." Nesse contexto, a mão de Deus é algo que desce pesadamente sobre as pessoas; ela desce sobre o malfeitor e desceu pesada sobre Jó, que não é um malfeitor. Os amigos sabem sobre essas atividades da mão divina. O próprio ensino deles enfatiza a primeira, e eles testemunharam a segunda ação sobre a vida de Jó. Obviamente, os amigos pensam que a experiência de Jó seja também um exemplo da primeira, mas a sua própria disposição de afirmar o que ocorre com os malfeitores deveria levá-los a repensar a posição que adotaram. Isso, todavia, não teve esse efeito. Embora sejam testemunhas da vida, da experiência e da afirmação de Jó, os amigos falam como se não agissem assim, como se as suas velhas teorias funcionassem perfeitamente bem. Eles falam em profusão, mas o discurso deles é vazio e repleto de trivialidades; não fazem sentido e não se adequam aos fatos.

Na segunda metade do capítulo, Jó continua a sublinhar o que acontece ao homem que é infiel a Deus e cruel em relação às demais pessoas. Ele, então, refere-se a dois aspectos da integridade: em relação a Deus e em relação às outras pessoas. Os seus filhos perdem a vida ou a sua subsistência, ou serão enterrados pela morte (como foram) — por exemplo, mortos em batalha e privados de um sepultamento adequado, de maneira que as suas viúvas não podem prantear por eles adequadamente. Seus acúmulos de riquezas e de roupas são repartidos entre outras pessoas. Suas casas são tão frágeis quanto ninhos de pássaros ou a tenda provisória de uma sentinela. Tudo isso pode ocorrer com uma subtaneidade que os impede de qualquer previsão.

Jó declarou, em ocasiões anteriores, que a vida humana pode transcorrer dessa forma, mas, nesses discursos, ele argumentou que o processo é aleatório e arbitrário. Aqui, o seu ponto é distinto. Para o bem do argumento, pelo menos, ele afirma o ensino ortodoxo de que a vida dos infiéis, dos malfeitores e dos ímpios funciona dessa forma. No entanto, o seu ponto, uma vez mais, é de que, se ele está preparado para afirmar essa verdade, torna-se pouco plausível acusá-lo de pertencer à mesma categoria de pessoas. Sua lógica, portanto, é paralela ao do salmo 139. Declarar que repudia pessoas que repudiam Deus não é possível, caso a pessoa pertença ao grupo que repudia a Deus. A parte anterior do salmo, que discorre sobre a impossibilidade de ir a algum lugar onde Deus não possa alcançar, corrobora esse fato; isso significa que você está prestes a ser apanhado. A maldição da abertura, que Jó impôs a si mesmo caso abandonasse a sua reivindicação à integridade, igualmente aplica-se a ele mesmo, caso seja, realmente, um malfeitor. Ele também teria ciência quanto ao perigo daquela maldição, pois Deus pode, de fato, alcançá-lo em qualquer lugar.

JÓ **28:1-28**
O DISCERNIMENTO ESTÁ NA SUBMISSÃO AO SENHOR

[1] "Há, na verdade, uma mina de prata,
   um lugar para o ouro que as pessoas refinam.
[2] O ferro é extraído da terra,
   pedra que alguém derrama como cobre.
[3] Ele coloca um fim à escuridão
   e a todos os limites que estava procurando.
   Pedra na escuridão e sombra mortal
[4] são abertas por uma torrente,
   longe de qualquer peregrino.
   Pessoas esquecidas, longe do pé [humano], penduram-se
   longe dos mortais e balançam.
[5] A terra da qual vem o alimento
   é alterada embaixo como pelo fogo.
[6] Suas rochas eram o lar da safira
   e tinham pó de ouro.

[7] A ave de rapina não conhece o caminho;
   o olho do falcão não o contemplou.
[8] Feras majestosas não fizeram um caminho para ele;
   o leão não avançou sobre ele.
[9] Alguém colocou a sua mão contra a pederneira,
   derrubou as montanhas pela raiz.
[10] Dividiu canais através das rochas,
   e seus olhos viram cada coisa preciosa.
[11] Represou as fontes dos riachos
   para que pudesse trazer coisas ocultas à luz.

[12] Mas discernimento: onde pode ser encontrado,
   onde é o lar do entendimento?

¹³Nenhum mortal pode conhecer o seu valor,
e não é encontrado na terra dos viventes.
¹⁴O abismo diz: 'Não está em mim';
o mar diz: 'Não está comigo.'
¹⁵O ouro puro não pode ser dado em seu lugar;
a prata não pode ser calculada como seu preço.
¹⁶Não pode ser pesado contra o ouro de Ofir,
contra o precioso ônix ou a safira.
¹⁷O ouro ou o cristal não se comparam com ele,
não pode ser trocado por vasos de ouro puro.
¹⁸O coral e a jaspe não podem ser considerados;
uma bolsa de sabedoria é mais do que rubis.
¹⁹O topázio do Sudão não se compara com ela;
não pode ser pesada contra o ouro puro.

²⁰Então, o discernimento: de onde ele vem?
onde é o lar do entendimento?
²¹Ele se esconde dos olhos de todo ser vivente;
até das aves nos céus ele se cobre.
²²Abadom e a Morte dizem:
'Com nossos ouvidos ouvimos relatos sobre ele.'

²³Deus conhece o caminho para ele;
ele é o único que conhece o seu lar.
²⁴Porque ele é o único que enxerga até os confins da terra,
vê debaixo dos céus.
²⁵Ao definir um peso para o vento
e estabelecer as águas por medida,
²⁶quando determinou um decreto para a chuva
e um caminho para o raio do trovão,
²⁷então ele o viu e o levou em consideração,
o estabeleceu e também o pesquisou.
²⁸E disse à humanidade:
'Eis que na submissão ao Senhor está o discernimento;
afastar-se do mal é entendimento.'"

JÓ 28:1-28 • O DISCERNIMENTO ESTÁ NA SUBMISSÃO AO SENHOR

Em duas semanas, irei pregar em um culto de bacharelado do seminário (uma espécie de culto de comissionamento, como poderia denominá-lo aos leitores do Reino Unido). A cada ano, ao acompanhar com crescente apreciação os sermões desse culto, sempre me perguntei o que poderia falar ali, caso fosse pregar. Como esperado, nunca soube a resposta quando não precisei dela, mas, ao ser convidado a pregar neste ano, a resposta surgiu imediatamente. Não irei pregar diretamente sobre esse capítulo, mas o capítulo 28 de Jó contém o tema. É fácil pensar que a preocupação em um seminário seja a aquisição de conhecimento e o desenvolvimento de habilidades, mas, se o seminário passar a impressão de que essas são as únicas coisas que as pessoas precisam adquirir, os seminaristas serão encorajados a perder o ponto principal. A preocupação maior do seminário deve ser com o discernimento.

Tanto Jó quanto os seus amigos necessitam de discernimento. Outra palavra para isso é sabedoria, a palavra que as traduções, em geral, usam. É comum as pessoas morrerem sem nunca terem obtido discernimento, declarou Elifaz. Jó precisa aprender a discernir entre Deus e pessoas como Zofar, este deu a entender. Jó falou com sarcasmo sobre o discernimento dos amigos. O livro, como um todo, tem, implicitamente, levantado a questão que é recorrente nesse capítulo: onde o discernimento pode ser encontrado? Onde podemos obter algum entendimento sobre como a vida funciona?

Embora esse capítulo siga as palavras de Jó, de capítulos anteriores, a sua natureza reflexiva contrasta com a urgência e a paixão de Jó. Além disso, o próximo capítulo inicia com uma informação que sugere que *não* é Jó quem está falando nesse capítulo. Assim, parece que o capítulo 28 complementa a última parte do capítulo 26, sendo uma reflexão que não vem de nenhum dos participantes do debate, mas uma reflexão do narrador da história. A exemplo da passagem de

26:5-14, o capítulo 28 se afasta do debate e, implicitamente, critica todos os participantes dele. O capítulo 26 observou que vemos apenas os contornos dos caminhos de Deus. Então, como podemos obter esse discernimento?

A princípio, nos perguntamos como o capítulo se relaciona ao debate. Qual é o ponto dessa fascinante descrição sobre os procedimentos de mineração? O capítulo relembra a maneira pela qual, às vezes, os profetas atraem a atenção dos seus ouvintes ao falar sobre algo que nada tem a ver com o que poderia ser esperado ouvir de um profeta (a canção de amor sobre uma vinha, em Isaías 5, é um exemplo). Contudo, não se trata apenas de uma ilustração caseira ou de uma história para chamar a atenção, mas tem pouco a ver com o ponto final do pregador. Em última análise, estará intimamente relacionado com aquele ponto. Trata-se de uma antecipação da forma pela qual Jesus irá contar histórias que, a princípio, atraem e, por fim, dão um soco no estômago do ouvinte. Sim, há locais onde se pode encontrar ouro, prata e outros metais preciosos, e os mineradores cavam profundidades extraordinárias para obter acesso a eles. São lugares escuros, mas os trabalhadores levam a luz aos lugares mais sombrios, empreendem a sua arriscada exploração longe de onde as pessoas vivem e, portanto, em lugares nos quais ninguém pensará sobre eles. Pensamos na terra imediatamente debaixo dos nossos pés, da qual os alimentos que consumimos crescem, mas não pensamos sobre os que trabalham nas profundezas da terra. Aves ágeis e animais destemidos não se aventuram a ir nos locais que esses mineradores vão.

Portanto, é grande a possibilidade de encontrar metais preciosos nos recônditos da terra, e as pessoas empregam um esforço tremendo para lograr isso. Todavia, e quanto a encontrar discernimento? O parágrafo intermediário faz duas comparações e contrasta com o parágrafo inicial. A primeira é que, embora o esforço sobre-humano possa ser recompensado pela descoberta de metais preciosos, mesmo esse esforço não é capaz de localizar o discernimento. Para piorar a situação, a segunda comparação é quanto ao discernimento ser, na verdade, muito mais valioso do que qualquer metal precioso, no qual os mineradores investem tanto esforço. Não é possível utilizá-los para comprar discernimento.

O terceiro parágrafo começa repetindo a questão e reprisando o ponto sobre a inacessibilidade do discernimento. Assim, intensifica o suspense. Será que obteremos uma resposta a essa pergunta à altura da importância estabelecida pelo capítulo? Ao sermos informados de que Deus conhece o caminho até o discernimento, ou até a sabedoria, podemos considerar esse comentário pouco encorajador. Na verdade, pode parecer um fato óbvio; a questão é se Deus irá manter essa informação para si mesmo. O parágrafo segue aumentando o suspense ao descrever a soberania de Deus em relação ao discernimento, e nos perguntamos se ainda iremos obter alguma percepção de como obtê-lo. Talvez os contornos ou orlas dos caminhos de Deus seja tudo o que iremos conseguir.

No entanto, o capítulo, uma vez mais, assemelha-se às parábolas de Jesus ao virar o nosso pensamento de cabeça para baixo com o último versículo, e o faz para nos apresentar um desafio crucial. A resposta à questão inicial é muito diferente da que poderíamos esperar. A chave para obter discernimento ou sabedoria não consiste em um enorme esforço físico ou intelectual; mas, para surpresa geral, são as qualidades que a história nos informou, no início, que Jó possuía: submissão e desvio do mal (veja os comentários sobre a passagem de 1:13-22). A implicação é que Jó é um homem de sabedoria! Isso significa que os questionamentos e desafios repetitivos de Jó são expressões de discernimento, não de tolice ou ignorância (como os amigos têm insinuado)? Ou, antes, sugere o contrário, que Jó possui a sabedoria, mas ela não é aquela que possui as respostas a todas as questões levantadas pela experiência de Jó? Seja como for, de modo típico ao desenvolvimento da história, o capítulo apresenta um tema que será explicitado mais tarde. Se, por um lado, Deus repreende Jó por seu questionamento, por outro, ele também comenta o fato de Jó estar dizendo a verdade de uma forma que os amigos não estão dizendo.

O poema não é endereçado a ninguém dentro do livro; como a história principal, ele é endereçado aos leitores. O desafio, então, é destinado a eles (i.e., nós) e declara que se eles (nós) forem pessoas que desejam obter sabedoria, devem submeter-se a Deus e afastarem-se do mal. Muitos decidem estudar o livro de Jó porque pensam que encontrarão em suas páginas a resposta para o problema do sofrimento, mas parece que a "resposta" que a história oferece é diferente daquela que imaginávamos. Inúmeras pessoas chegam ao seminário porque imaginam encontrar ali as respostas às questões teológicas que as têm intrigado e que, ao descobri-las, se tornarão mais sábias. No seminário, elas podem obter um diploma, ou seja, um documento que, implicitamente, atesta que elas possuem discernimento. Elas o recebem sem que ninguém questione a piedade ou a moralidade delas, a submissão a Deus ou a sua rejeição ao mal. Portanto, parece que os certificados do seminário são espúrios. As pessoas podem acumular informações mediante os programas, mas isso não significa que adquiriram sabedoria ou discernimento.

JÓ **29:1–25**

COMO ÉRAMOS E COMO EU PENSEI QUE SERÍAMOS

¹Jó, novamente, retoma o seu poema:

²"Se apenas fosse como no passado,
  como os meses passados quando Deus estava cuidando de mim,

JÓ 29:1-25 • COMO ÉRAMOS E COMO EU PENSEI QUE SERÍAMOS

³quando a sua lâmpada estava brilhando sobre a minha
    cabeça,
  quando estava caminhando pela escuridão de acordo com
    a sua luz,
⁴quando estava nos dias da minha colheita,
   quando o concílio de Deus estava sobre a minha tenda,
⁵quando Shaddai ainda estava comigo,
  meu povo jovem estava ao meu redor,
⁶quando meus pés banhavam-se em creme,
  e a rocha derramava ribeiros de azeite para mim,
⁷quando saía ao portão da cidade
  e estabelecia o meu assento na praça.
⁸Os rapazes me viam e se retiravam;
  os idosos se levantavam, ficavam em pé.
⁹Os líderes retinham as palavras,
  colocavam a mão na sua boca.
¹⁰As vozes dos governantes ficavam quietas;
  a língua deles grudava-se ao palato.
¹¹Quando o ouvido ouvia, ele me desejava boa sorte;
  quando o olho me via, ele testemunhava de mim,
¹²porque eu resgatava a pessoa aflita que clamava por socorro,
  o órfão que não tinha ninguém para o socorrer.
¹³A bênção da pessoa que estava perecendo vinha
    sobre mim;
  eu fazia o coração da viúva regozijar-se.
¹⁴Vestia a fidelidade de modo que ela me cobria;
  minha tomada de decisões era o manto e o turbante.
¹⁵Eu era os olhos da pessoa cega;
  era os pés para o manco.
¹⁶Eu era um pai para os necessitados;
  examinava o caso da pessoa que eu não conhecia.
¹⁷Quebrava a mandíbula do malfeitor
  e tirava a presa de seus dentes.

¹⁸Eu dizia: 'Darei o meu último suspiro com o meu ninho;
  farei meus dias tão numerosos quanto a areia,

JÓ 29:1-25 • COMO ÉRAMOS E COMO EU PENSEI QUE SERÍAMOS

¹⁹minha raiz aberta para a água,
o orvalho acomodando-se sobre os meus ramos,
²⁰minha honra fresca comigo,
meu arco renovando-se em minha mão.'

²¹As pessoas me escutavam e aguardavam;
mantinham-se quietas para o meu conselho.
²²Após a minha palavra, não falavam novamente;
sobre elas a minha palavra caía,
²³e esperavam por mim como pela chuva;
abriam sua boca como para a chuva tardia.
²⁴Quando lhes sorria, elas não acreditavam;
a luz do meu rosto elas não desprezavam.
²⁵Eu escolhia o caminho e presidia como cabeça
para elas;
habitava como um rei entre as suas tropas,
como quem consola pranteadores."

Dizem que, se o seu cônjuge morre, após um período de doença e/ou de um declínio gradual, inicialmente as suas memórias são dominadas pela natureza dos últimos meses, mas que, com o passar do tempo, as lembranças mais antigas voltam para se reafirmarem, memórias do tempo em que a pessoa amada estava bem e exuberante, e o seu casamento era mais jubiloso. Quando a minha primeira esposa faleceu, após muitos anos de enfermidade, duvidei que isso ocorreria, porque fazia quase trinta anos desde a última vez que ela esteve relativamente bem. Tentei encorajar o processo ao olhar as fotografias dos primeiros anos de nosso casamento, e mesmo essa ação gerou uma mescla de sentimentos. A pessoa que ela era, trinta anos atrás, parecia tão diferente da pessoa na qual ela se tornou que, olhar as fotos, simplesmente intensificou o sentido de ressentimento e/ou tristeza quanto ao impacto que a doença teve sobre ela.

Jó possui alguns sentimentos sobrepostos. Suas memórias são pungentes e dolorosas. O seu ponto de partida é a lembrança profundamente penosa do cuidado de Deus sobre ele. (Jó tem falado mais de uma vez sobre a vigilância contínua de Deus sobre ele, mas, agora, Deus o faz de uma forma negativa, como à espreita, aguardando os seus erros para castigá-lo.) Mesmo sem o auxílio de fotografias, ele se lembra do tempo em que a vigilância de Deus era similar ao cuidado de Deus por Jacó, quando ele fugiu de Esaú, a vigília à qual a bênção de Arão se refere, ou o cuidado prometido no salmo 91 ou no salmo 121. Jó guarda essas lembranças, mas a sua experiência mais recente tem sido a de uma vigilância negativa. A antiga vigília expressava-se na brilhante luz de Deus (a bênção de Arão também fala dessa experiência), que lhe dava vida e, igualmente, o capacitava a ver o caminho pelo qual ele andava. Agora, Jó não conhece a bênção que a luz sugere, nem sabe para onde está indo.

Para nós, falar em outono da vida pode sugerir que a vida está chegando ao fim, mas para uma pessoa do Oriente Médio o tempo da colheita é um período de plenitude e realização, quando as plantações começam a frutificar. Pode-se afirmar que Jó estava no auge da sua vida. Expressar que o concílio de Deus estava sobre a sua tenda pode implicar que esse conselho (o gabinete celestial) também estava cuidando dele, ou que as deliberações e decisões desse grupo e de Deus, em pessoa, eram favoráveis a Jó, propiciando-lhe esclarecimento (poderíamos, então, ter usado a palavra "conselho" em vez de "concílio"). Seja como for, há outro vínculo irônico e ponto de tensão com o relato da assembleia de Deus, mencionada no início da história, sobre a qual Jó nada sabe.

Deus estar com Jó é uma outra maneira de referir-se à presença ativa e à bênção de Deus. Essa noção já havia sido expressa pelo fato de Jó estar cercado por seu "povo jovem", isto é, seus filhos, que, como sabemos do começo do livro, eram jovens adultos. Todavia, quando Deus se retira, os jovens perdem a vida. Diz-se que uma das experiências humanas mais difíceis é quando os pais têm de enterrar os filhos em vez de ocorrer o contrário, e Jó foi obrigado a isso. Outrora, a fazenda de sua família possuía tantas ovelhas e oliveiras que podia-se dizer que o leite e o azeite corriam como rios nas ruas e era possível banhar-se neles. Mas, agora, tudo isso é passado.

Jó passa mais tempo relembrando a posição respeitável que ocupava na comunidade. Regularmente, ele se assentava ao lado de outros líderes na praça, junto ao portão da cidade, onde eles lidavam com os assuntos comunitários e, decerto, compartilhavam fofocas. Ali, Jó era, naturalmente, respeitado não apenas pelos mais jovens, mas também pelos seus pares e pelos mais idosos da comunidade. Eles não expressavam opinião antes de ouvir o que o sábio Jó tinha a dizer.

Por que Jó era considerado com tanto respeito? A segunda parte de suas lembranças explica esse ponto. As pessoas desejavam-lhe boa sorte e testificavam do seu caráter com base no que ele dizia e fazia. Uma das tarefas dos líderes da comunidade era resolver assuntos de conflito entre os habitantes e cuidar para que os necessitados fossem tratados de modo adequado e justo. Com base nos Profetas, fica claro que, na prática, de acordo com o comportamento humano usual, as pessoas no poder usavam os procedimentos dessa reunião para promover os seus próprios interesses. Jó pode alegar ter resistido a essa tentação; ele portanto, seria capaz de usar a sua influência para garantir que os demais membros dessa assembleia também fizessem isso. Dessa forma, Jó podia proteger os pobres, as pessoas sem poder na comunidade, que, caso contrário, pereceriam. Entre elas, estavam as viúvas e os órfãos, os que não tinham nenhum homem adulto para os proteger e ficar ao seu lado. Em sua vulnerabilidade, essas pessoas facilmente seriam contadas entre os necessitados, que não possuíam nenhuma provisão. Entre elas, estariam também os cegos e os coxos, dos quais é fácil obter vantagem, além dos estrangeiros na cidade, pessoas que jamais tiveram família ali, as quais não eram conhecidas por ninguém, tampouco por Jó.

Quando Jó fala sobre quebrar a mandíbula das pessoas, o mais provável é que esteja falando de modo metafórico; literalmente, era por meio de suas contribuições ao trabalho da assembleia que ele agia. Contudo, as palavras implicam um reconhecimento de que esse conselho precisava usar a força, quando e onde fosse necessário, e Jó estava preparado para isso. Tudo faz parte de ser uma pessoa caracterizada pela fidelidade na tomada de decisões (retidão e integridade, nas traduções mais tradicionais). Deus ou os seres humanos não podem cuidar da justiça social, a menos que estejam preparados para ser firmes ou associados com a determinação, e Jó estava preparado.

Ele tinha uma posição de honra por causa de sua atitude e, ingenuamente, esperava que isso prosseguisse no outono real de seus anos. Ali estava Jó, aconchegado em seu ninho, e por isso imaginou que terminaria a sua longa vida em paz, abastado e preparado até empunhar o seu arco pela última vez — uma vez mais, literal ou metaforicamente. Ele manteria a sua honra, e todos continuariam a valorizar as suas opiniões. Quando Jó expressava apreciação às pessoas, pelas palavras ou pelas ações delas, elas quase não conseguiam acreditar na própria sorte. Decerto, não desprezariam isso (lit., não deixariam cair) — na verdade, fariam o oposto. Na realidade, Jó era uma espécie de chefe ou um rei na assembleia. Por princípio, Israel não acreditava em ter pessoas como prefeitos, pastores seniores, governadores e juízes. Em lugar de indivíduos ocupando essas posições, os israelitas acreditavam em uma liderança corporativa. No entanto, a autoridade informal de Jó, que emanava de sua integridade e submissão a Deus, além dos frutos desse compromisso que eram evidentes em sua vida, era tão forte a ponto de ele, naturalmente, ocupar uma posição-chave na liderança. Jó era até mesmo a pessoa que consolava a comunidade em tempos de desastre. Todavia, ele se tornou uma pessoa enlutada, sem consolador.

JÓ **30:1–31**
COMO NÓS SOMOS

¹"Mas, agora, as pessoas zombam de mim,
    pessoas mais jovens que eu em dias,
    pessoas cujos pais eu teria declinado
    de colocar ao lado de meus cães pastores.
²Na verdade, que uso teria a força das mãos deles para mim,
    quando o vigor já pereceu deles,
³pessoas que, por causa da falta e da fome desoladora,
    fogem para as regiões áridas, à noite, para o deserto
      devastador,
⁴que colhem ervas nos arbustos;
    a raiz da giesta é o alimento deles.
⁵Eles são expulsos da sociedade
    (as pessoas gritam com eles como a um ladrão),
⁶habitam nas ravinas dos riachos,
    em buracos no chão e nas rochas.
⁷Eles zurram entre os arbustos,
    se amontoam sob os cardos,
⁸filhos de trapaceiros, sim, filhos de pessoas sem nome,
    eles são derrubados da terra.

JÓ 30:1-31 • COMO NÓS SOMOS

⁹E, agora, tornei-me a canção deles;
    tornei-me um provérbio para eles.
¹⁰As pessoas me abominam; mantêm-se à distância de mim,
    mas não retêm o cuspe do meu rosto.
¹¹Porque alguém afrouxou o meu arco e me humilhou,
    eles jogaram fora as restrições na minha presença.
¹²Quando uma corja surge à direita,
    eles fazem os meus pés caírem
    e constroem estradas contra mim para trazer desastre.
¹³Eles destroem o meu caminho;
    promovem a minha destruição;
    não há socorro em relação a eles.
¹⁴Eles vêm através de uma ampla brecha,
    vêm rolando pela devastação.
¹⁵Terrores estão voltados contra mim;
    como o vento, afugentam a minha honra;
    minha libertação passa como uma nuvem.
¹⁶Então, agora, a minha vida derrama de mim;
    dias de aflição se apoderam de mim.
¹⁷A noite perfura os meus ossos,
    e as pessoas que me roem não descansam.
¹⁸Com grande força agarra-me [como] a minha roupa,
    cinge-me como a gola da minha vestimenta.
¹⁹Ele me jogou na lama,
    e tornei-me como pó e cinzas.
²⁰Clamo a ti por socorro, mas não respondes;
    levanto-me, e tu olhas para mim.
²¹Tornaste-te em alguém cruel comigo;
    com o poder da tua mão, tu és hostil a mim.
²²Levantas-me ao vento, faz-me cavalgar nele,
    e dissolve-me com um estrondo,
²³pois sei que me levarás à morte,
    para a casa de reunião de toda pessoa vivente.

²⁴Certamente, alguém não estende a mão a um náufrago,
    se, na calamidade, houver um grito de socorro a eles?

²⁵Não chorei eu por aquele cujo dia foi difícil —
   meu coração não se afligiu pelo necessitado?
²⁶Pois eu ansiava por boa sorte,
   mas veio o mal; esperei pela luz, mas vieram as trevas.
²⁷Minhas entranhas se agitam e não param;
   os dias do meu sofrimento me confrontam.
²⁸Ando no escuro, sem calor;
   levanto-me na assembleia e clamo por socorro.
²⁹Tornei-me um irmão para os chacais,
   uma companhia para as avestruzes.
³⁰Minha pele torna-se escura em mim,
   meus ossos queimam com o calor.
³¹Minha harpa tornou-se para lamento;
   minha flauta para o som dos pranteadores."

Hoje, uma mulher veio para me ver e chorar. Após dez anos de casamento, o marido a abandonou, com dois filhos pequenos para cuidar. Segundo o seu relato, a separação veio do nada; não havia o menor sinal de que o marido era infeliz no casamento. Mas, considerando que ele a deixou para viver com outra mulher, ela concluiu que o marido tivera mais do que um caso extraconjugal. Ambos eram pastores associados de uma igreja local, e ela precisou encarar o fato de que eles estavam em um relacionamento mentiroso com a igreja, onde ela buscara servir a Deus, ao lado do marido, por aqueles dez anos. A igreja havia crescido, e ela imaginava que a família permaneceria ali por um longo período e veria ainda mais crescimento. O marido até havia falado sobre eles envelhecerem juntos. Agora, muitos membros da igreja estão tomando posição ao lado do marido. O passado perdeu todo o significado. Ela não está certa se deve ter alguma esperança da parte de Deus pelo futuro.

Trata-se de uma experiência vivida mais pelas mulheres do que pelos homens. Em uma sociedade tradicional, pelo menos, é mais provável que os homens tenham histórias similares à de Jó para contar, nas quais o senso de perda está relacionado à perda de sua posição na sociedade. Na verdade, o ponto de partida de Jó reside na zombaria das pessoas. Um dos problemas com o escárnio é que ele reforça temores enterrados que podemos já ter. A pessoa passa a ter dúvidas quanto à sua importância e significado. "Claro que você não tem nenhum", o zombador reforça (caso não tenhamos esses temores, então o escárnio e a zombaria, provavelmente, nos farão rir).

Hoje, enquanto minha esposa e eu caminhávamos na rua principal da nossa cidade, em meio à multidão de transeuntes do sábado, um sem-teto pediu-me alguns trocados. No caso de Jó, os pedintes desabrigados tinham motivos para escarnecer dele em vez de lhe pedirem socorro, o que indica a profundidade do poço no qual ele se encontra. A ironia sobre a zombaria é que ela vem de pessoas incapazes de manter a própria posição na comunidade. Elas foram forçadas a buscar refúgio fora do cenário ordenado da cidade e de seus arredores a fim de encontrar abrigo e alimento nas áreas desérticas, nas quais nada comestível cresce. Ao contrário de muitos desabrigados em nossa sociedade, eles não são vítimas de eventos infelizes ou da negligência social, mas são "filhos de trapaceiros" — tais expressões, no hebraico, sugerem que os próprios zombadores eram trapaceiros, pessoas desonestas. São pessoas às quais você não confiaria a sua ovelha e manteria o olho em sua carteira ou bolsa quando eles estivessem por perto. Essa é a categoria daqueles que entoam canções provocadoras e contam histórias jocosas sobre Jó —, pelo menos na imaginação dele.

O conteúdo dos insultos no parágrafo intermediário do capítulo pode ser desses párias sociais, embora o seu conteúdo, talvez, sugira, que viessem das pessoas, em geral. Seja como for, uma vez mais, não deveríamos interpretar as palavras de Jó de maneira literal. Elas constituem outra expressão de seus sentimentos e das implicações das atitudes das pessoas que o cercam. Ainda, a exemplo das declarações em Salmos, elas não são, necessariamente, um guia para o que as pessoas, na realidade, fizeram. Esse fato está indicado na linha que declara que as pessoas tanto mantinham distância dele quanto lhe cuspiam no rosto (as mesmas pessoas não podiam fazer as duas coisas, pelo menos não ao mesmo tempo). Afrouxar o arco significa desabilitar a sua arma. Assim, Jó está desarmado e humilhado, e as pessoas não precisam manter o controle nos ataques a ele. De um lado, um grupo o assalta com a intenção de fazê-lo colapsar, avançando sobre ele como um exército sitiante, que constrói rampas para dominar a cidade. Eles bloqueiam o seu caminho de escape, por assim dizer, a fim de garantir a sua destruição. Não há socorro para ele, e, eventualmente, os inimigos abrem uma brecha e invadem a cidade. Forças aterradoras o oprimem e anulam a honra na qual ele se mantém; qualquer possibilidade de resgate desaparece. Expressando de modo mais literal, porém ainda poético, Jó pode sentir a sua vida esvaindo-se. Dia e noite, a aflição o ataca. É como se as pessoas o estivessem roendo aos poucos, ou como se um deles o agarrasse tão apertado quanto a sua própria roupa e o derrubasse na lama, cobrindo-o totalmente. A descrição é excessivamente exagerada, mas o fato de haver certa paranoia não significa que as pessoas não estão contra Jó. E as palavras podem ter um efeito devastador. É por isso que fingimos que paus e pedras podem quebrar os nossos ossos, mas que sermos xingados não nos machuca.

Nos Salmos, as orações normalmente falam em termos de como as *outras* pessoas estão agindo, do que *eu mesmo* estou experimentando e do que *Deus* está fazendo ou não. O terceiro parágrafo relaciona-se a esse último modo de falar. Jó diz: "Tu, Deus, não respondes ao meu pedido por socorro. Tu olhas quando eu me levanto, na atitude de alguém apelando a uma autoridade superior, mas olhar é tudo o que fazes. Em lugar de me responder, como uma pessoa com autoridade deveria fazer, te comportas como as autoridades cruéis que os profetas criticam. Levanta-me para que o vento me carregue embora, como a palha, o que, supostamente, deverias fazer com os perversos, mas não a alguém como eu. Sei que estás me levando para a morte, para o lugar no qual toda a humanidade, a seu tempo, deve se reunir. E isso significa que estás de uma forma menos que humana. Até mesmo um ser humano não coloca a mão em uma pessoa que já está aniquilada, especialmente se ela está clamando por socorro em meio à tragédia. Não obstante, é isso que estás fazendo. E não há fundamento para essa ação pela forma com que tenho agido em relação aos necessitados e pessoas que passam por um período difícil. Em outras palavras, em vez de me dizeres para ser como tu, eu proponho que sejas como eu."

Quão corajoso é Jó em sua ousada confrontação a Deus e quão longe ele se aventura a ir para provocar uma resposta de Deus, de algum modo, de qualquer forma. Era melhor cair morto por blasfêmia do que continuar a ser ignorado. Suas cinco linhas finais, uma vez mais, lembram a Deus e a nós, leitores, quão desesperado ele se sente. Jó sente-se desesperançado, sombrio, agitado por dentro, envolto em trevas, frio, desprezado, em brasas (novamente, a contradição nos adverte de não considerar suas palavras literais). A exemplo dos exilados na Babilônia, no salmo 137, que penduraram os seus instrumentos musicais porque não havia como eles cantarem salmos de louvor, Jó não consegue compor uma música que seja alegre, apenas triste. Caso você lide com música, não ser capaz de compor constitui uma grande dor.

JÓ **31:1–12**
COMO EU TENHO ANDADO (I)

[1]"Selei uma aliança por meus olhos,
como, pois, poderia pensar em uma garota?
[2]Qual é a porção que Deus dá, lá de cima,
o lote que Shaddai dá, desde as alturas?
[3]O desastre não é para o malfeitor,
a ruína para as pessoas que agem perversamente?
[4]Não vê ele os meus caminhos,
não leva em conta todos os meus passos?

[5]Tenho andado em vazio;
o meu pé se apressou para o engano?
[6]Ele deveria me pesar em balanças fiéis,
para que Deus pudesse reconhecer a minha integridade.
[7]Se o meu passo se desviou do caminho,
ou a minha mente seguiu os meus olhos, ou uma mancha
se apegou
às minhas mãos,
[8]que eu semeie, mas outro coma;
que minhas colheitas sejam arrancadas.

[9]Se a minha mente foi seduzida por uma mulher,
ou esperei à espreita junto à porta do meu vizinho,
[10]que a minha esposa moa para outro
e sobre ela possa outro homem se ajoelhar,
[11]pois isso teria sido perversidade deliberada;
uma transgressão para os mediadores [lidarem],
[12]pois é um fogo que consome até Abadom,
e isso arrancaria a minha colheita."

Um ano após a morte de Ann, a minha primeira esposa, eu jantava com um grupo que incluía um antigo colega cuja esposa havia falecido há mais tempo. Ele se casara novamente, cerca de um ano mais tarde, e fiquei intrigado por ouvir a sua história. Ele começou a partir da consequência da morte de sua esposa, quando outro colega, que é professor de aconselhamento pastoral, lhe disse: "Não se case com alguém jovem o bastante para ser a sua neta." A história nos fez rir, mas esse foi um sábio conselho, pois, ao vermos fotos de homens de oitenta anos que se casaram com jovens de vinte e cinco, nos perguntamos como eles lidam com a abismal diferença em termos de experiência de vida e expectativas futuras. (Caso você seja parte de um casal feliz com essa diferença de idade, parabéns, pois há exceções a toda regra.)

Portanto, é notável que o relato de Jó sobre a integridade de sua vida principie com a sua abominação pela ideia de pensar ou cobiçar uma garota. A palavra para garota, no original, sugere uma adolescente, alguém jovem demais para estar casada. Jó é casado, mas era normal que um homem com o seu prestígio na comunidade tivesse mais de uma esposa. As histórias de Davi e de Salomão ilustram como as sociedades tradicionais, com frequência, aceitam o fato de um homem importante ter inúmeras esposas (ainda que o Antigo Testamento também sugira um ponto de interrogação sobre se as coisas deveriam ser mesmo assim). Portanto, pode não haver nada ilícito quanto a Jó fantasiar com uma jovem garota, a quem pode desposar, mas o seu compromisso de evitar essas fantasias denota uma conduta sexual digna de nota. Jó é um homem e, como tal, sabe que os homens pensam muito sobre sexo. Portanto, o sexo é o ponto de partida concreto para a compreensão de "malfeitor" e de "perversidade" e para reconhecer que, sem um compromisso com uma conduta sexual

JÓ 31:1-12 • COMO EU TENHO ANDADO (I)

apropriada, o homem está sujeito a Deus trazer desastres em sua vida. Esse desastre será a sua "porção" ou "lote" de Deus. Está claro que a indulgência sexual, em qualquer idade, é um caminho aberto para a chegada de aflições na vida de uma pessoa. Embora os cristãos possam ser excessivamente preocupados com o pecado sexual, o sexo é, de fato, uma poderosa força e um grande problema para os homens, de maneira que, igualmente, há perigos em subestimar a importância do pecado sexual.

De modo literal, Jó fala em "cortar" uma **aliança** por seus olhos. Aparentemente, a expressão refere-se a uma cerimônia que podia estar envolvida no estabelecimento de uma aliança. Cortava-se um animal em dois e uma oração era feita para que o mesmo destino ocorresse à parte que falhasse em cumprir aquela aliança. Além disso, Jó fala de fazer uma aliança *por* seus olhos. Quando se faz uma aliança *com* alguém, a expressão denota um acordo e um compromisso recíproco. O estabelecimento de uma aliança *por* alguém implica uma ação mais unilateral. A parte que oficializa a aliança não está perguntando a opinião da outra parte envolvida, mas, simplesmente, dizendo: "Estou esperando esse compromisso de sua parte, quer você queira quer não." Assim, Jó está impondo uma aliança sobre os seus olhos — obviamente, é um compromisso cuja manutenção demandará o seu próprio envolvimento. Essa imposição sobre os seus olhos reconhece que os homens são, caracteristicamente, mais visuais do que as mulheres em seus instintos sexuais. É, portanto, um auxílio aos homens quando as mulheres se vestem com modéstia — mas o problema pertence aos homens, não às mulheres. Além do mais, um homem dar plena liberdade aos seus olhos constitui um encorajamento a pensar em sexo e, portanto, um caminho em direção à indulgência física.

A referência aos olhos é recorrente no parágrafo intermediário, quando Jó passa a comentar sobre o que podemos pensar como um pecado mais social. Primeiro, ele fala sobre não ter nenhuma relação com o vazio; de modo característico, a segunda metade do versículo esclarece o que ele quer dizer, ao seguir citando o engano. "Vazio" tem a conotação de algo sem nenhuma realidade por trás. Jó está se referindo ao equivalente em sua sociedade a golpes e fraudes, truques envolvendo a confiança e esquemas com pirâmides financeiras. O estímulo a essa categoria de enganos é a cobiça; daí a importância de os Dez Mandamentos se encerrar com a cobiça, e o perigo que representa o fato de a economia do Ocidente ser fundamentada na cobiça. O perigo está no fato de que a mente segue os olhos; nosso pensamento e nossos planos passam a focar em como podemos obter o que vemos, ao direcionarmos nossos passos na direção assumida por nossa mente e ignorarmos as prescrições da moral e de Deus. A aquisição, naturalmente, exige as mãos para pegar ou receber, e, se ela envolver desonestidade, então essas mãos ficam manchadas. As palavras de Jó reúnem os olhos, a mente, as mãos e os pés de uma pessoa; "integridade" e "fidelidade" envolvem o ser humano em sua totalidade. Do mesmo modo que a pessoa é contaminada ao estar em contato com a morte e busca purificar-se antes de entrar na presença de Deus, igualmente somos contaminados ao entrarmos em contato com coisas que são, moralmente, incompatíveis com a própria natureza divina. Não podemos ir à presença de Deus. Caso estejamos contaminados nesse sentido, ou não busquemos a purificação antes de irmos, corremos o risco de trazer tribulação para nós mesmos e para a nossa comunidade. Jó admite que o engano do qual ele fala comprometeria até mesmo a necessidade básica de colher o nosso próprio alimento, quanto mais o êxito em obter os desejos mais distantes. A interdependência interna dos elementos do mundo criado significa esperar que a própria natureza esteja envolvida na garantia desse resultado, e Jó sente-se suficientemente confiante de sua integridade para declarar que espera falhar aqui, caso esteja envolvido com o engano.

No terceiro parágrafo, Jó retoma o tema do sexo, confirmando que essa é a principal preocupação masculina. Quer haja quer não algo inerentemente ilícito sobre ter fantasias sobre uma jovem mulher, sem dúvida isso existe quando a jovem em questão é mulher de outro homem, no caso o vizinho. Trata-se de um retrato vívido, a imagem de um homem como Jó rondando a casa vizinha na esperança de lançar um outro olhar sobre a mulher da casa ou, talvez, esperando mais do que um olhar. Falamos como se fôssemos, simplesmente, sobrepujados pelo amor, mas isso requer a nossa cooperação. O adultério demanda planejamento, pois é uma ação deliberada.

Pode-se, contudo, adulterar por motivos outros que não o sexo. Em nossa cultura, o motivo mais comum é o homem se aborrecer com a esposa ou contrariar-se com aspectos que a constituem e com as ações da esposa. Presumidamente, isso também poderia acontecer aos homens na cultura de Jó. Todavia, quando o décimo mandamento adverte sobre cobiçar a mulher do próximo, ela é colocada ao lado dos bens, dos servos e animais desse próximo, o que pode sugerir que a cobiça possua uma preocupação mais prática. É possível que a mulher da casa ao lado esteja mais próxima de cumprir o ideal de Provérbios 31. Na compreensão do Antigo Testamento, na família ideal o marido e a esposa são parceiros nos negócios familiares, e um homem poderia, facilmente, sentir inveja do seu vizinho por ele ter uma parceira que cumpre as suas responsabilidades na família melhor do que a sua esposa. A história de Davi sugere que o motivo de ele desejar Mical (antes e depois de ela ser a esposa de alguém) e desejar Abigail não era de cunho sexual, mas prático.

Uma vez mais, Jó está preparado, até mesmo de maneira entusiástica, pela punição adequada ao crime. O adultério consentido entre duas pessoas não é apenas uma questão privada. A vida harmoniosa e o funcionamento correto da comunidade são ameaçados pelas relações adúlteras em seu meio, além de acarretar outras formas de conflito. Não se trata apenas de uma questão de famílias não se falarem entre si ou de brigas privadas entre marido e esposa. O adultério ameaça a ruptura na sociedade; ele pode anular a cooperação da qual depende a própria vida comunitária. Eis o motivo de a resolução das questões suscitadas pelo adultério envolver "mediadores" da comunidade, pessoas às quais qualquer membro pode apelar, quando alguma questão necessita de uma decisão. Os mediadores serão os membros idosos da comunidade, sobre os quais recai a autoridade.

Jó vê como apropriado ao seu suposto adultério que a sua própria esposa venha a se tornar parceira sexual ou vítima de outros homens, com a devida vergonha que isso traria à sua própria pessoa. (Caso pareça que Jó esteja sendo insensível em sua atitude com relação à esposa, então precisamos lembrar que ele está falando apenas em teoria, considerando que o objetivo das suas palavras é enfatizar o fato de ele *não* expor a sua esposa a esse perigo.) Na cultura do Ocidente, a exemplo do que acontece em uma sociedade tradicional, sabemos quão trágica pode ser a consequência de um adultério. Não é necessária nenhuma intervenção divina, mas o adultério pode ser infernal em seus efeitos.

JÓ 31:13-23
COMO EU TENHO ANDADO (II)

¹³"Se rejeitei o caso de meu servo ou de minha serva
quando eles contenderam comigo,
¹⁴o que farei quando Deus se levantar;
quando ele prestar atenção, o que replicarei?
¹⁵O meu Criador não o fez dentro de sua mãe;
não foi uma pessoa que nos formou no ventre?

¹⁶Retive o desejo das pessoas pobres,
ou fiz os olhos de uma viúva falharem,
¹⁷e comi a minha refeição sozinho,
de modo que o órfão não a tenha comido?
¹⁸Pois desde a minha juventude ele cresceu comigo,
como se eu fosse seu pai,
e desde o ventre da minha mãe tenho guiado [a viúva].
¹⁹Se vi alguém perecendo por falta de roupas,
e uma pessoa necessitada sem cobertura,
²⁰se o seu coração não me abençoou
quando ele se aqueceu com a tosquia de minhas ovelhas,
²¹se agitei a minha mão contra o órfão
porque vi que tinha auxílio no portão,
²²o meu braço deveria cair do ombro,
o meu antebraço quebrar da articulação,
²³pois deveria ter medo do desastre de Deus,
e não seria capaz de suportar a sua majestade."

No domingo passado, participei de uma reunião para discutir o ministério da nossa igreja com pessoas desabrigadas; muitas vivem em nossa área, e estamos ao lado de um centro comunitário. Obviamente, sabem que as manhãs de domingo são adequadas para aparecer e ver se temos comida, e, assim, tentamos manter os nossos suprimentos à mão para atendê-las. Um dos tópicos da nossa conversa, no entanto, foi que o instinto delas é procurar pelo reitor, e o instinto dos membros da congregação é enviá-las ao reitor, o que constitui um problema, não apenas porque ele precisa se preparar para o culto. Todavia, há algo correto nesse instinto, pois há uma percepção de que o reitor é o cabeça de uma família, ou seja, da congregação da igreja, e um dos compromissos do cabeça é assegurar que os recursos familiares estejam disponíveis às pessoas em necessidade.

Jó compreendia esse compromisso e podia reivindicar o cumprimento correto dessa responsabilidade como cabeça da casa ou da família. Reconhecidamente, as palavras "casa" e "família" são complexas, porque numa sociedade tradicional elas significam algo muito maior do que uma casa ou uma família no conceito do mundo ocidental. Em Israel, um vilarejo médio pode compreender até duzentas pessoas, que podem pertencer a cerca de três famílias, que, por seu turno, compreendem uma quantidade de casas. A família e a casa incorporam três ou quatro gerações de pessoas que são diretamente inter-relacionadas — pais, seus filhos adultos, os filhos destes e, talvez, uma geração mais antiga de avós. Mas também incorporam pessoas de outras famílias, como viúvas e órfãos, servos e servas, estrangeiros residentes, pessoas cujos parentes não estão mais vivos ou que, por algum motivo, se separaram deles. Numa sociedade assim, a ideia de um indivíduo viver sozinho não existe como uma noção apropriada ou prática, e a família é a estrutura da sociedade para assegurar que ninguém precise fazer isso. Ela constitui a rede de segurança da sociedade, sendo grande o suficiente para não ter o potencial de ser muito opressora. A família como um todo compreende casas suficientes para permitir que uma pessoa busque abrigo em outra casa para evitar tensões ou abusos em sua própria.

Essa é a teoria, embora o Antigo Testamento deixe claro que as coisas nem sempre funcionem de acordo com a teoria. As famílias são afetadas pelo egoísmo humano, o qual elas também são designadas a combater e a ressarcir por ele. A alegação de Jó é de que cumpriu todas as obrigações impostas a ele como cabeça da família. O seu trabalho é garantir que as disputas e os conflitos no seio familiar sejam solucionados, em vez de varridos para debaixo do tapete, e agir assim, preocupando-se com as necessidades das pessoas destituídas de poder (outra ironia: dentro da família, Jó tem servido como um mediador e advogado dos impotentes, mas, agora, ele mesmo está necessitando de um mediador). Pode-se imaginar que as pessoas pertencentes à família por nascimento e detentoras de um lugar permanente no futuro da família ficassem tentadas a maltratar as pessoas que estão lá como servos e servas. Algumas traduções referem-se aos servos como "escravos", mas observamos em nosso comentário sobre o capítulo 7 que esse termo é equivocado. Obviamente, aqueles que eram "escravos", no sentido em que estamos familiarizados no Ocidente, não seriam pessoas supostamente capazes de reclamar ou contender com o seu senhor. Pode-se imaginar que alguns desses servos e servas estejam a serviço da família durante longo tempo, a exemplo do servo de Abraão, em Gênesis 24. Outros podem ser servos temporários, isto é, aqueles previstos pelas regras na **Torá** e em outras regiões do Oriente Médio com respeito ao serviço resultante de dívidas.

A existência desses regulamentos pressupõe que os servos fossem passíveis de receber um tratamento injusto, e pode-se imaginar disputas entre os servos e demais membros da casa, incluindo Jó. De qualquer forma, como cabeça da casa, Jó é responsável por tudo o que acontecer. Além disso, ele permite que os membros da equipe de sua casa possam abordá-lo diretamente e alega que eles receberiam um tratamento justo. A linguagem usada por ele no versículo 13 ("o caso", "eles contenderam") pertence ao contexto de um procedimento de uma disputa formal — é a linguagem que ele mesmo usa para o caso entre ele e Deus e para a forma por meio da qual ele contende com Deus. Talvez Jó reconheça que a sua reivindicação quanto a ser capaz de contender com Deus e apresentar o seu caso diante dele implique que os seus servos tenham o mesmo direito de contender com ele e apresentarem o caso deles contra Jó. Ou, ainda, é possível que ele sinta que, se os seus servos podem agir dessa maneira, igualmente Deus deveria reconhecer o direito de Jó de fazer o mesmo, ao contender e apresentar o seu caso.

Mais explicitamente, Jó apresenta dois pontos relacionados. Um é que ele reconhece Deus como protetor de seus servos, de maneira que Jó tem um motivo pragmático para tratar os seus servos com justiça. Deus irá atrás dele, caso ele os trate de outra forma. Jó se envolveria em outro caso jurídico, no qual, dessa vez, ele é o réu. Deus seria aquele se levantando na corte celestial para apresentar a acusação, e Jó sabe que ser declarado culpado levaria a corte a determinar uma ação que lhe acarretará problemas. Esse é o conjunto de suposições sobre como a vida funciona no mundo (i.e., a transgressão leva à punição) que Jó afirma, do mesmo modo que os seus amigos — motivo pelo qual ele protesta, com veemência, que a vida não funciona assim, com base em sua experiência. Jó, pelo menos, confirma esse conjunto de suposições pelo bem do seu argumento. Pode-se suspeitar que ele é a espécie de pessoa íntegra que faz a coisa certa porque é o certo a se fazer, não apenas porque tem medo de ser flagrado (que é a visão cínica do adversário).

O outro ponto é o seu discernimento teológico quanto aos seus servos serem da mesma categoria de ser que ele.

A despeito da abismal diferença em termos de posição social, o que eles possuem em comum, como seres humanos, é mais significativo. Senhor e servo foram formados por um único Deus. O reconhecimento desse fato subverteria todo o desenvolvimento do comércio escravagista do Ocidente e, consequentemente, a prática da escravidão.

Jó pode reivindicar uma integridade similar em relação às demais pessoas pertencentes à sua família estendida, ou ter uma alegação moral quanto a isso. Primeiramente, ele fala sobre os "pobres", que são pessoas que não possuem um pedaço de terra. Talvez a tenham perdido do mesmo modo que os que se tornaram servos, mas não tenham encontrado um lugar entre as famílias como os demais. Noemi e Rute estavam nessa posição ao chegarem em Belém; elas são forçadas a subsistir dos grãos caídos ao chão que conseguem pegar e/ou da generosidade de um homem semelhante a Jó, chamado Boaz. Elas, igualmente, são pessoas "necessitadas" que não têm o suficiente para comer, um lugar para morar, um plano de saúde ou roupas adequadas ao inverno. Jó providenciou para que elas tivessem vestimentas quentes de lã.

Trata-se de uma forte alegação da parte de Jó afirmar que não deixou de atender ao desejo dessas pessoas, propiciando-lhes deleite ou prazer. Ele não se refere, meramente, às necessidades delas. Talvez a menção de não comer sozinho à mesa indique a importância dessa reivindicação. Uma pessoa pobre não deseja, meramente, receber um prato de comida que irá comer sozinha. Ela deseja pertencer, e comer na companhia de outros é uma marca de pertencimento. Quando a nossa igreja promove o jantar para os desabrigados de um abrigo local, esperamos apenas servi-los, não comer com eles. No entanto, há algo errado com o sistema que funciona dessa maneira.

Pode-se imaginar que as viúvas e os órfãos, especialmente, tenham essa carência de pertencer. Eles constituem exemplos dos pobres e necessitados; novamente, Noemi e Rute ilustram o que é estar na posição de tais pessoas. Viúvas e órfãos são pessoas que caíram na estrutura social familiar pela morte do marido ou do pai, e Jó pode dizer que reconheceu essa reivindicação deles. Na realidade, ao longo de décadas (Jó afirma), ele buscou garantir o cuidado a eles, para que os olhos da viúva não falhassem ao procurar em vão por algo que lhe desse esperança. Jó tem consciência de outro aspecto da vulnerabilidade do órfão. Um homem de prestígio e poder, como Jó, sempre tem amigos entre a assembleia de anciãos, junto ao portão da cidade. Agitar a mão contra ele, talvez, implique algum gesto legal, como levantar a mão jurando contar apenas a verdade; um homem poderoso pode cometer perjúrio e roubar alguém por meio de processos legais e amigos no corpo de jurados. A evidência da integridade de Jó em relação a isso é a bênção recebida por ele dos necessitados, a forma de eles expressarem apreciação pelo cuidado de Jó. Caso duvide que eu esteja falando a verdade, Jó sugere, apenas pergunte a eles.

JÓ **31:24–40**
COMO EU TENHO ANDADO (III)

²⁴"Se fiz do ouro a minha confiança
  ou disse do ouro puro: 'minha segurança',
²⁵se celebrei porque meus recursos eram grandes,
  porque as minhas mãos obtiveram tanto,
²⁶se vi a luz quando ela brilha,
  a lua brilhante prosseguindo,
²⁷e minha mente sucumbiu em segredo,
  e minha boca beijou a minha mão,
²⁸isso também seria transgressão que chama por mediação,
  porque eu estaria enganando ao Deus lá de cima.

JÓ 31:24-40 • COMO EU TENHO ANDADO (III)

²⁹Se celebrei a calamidade de alguém que me repudiou
  ou exultei quando o mal o encontrou —
³⁰mas não dei a minha boca para cometer uma ofensa,
  para pedir por sua vida com uma maldição.
³¹Se os homens em minha tenda não disseram:
  'Há alguém que não ficou cheio de sua carne?' [...]
³²Nenhum estrangeiro se hospeda na rua;
  abri as minhas portas para a estrada.
³³Se encobri a minha rebelião como Adão,
  ocultando a minha transgressão em meu coração,
³⁴por temer a grande multidão,
  e o desprezo das famílias me aterrorizar,
  de modo a ficar quieto e não ir para fora. [...]
³⁵Gostaria de ter alguém que me ouvisse;
  aqui está a minha marca — Shaddai deveria replicar a
    mim,
  aquele que contende comigo deveria escrever um
    documento.
³⁶Certamente, carregaria isso sobre o meu ombro,
  ataria isso a mim como uma coroa.
³⁷Eu lhe contaria o número dos meus passos,
  o apresentaria como a um governante.

³⁸Se a minha terra clamar contra mim
  e os seus sulcos chorarem juntos,
³⁹se eu comi a sua produção sem prata
  e fiz os seus proprietários expirarem sua vida,
⁴⁰em vez de trigo que o cardo surja,
  em vez de cevada, erva malcheirosa."

As palavras de Jó chegaram ao fim.

Há um ano ou dois atrás, um amigo perdeu a sua esposa, após um período de enfermidade. Para meu horror,

conscientemente senti certa satisfação pelo evento, pois a minha própria esposa havia falecido recentemente, após ficar doente por décadas. De algum modo, a minha perda pareceu menos injusta, porque alguém mais havia passado pela mesma experiência que eu. De fato, foi uma reação horrível da minha parte, embora seja suficientemente reconhecível, a ponto de haver uma palavra para ela: *schadenfreude*, isto é, prazer ou alegria pelo infortúnio de outro. (É interessante não haver um termo para esse sentimento em nosso idioma, e, assim, tomamos emprestado um termo da língua alemã.)

Muitas das alegações de Jó quanto à sua integridade, nesse capítulo, trazem-me desconforto, pois me fazem questionar se posso fazer as mesmas reivindicações que ele. Presumo que eu não seja a única pessoa que tenha essa reação, o que constitui um dos motivos para dedicar um grande espaço a ela nesse comentário. É possível que Jó esteja iludindo a si mesmo com respeito às suas alegações, embora isso seja algo arriscado, pois elas formam o fundamento do seu caso contra Deus. Além disso, o argumento de todo o livro estaria prejudicado, caso houvesse uma condescendência excessiva nesse capítulo. Expressando de outra forma, essa ampla reivindicação de sua integridade deixa explícito, aos leitores do livro, que Jó não cedeu um milímetro em relação ao argumento de seus amigos sobre o seu sofrimento ser resultante de seu pecado. Ele mostra ter ciência de que as pessoas podem dizer que ele está dourando a pílula quando se refere à sua consciência das consequências que lhe sobrevirão, caso fosse rebelde ou perverso e ocultasse esse fato. A espécie de rebelião ou perversidade que Jó tem em mente envolve, provavelmente, os atos descritos ao longo do capítulo. O primeiro fator desencorajador com respeito a manter a transgressão em segredo é a opinião pública. Ninguém na vila desejaria manter relações

JÓ 31:24-40 • COMO EU TENHO ANDADO (III)

com ele. Mas ele segue declarando o seu desejo de que Deus o ouça e responda às suas reivindicações, o que sugere que Jó nada tem a temer de Deus ou da sua comunidade. Ele imagina Deus lhe dando uma acusação por escrito, a qual Jó, então, ostentaria — talvez porque o documento estaria em branco ou, ainda, por ser manifestadamente falso. E Jó imagina que isso lhe dará a chance de responder a Deus.

Não podemos avaliar as alegações de Jó com respeito à sua própria vida (embora a abertura do livro já nos tenha revelado a avaliação de Deus), mas podemos ver onde elas nos incomodam. Aquela que me deixa mais desconfortável é quando Jó reivindica, na última seção do capítulo, que jamais se regozijou com a queda de outra pessoa. Jó acredita não ser culpado de *schadenfreude*. Reconhecidamente, Jó matiza a sua alegação para sugerir um desafio distinto. Enquanto escrevo, as pessoas estão debatendo o assassinato de Osama bin Laden, ocorrido duas semanas atrás. A mídia tem exibido imagens de multidões celebrando e soltando rojões na Times Square ou nos arredores da Casa Branca e especialistas argumentando acharem muito apropriado toda essa celebração porque, afinal, a justiça foi feita, enquanto outros a consideram imprópria. Parece que Jó se alinha com os da segunda posição. A satisfação por um líder inimigo perigoso não poder mais atacar os Estados Unidos pode ser aceitável; a celebração por um ato de vingança é uma questão bem diferente.

Em nosso comentário sobre o capítulo 27, observamos que a palavra para repúdio é, com frequência, traduzida por "ódio", mas que isso não se refere a uma mera emoção; antes, a uma ação. Ela sugere dar as costas a pessoas, não ter nenhuma relação com elas, exceto a de oposição. Jó sabe o que é ser o receptor final desse tratamento, quando nem é merecedor dele, e também tem passado pela experiência de ver problemas atingindo pessoas que adotaram essa posição em relação a ele. Ele poderia ser perdoado por pensar que Deus os estava punindo pela transgressão deles. Jó concorda com os seus amigos quanto a Deus enviar problemas sobre pessoas que fazem o mal, mas declara que não sente alegria ou regozijo quando isso acontece.

Ademais, no caso de alguém questionar, Jó jamais se envolveu em trazer a calamidade a essas pessoas. Ele não diz, exatamente, que jamais orou para que Deus as punisse, mas diz que nunca as amaldiçoou. Há uma íntima ligação entre a oração e a maldição ou a bênção, mas existe uma diferença. A oração considera que Deus irá tomar a decisão sobre o que acontece, e os Salmos dão a impressão de que é possível orar por qualquer coisa, incluindo a punição de pessoas que nos estão tratando errônea e injustamente. Amaldiçoar e abençoar pressupõem que Deus concedeu algum poder no mundo aos seres humanos, de maneira que palavras de maldição e de bênção podem ter uma eficácia inerente — embora outras passagens da Escritura impliquem que as maldições não terão efeito caso sejam proferidas contra pessoas que não a mereçam. A implicação das palavras de Jó é que as pessoas que o tratam mal não poderiam reclamar se ele as amaldiçoasse, mas ele não as amaldiçoa. Ele reconhece que seria uma ofensa contra o que é certo.

Pelo contrário, as outras pessoas em sua "tenda" diriam (ele prossegue, com um tema já abordado antes em sua declaração). Como de costume, o uso que Jó faz do termo "tenda" não significa que ele mora em uma. "Tenda" é um termo figurativo regular para um lar, que é, com frequência, usado por ele. Aqui, fará mais sentido se ele estiver falando sobre outras pessoas que vivem na mesma vila. Seus colegas pensam que ele está louco, pois Jó recebe e dá comida a todos em sua casa.

Eles estão saciados da comida que vem da sua mesa, que ele próprio e a sua família poderiam ter comido. A sua própria família precisa compartilhar o espaço privado com esses estranhos que, provavelmente, não estavam muito limpos. Quando os refugiados líbios chegaram na Tunísia, ao longo das últimas semanas, tunisianos, que também passam por dificuldades, abriram as suas casas e compartilharam a sua comida com os refugiados. "É assim que é; esses são os nossos costumes", um deles comentou. "Se há alimento para comer, iremos comê-lo juntos. Caso não haja nada para comer, nada teremos juntos." Muitos no mundo ocidental considerariam esse ato extraordinário e, da mesma forma, muitos moradores na vila de Jó, mas ele era capaz de se identificar com isso.

Essa última seção da declaração de Jó, na realidade, começa com sua reivindicação de jamais ter confiado em seus recursos materiais, o que é algo relevante para um homem bem-sucedido como Jó. Ele prossegue referindo-se à tentação de olhar para o sol e a lua (beijar as mãos, talvez, seja o mesmo que lançar um beijo). Os poderes celestiais são potenciais objetos de confiança, pois outros povos, normalmente, olhavam para eles em busca de orientação e os tratavam como se determinassem os eventos na terra. Dar muita atenção a eles, nesse sentido, transformaria a adesão de alguém a Deus em engano. Além disso, a exemplo do adultério, não seria apenas um pecado privado, mas uma ação que envolveria toda a comunidade e, portanto, diz respeito a todos. A **Torá** fala sobre a comunidade ter a responsabilidade de lidar com uma pessoa envolvida em idolatria, e a menção de Jó à mediação adota a mesma consideração. A declaração é encerrada com a alegação de sempre ter conduzido o seu trabalho adequadamente. Jó não falhou em dar à terra os seus anos sabáticos, em pagar os seus dízimos ou em pagar os seus trabalhadores de maneira justa e, portanto, de jamais colocar em perigo a vida deles. Jó examinou toda a sua vida e pode reivindicar ter vivido com integridade em todas as áreas dela. Ele está pronto a confrontar Deus ou ser confrontado por ele, e estamos prontos para o confronto; assim, o que vem a seguir será uma surpresa.

JÓ **32:1-22**
O JOVEM IRADO

¹Esses três homens pararam de responder a Jó, porque ele era justo aos seus próprios olhos. ²Mas a ira se acendeu em Eliú, filho de Baraquel, o buzita, da família de Rão. Sua ira acendeu-se contra Jó por ele se achar mais justo do que Deus, ³e sua ira se acendeu contra os seus três amigos porque eles não encontraram uma resposta, embora pensassem que ele estava errado. ⁴Eliú havia esperado por Jó com suas palavras porque eles eram mais velhos que ele em anos, ⁵mas, quando Eliú viu que não havia resposta nos lábios dos três homens, sua ira se acendeu. ⁶Então, Eliú, filho de Baraquel, o buzita, respondeu:

"Sou jovem em anos,
 e vocês são velhos.
 Por essa razão, tive medo e receio
 de explicar o que sei a vocês.
⁷Disse: 'A idade deve falar;
 a abundância de anos deve fazer o discernimento
  conhecido.'
⁸No entanto, é o espírito em um mortal,
 o fôlego de Shaddai, que dá entendimento.
⁹Não são as grandes pessoas que têm discernimento
 ou os anciãos que compreendem como tomar decisões.
¹⁰Portanto, digo: 'Ouçam-me.
 Eu mesmo explicarei o que sei também.'

¹¹Sim, esperei por seus discursos;
 dei ouvidos ao seu entendimento.
 Enquanto procuravam coisas para dizer,

JÓ 32:1-22 • O JOVEM IRADO

¹²atentei a vocês.

Mas eis que ninguém reprovou Jó;
nenhum de vocês respondeu às suas palavras.
¹³Cuidado para não dizerem: 'Encontramos discernimento;
Deus deve derrotá-lo, não um ser humano.'
¹⁴Ele não dirigiu a mim o que tinha a dizer,
e não responderei a ele com as suas palavras.

¹⁵Eles colapsaram, não respondem mais;
deixaram as palavras passarem deles.
¹⁶Devo esperar porque eles não falam,
porque estão parados e não respondem mais?
¹⁷Eu mesmo responderei também com a minha parte;
declararei o que sei também.
¹⁸Pois estou cheio de coisas para dizer;
o espírito em minhas entranhas me constrange.
¹⁹Sim, minhas entranhas são como o vinho que não abre,
como odres de vinho novo que se rompem.
²⁰Devo falar para que isso me alivie;
abrirei os meus lábios e responderei.
²¹Certamente, não mostrarei favor a ninguém
nem darei títulos a qualquer pessoa.
²²Porque não sei como dar títulos;
o meu Criador em breve me levaria."

Eu era uma "criança da palavra". Na verdade, ainda sou, embora também seja uma criança da música e das pessoas. *A Word Child* é um romance escrito por Iris Murdoch sobre um homem para quem as palavras são os meios de sua redenção ou felicidade. As palavras o salvam. No meu caso, foi assim desde o início, e não porque eu tivesse um cenário familiar sombrio, como o do personagem principal do romance. Recordo-me de ter tido problemas com uma biblioteca pública, quando retirei alguns livros pela manhã e queria devolvê-los à noite, para pegar outros livros. Embora estivesse destinado a passar a minha vida trabalhando em fábricas, como os meus pais, caso tivesse nascido uma década antes, na época em que nasci, o céu era o limite educacional para as crianças britânicas comuns. As palavras, então, puderam se tornar não apenas algo que eu amava ler, mas que também adorava escrever. Vocês são as vítimas.

Eliú é uma criança da palavra. Ele as ama, e ama as palavras pelas "palavras" — ele usa três diferentes expressões para "palavras", as quais traduzi por "discursos", "coisas para dizer" e "abrirei os meus lábios". Claro que suas palavras são proferidas em vez de escritas, que é a forma mais comum de expressá-las na cultura ocidental, antes da invenção da prensa. No entanto, a função das palavras ainda se sobrepõe ao encargo que elas têm na cultura moderna. Eliú concorda com os três amigos quanto à importância das palavras quando lidamos com uma experiência similar à de Jó, posição com a qual o próprio Jó concorda. Portanto, no tocante a essa matéria, Deus, igualmente, concorda, a julgar pelas palavras que Deus profere, no devido tempo.

Os três amigos de Jó desistiram das palavras, pois falharam em demover Jó de sua convicção sobre ser justo. Eles colapsaram e, portanto, implicitamente, impõem limites às palavras, o que pode ser totalmente convincente para o orador, mas não tem nenhum impacto sobre o ouvinte — ou, talvez, cause apenas um impacto negativo. Provérbios e Eclesiastes, os outros livros do Antigo Testamento que, ao lado de Jó, buscam oferecer às pessoas discernimento sobre a vida (os quais são, regularmente, chamados livros de Sabedoria), em geral comentam sobre a inutilidade e o perigo das palavras, embora seus comentários descontruam essa noção, pois os livros estão repletos delas. O livro de Jó, igualmente, é permeado de palavras, mas isso testifica quanto à sua inutilidade. (Quando sou questionado sobre o que eu seria caso não fosse professor de Antigo Testamento, minhas respostas favoritas são as de que seria um jornalista especializado em música, especialmente sobre *rock*, ou um terapeuta. Hoje, percebo que a primeira alternativa — a exemplo de um professor — depende do uso de muitas palavras, enquanto a segunda depende mais de ouvir palavras do que expressá-las.)

Eliú não consegue enxergar a ironia em sua atitude com relação às palavras. Pode-se imaginar que o seu reconhecimento quanto à inutilidade das palavras dos três amigos o deixasse hesitante no acréscimo a elas. Pelo contrário, ele é como um professor de Antigo Testamento. Há muitos questionamentos sobre a origem dos livros do Antigo Testamento e a sua história, e ninguém sabe como resolvê-los. Já mencionei um deles antes: se algo adverso ocorreu à segunda metade do livro de Jó, causando a ordem incorreta dos capítulos. Inúmeras pessoas sugeriram como organizar o livro na ordem original, mas esse processo não angariou um senso comum para ser efetivado. Isso sugere que, se o livro foi reordenado, não podemos recuperar a ordem original, mas isso não nos impede de gerar novas sugestões. A exemplo de Eliú, descobrimos que a falha das teorias de outras pessoas nos encoraja, em lugar de desencorajar, a apresentarmos a nossa própria ordem.

Parece que Buz, como Uz, está localizado em Edom, e assim Eliú é apresentado como alguém que compartilha a conhecida experiência dos edomitas sobre a sabedoria humana, algo que ele e os três amigos têm em comum. A seu favor, Eliú tem a sua juventude, mas, em uma sociedade que respeita a idade, isso também o desfavorece, pois ele deve se calar enquanto os mais velhos falam e permanecer assim até que eles tenham

JÓ 32:1-22 • O JOVEM IRADO

terminado. No entanto, agora, os amigos de Jó desistiram de argumentar. Eles acreditam no próprio discernimento, mas aceitaram a incapacidade de vencer Jó quanto ao seu modo de pensar. Deus é o único capaz de fazê-lo. Os eventos mostrarão que eles estão certos quanto a Deus mudar a posição de Jó, embora não na direção que eles têm em mente.

Eliú "sabe" o que precisa ser dito a Jó. Por duas vezes, ele se refere ao que "sabe"; certamente, falta de confiança quanto ao próprio conhecimento não é uma característica comum da juventude. Uma citação, atribuída a Mark Twain, declara: "Quando eu era um garoto de 14 anos, meu pai era tão ignorante que eu mal conseguia ficar perto daquele senhor. Mas, quando completei 21, fiquei estarrecido com quanto ele havia aprendido nesses sete anos." Como afirma um adesivo de para-choque: "Contrate um adolescente — eles sabem tudo." Talvez o autor do livro de Jó saiba que haverá jovens entre os ouvintes do livro que, a essa altura, estarão murmurando para si mesmos a espécie de argumento que Eliú usa: "Os mais velhos estão presos em sua cegueira sobre como as coisas realmente são." Antes de Deus permitir-se entrar em cena, o livro não quer deixar nenhuma dúvida na audiência de que todos os argumentos possíveis foram apresentados e que Jó é um sofredor inocente.

No entanto, a convenção exigia que Eliú se mantivesse calado, e ele sente-se reticente para falar. O relato observa, por quatro vezes, que o seu silêncio o deixou irado com os três amigos e com Jó pelo mesmo motivo que os levou a ficarem frustrados com Jó. A ira de Eliú sugere, todavia, outra ironia. A ira é outro tópico sobre o qual Provérbios e Eclesiastes advertem. Os tolos é que se iram, dizem. A reivindicação de Eliú para compartilhar discernimento é comprometida por sua raiva.

A autoindulgência do jovem é alimentada pela teologia tanto quanto por sua idade. Mas a sabedoria ou o

JÓ 32:1-22 • O JOVEM IRADO

discernimento não advêm da idade, mas do espírito de Deus. Curiosamente, essa é a fonte referida por Elifaz em seu primeiro discurso a Jó, mas ele se referia a uma experiência especial e incomum de receber uma mensagem divina, a exemplo de uma profecia. Por "espírito" Eliú quer dizer que há algo do "fôlego de **Shaddai**" em todos. Para "fôlego", ele usa a mesma palavra presente em Gênesis para descrever que Deus soprou o fôlego de vida em Adão, enquanto "espírito" é a mesma palavra usada em Gênesis para descrever o dilúvio destruindo tudo que tinha o espírito de vida. A humanidade comum de Eliú, como um ser criado à imagem de Deus, é que lhe dá algo para dizer.

Há outro significado quanto à sua fala em termos de espírito. Eliú alega não estar falando a respeito de um mero discernimento intelectual. Em certo sentido, ele concorda com Elifaz. Quando a Bíblia fala sobre o espírito de Deus, ela está se referindo a uma realidade que é intensa e dinâmica, não fria e racional. O espírito de Deus capacitou Sansão a matar um leão. Eliú está falando compulsivamente e atribui essa compulsão à atividade do espírito de Deus em seu interior, que foi ali colocado na criação. Quer Eliú esteja se autoenganando quanto ao próprio discernimento quer não, ele oferece um sugestivo ângulo sobre a criação e o espírito de Deus. Quando o espírito de Deus está ativo em alguém, não se trata de um impulso externo, mas da manifestação de um aspecto da maneira pela qual Deus nos fez. Ele nos criou como pessoas que pensam em teorias sobre como a vida funciona e questionam tanto o comportamento de nossos amigos quanto a autoridade deles. Todavia, obviamente isso não significa que sempre estamos certos ao agir assim. O espírito de Deus supera os impulsos, as habilidades e os raciocínios humanos naturais.

JÓ **33:1–33**

O CUIDADO PASTORAL QUE PIORA
A POSIÇÃO DO SOFREDOR

¹"No entanto, ouça as minhas palavras, Jó;
dê ouvidos a tudo o que eu disser.
²Agora, estou abrindo os meus lábios;
minha língua está falando em minha boca.
³Minhas palavras são a integridade da minha mente;
meus lábios estão falando com sinceridade o que
eu sei.
⁴O espírito de Deus me fez;
o fôlego de Shaddai me mantém vivo.
⁵Se puder, me responda;
apresente diante de mim, tome a sua posição.
⁶Ora, para Deus eu sou o mesmo que você;
eu também fui tirado do barro.
⁷Por isso, o medo de mim não deveria aterrorizá-lo;
a minha pressão não deve ser pesada sobre você.

⁸Na verdade, você mesmo falou aos meus ouvidos,
e eu ouvi o som das suas palavras:
⁹'Eu sou inocente, sem rebelião;
sou puro; não há transgressão em mim.
¹⁰Mas ele encontra ocasiões para se opor a mim,
considera-me seu inimigo.
¹¹Ele coloca os meus pés no tronco,
vigia todos os meus caminhos.'
¹²Mas nisso você não está certo; eu lhe responderei,
pois Deus é maior do que um mortal.
¹³Por que você contende comigo,
com o fundamento de que ele não responde a nenhuma
palavra [de um mortal]?
¹⁴Porque Deus fala uma vez,
e duas vezes, sem ele o perceber.

¹⁵Em um sonho, em uma visão à noite,
   quando o sono profundo cai sobre as pessoas,
   durante o sono na cama,
¹⁶então ele abre os ouvidos das pessoas
   e, ao corrigi-las, as perturba,
¹⁷para desviar uma pessoa de uma ação
   e cobrir sua majestade de um homem.
¹⁸Ele o mantém longe do Poço;
   sua vida, de atravessar o Rio.
¹⁹Ele é reprovado pelas dores em sua cama,
   pela contenda constante em seus ossos.
²⁰Sua vida o faz detestar o pão;
   seu apetite [o faz abominar] a comida atrativa.
²¹Sua carne definha de modo a não ser vista;
   seus ossos que não podiam ser vistos, estão expostos.
²²Ele se aproxima do Poço,
   sua vida, dos portadores da morte.
²³Se houver um ajudante por ele,
   um mensageiro dentre mil,
   para declarar a integridade da pessoa,
²⁴e ser-lhe gracioso e dizer:
   'Redime-o de descer ao Poço;
   encontrei um resgate.'
²⁵Sua carne se tornará mais saudável que a sua juventude,
   ele retornará aos seus dias jovens.
²⁶Orará a Deus, e ele o aceitará;
   verá o rosto [de Deus] com um grito.
   Assim, restaurará a sua fidelidade ao mortal,
²⁷que cantará às pessoas e dirá:
   'Ofendi e distorci o que era certo,
   e não era adequado para mim.
²⁸Ele me redimiu de passar ao Poço;
   minha vida verá a luz.'

²⁹Eis que Deus faz todas essas coisas,
   duas ou três vezes a um homem,

JÓ 33:1-33 • O CUIDADO PASTORAL QUE PIORA A POSIÇÃO DO SOFREDOR

> [30]para trazer sua vida de volta do Poço,
> para que a luz de vida possa brilhar.
> [31]Preste atenção, Jó, ouça-me;
> fique em silêncio, para que eu possa falar.
> [32]Se houver coisas a dizer, responda;
> fale, porque eu quero que você seja justo.
> [33]Se não houver, ouça-me;
> fique em silêncio, e lhe ensinarei discernimento."

Pouco tempo atrás, certa mulher veio me ver para falar sobre uma ocasião na qual ela recebeu um cuidado pastoral de outras pessoas; ela disse que esse episódio a perturbou durante anos. Notei que ela era uma mulher inteligente e talentosa, mas carente de autoconfiança. Ela me contou que no processo de pastoreio dessas pessoas, percebeu que a sua falta de confiança resultava de uma educação complexa que incluía o divórcio dos pais quando era ainda muito jovem. As pessoas que estavam orando com ela sobre as suas necessidades pessoais acreditavam que ela estava possuída por vários demônios e, assim, passaram a noite exorcizando-os. Essa experiência a perturbou muito, o que seria compreensível, independentemente do que se creia quanto as realidades assumidas por esse processo. Igualmente, ela não considerou essa experiência libertadora. Ao contrário, durante os anos seguintes, esse evento a fez dar um passo atrás em sua visão ou em suas expectativas quanto ao envolvimento de Deus em sua vida, bem como em sua compreensão do papel do Espírito Santo em nossa vida.

Não estou certo com respeito à Bíblia nos fornecer uma base para pensar que o demônio possa se apossar de uma pessoa que pertence a Cristo, mas mesmo considerando que seja possível, apenas a pretexto de argumentação, parece-me, todavia, que essas pessoas exerceram um ministério inapropriado àquela mulher. Eliú está correndo um perigo equivalente. Na realidade, os três amigos também, mas a perspectiva de Eliú tanto é mais construtiva quanto mais perigosa que a deles, não apenas por seu apelo à atividade do espírito de Deus de uma forma passível de manipulação.

A exemplo dos amigos, Eliú possui uma teoria sobre como a vida com Deus funciona, especialmente no contexto de sofrimento. Quando estamos sofrendo, podemos pensar que Deus está nos ignorando, da mesma forma que Jó considerou. Deus não nos ignora, afirma Eliú. Antes, Deus fala conosco por meio de nosso sofrimento. Deus busca nos impedir de ações erradas e, portanto, nos providencia uma saída para não enfrentarmos a majestade de Deus ou evitar que o nosso sofrimento se transforme em morte. O problema é que as pessoas não o ouvem. Trata-se de uma teoria plausível, mas é uma explicação que faz os sofredores se sentirem pior, caso estejam, arduamente, tentando ouvir a Deus sem, contudo, conseguir.

Suponha que o sofrimento atinja você na forma de uma enfermidade grave que ameaça a vida. E imagine que você seja, basicamente, uma pessoa íntegra, ainda que tenha feito algo que exija um castigo divino sério. A teoria de Eliú é a de que, caso tenha sorte, você poderá ter um campeão sobrenatural desempenhando um papel que Jó disse que anseia ou deseja; afinal, há milhares deles. Eliú pensa, então, em termos de um gabinete celestial, embora também fale do campeão ficando ao lado do sofredor. Assim, em certo sentido, a ideia é de que o sofredor esteja ali, na reunião do gabinete celestial, onde o seu caso está sendo considerado (há uma cena similar em Zacarias 3). O campeão assume a defesa do sofredor e fala por ele. Ele, portanto, atua graciosamente em benefício do sofredor. O próprio uso da palavra "graça" sugere que a ação do campeão não seja baseada apenas no mérito do sofredor. Simplesmente, o campeão apela a Deus para "redimi-lo", pois ele encontrou um "resgate". Ele não nos revela que resgate é esse — talvez seja a integridade geral do sofredor, que deveria contrabalançar a transgressão particular que levou ao seu castigo, ou, ainda, seja a disposição do sofredor ao arrependimento, algo que não foi citado ainda, mas que será expresso em breve.

Seja como for, isso deveria significar a sua restauração total. Ele será capaz de adentrar o santuário, orar e descobrir aceitação com Deus ali, e ter a sua oração respondida. Eliú pode não estar observando uma ordem cronológica — possivelmente, a restauração, na realidade, segue a oração. De qualquer modo, o sofredor verá a Deus. Não é comum o Antigo Testamento falar nesses termos, porque isso implicaria olhar para alguém cuja resplandecência é mil vezes maior que a do sol. É possível que seja uma metáfora, do mesmo modo que os cristãos quando falam sobre ver Deus, e Eliú queira expressar que o sofredor terá a experiência de estar na presença de Deus, ou, talvez, que ele verá a ação de Deus — de ver a sua restauração em resposta à sua oração. Considerando que Deus tem retido a sua fidelidade do sofredor, ele, agora, a mostrará uma vez mais. Assim, ele será capaz e terá motivos para unir-se ao tempestuoso reconhecimento de Deus que o restante da congregação oferece. Em vez de permanecer separado dela, como tem ocorrido em sua enfermidade, ele será capaz de unir-se ao seu cântico e acrescentar o seu próprio testemunho daquela fidelidade.

Até aqui, tudo bem. No entanto, agora vem o ferrão na cauda. Até então, Eliú tem recomendado a Jó a mesma espécie de posição e de prática pressupostas nos Salmos. Quando as coisas vão mal em nossa vida, deve-se apresentá-las a Deus e protestar da maneira que Jó faz, na esperança de que Deus responda. Quando a resposta vem, deve-se dar testemunho na congregação. Todavia, o livro de Salmos dificilmente assume que o sofrimento seja resultante do pecado. Na verdade, os salmos apresentam a mesma categoria de protesto expressa por Jó: a de que a aflição tem surgido a despeito da fidelidade. O ferrão na cauda é que Eliú apresenta o sofredor reconhecendo o delito que cometeu e que resultou em seu sofrimento, independentemente da integridade prévia de sua vida. A despeito de todas as suas alegações quanto a ter algo novo a dizer, a compreensão de Eliú a respeito da posição de Jó e de como a vida com Deus funciona não é tão distinta daquela dos amigos. Jó está sofrendo; então, deve ter pecado e precisa arrepender-se. O ministério pastoral de Eliú possui um paralelo ao ministrado à mulher citada no início de meu comentário. Às vezes, pode ser adequado, mas o seu uso como teoria universal é debilitante e deixa o objeto de sua ministração em um estado pior do que antes. Embora Eliú comece afirmando sua identificação com Jó e dizendo que ele não precisava temer nada dele, na realidade Eliú está tão distante do sofrimento de Jó quanto os três amigos estão, e Jó tem até mesmo mais a temer dele.

JÓ **34:1–30**
DEUS NÃO É BOM OU SOBERANO?

¹Eliú respondeu:

²"Ouçam as minhas palavras, vocês, homens de
  discernimento;
  deem atenção a mim, vocês, que têm conhecimento,

³porque os ouvidos testam palavras
  [assim] como o paladar prova algo para comer.

⁴Vamos escolher uma decisão para nós mesmos;
  vamos conhecer entre nós o que é bom.

⁵Pois Jó disse: 'Eu sou justo;
  Deus afastou o caso sobre mim.

⁶No que se refere ao meu caso, eu o declaro falso;
estou fatalmente ferido pela flecha em mim, sem
ter me rebelado.'
⁷Que homem é como Jó,
que bebe o desprezo como água?
⁸Ele viaja na companhia de pessoas que agem perversamente,
e anda com os infiéis.
⁹pois ele disse: 'Não há uso para um homem
quando ele agrada a Deus.'

¹⁰Portanto, pessoas de entendimento, ouçam-me.
Longe de Deus agir com infidelidade
e de Shaddai fazer o mal.
¹¹Pois ele retribui a ação de uma pessoa a ele
e, de acordo com o andar de um indivíduo, ele o faz
encontrar coisas.
¹²Com certeza, na verdade Deus não age infielmente;
Shaddai não distorce a tomada de decisão.
¹³Quem deu a responsabilidade sobre a terra a ele;
quem designou o mundo a ele, tudo isso?
¹⁴Se aplicar sua mente a isso, pode reunir seu espírito
e seu fôlego a ele.
¹⁵Toda a carne expiraria juntamente,
e a humanidade retornaria ao pó.

¹⁶Portanto, se tiver entendimento, ouça isso,
dê atenção ao som das minhas palavras.
¹⁷É realmente o caso de aquele que repudia a tomada
de decisão estar no controle? —
¹⁸Ele é o que diz a um rei: 'Canalha';
aos governantes: 'Infiéis',
¹⁹que não mostra favor aos líderes
e não reconhece a nobreza acima do pobre.
Pois todos eles são obra de suas mãos;
²⁰subitamente, eles morrem,
no meio da noite.

As pessoas estão em turbulência, e elas falecem;
removem uma pessoa poderosa, não por mãos humanas.

[21]Pois seus olhos estão sobre os caminhos das pessoas;
ele vê todos os seus passos.
[22]Não há trevas, não há sombra mortal,
para as pessoas que fazem o mal se esconderem ali.
[23]Pois Deus não estabelece um tempo para uma pessoa
ir a ele para uma decisão.
[24]Ele despedaça pessoas fortes sem inquérito
e estabelece outros em lugar deles.
[25]Portanto, ele reconhece os seus feitos,
os derruba de noite, e eles colapsam.
[26]Ele os castiga entre os infiéis,
em um lugar onde as pessoas veem.
[27]Por causa do fato de deixarem de segui-lo;
eles não tiveram consideração por nenhum de seus
caminhos,
[28]de modo a levar o choro dos pobres até ele,
para ele ouvir o clamor dos humildes.
[29]Se ele ficar em silêncio, quem poderá chamá-lo de infiel
— se esconder o seu rosto, quem pode contemplá-lo?
Ele está sobre a nação e sobre o indivíduo, juntamente,
[30]para impedir a pessoa ímpia de reinar,
aqueles que ludibriam o povo."

Um aluno tem argumentado comigo sobre ser obrigado a ler livros que estão repletos de palavras como "escatologia" e "pneumatologia", e sentenças sobre "a autocomunicação e a autotranscedência reveladora ontológica" de Deus, ou, ainda, sobre o "teatro supralapsariano-soteriológico". Esses livros (diz ele, com ironia) são intelectualmente confusos. Lê-los é similar a ter a boca cheia de algodão-doce em lugar de alimento. E as contribuições que os colegas fazem em classe são semelhantes. Uma das minhas respostas é que os alunos são propensos a imaginar que as palavras longas, terminadas com "gia", sejam uma coisa boa (e, claro, essas palavras extensas constituem termos técnicos úteis). Tais expressões soam como se dissessem algo impressionante, embora sua tendência seja a de se dissolverem como algodão-doce, caso alguém pergunte o que elas significam.

As palavras de Eliú, proferidas a Jó, nos transmitem uma sensação similar. Trata-se de um problema do rapaz. Talvez, a exemplo de muitos jovens, Eliú esteja procurando por um fórum no qual possa apresentar um discurso que preparou, com o objetivo de mostrar quanto ele é inteligente. Eliú prossegue sem parar, e tudo o que queremos fazer é interrompê-lo para gritar: "Você não está dizendo nada; é, pelo menos, tão ruim quanto os amigos que criticou." O principal fardo de seu discurso é, simplesmente, reafirmar o ponto já proferido pelos amigos, sem levar em conta o questionamento pelo que aconteceu a Jó. O caso é que Deus age justa e fielmente; afinal, ele tem poder, e não há ninguém mais a cargo do mundo, nem ninguém que o tenha colocado nessa posição. Além de possuir uma natureza moral, Deus tem o poder que torna possível, e também necessário, cuidar para que o mundo funcione de uma forma justa. Confrontado pela questão: "Se Deus é poderoso e bom, como podemos levar em conta as coisas ruins que ocorrem a pessoas boas?", é possível correr o risco de comprometer a bondade divina pela anuência de que Deus faz coisas que parecem bem questionáveis (essa era a proposição de Jó e, regularmente, do Antigo Testamento). Ou seria possível arriscar comprometer a soberania de Deus pela atribuição dos eventos malignos a Satanás e/ou ao livre-arbítrio humano (essa é a proposição cristã comum).

Ainda, seria possível negar que coisas ruins ocorrem a pessoas boas (a proposição de Eliú).

O seu discurso segue focando a soberania de Deus como o que avalia os governantes e os derruba conforme inúmeras histórias do Antigo Testamento mostram (Reis, Crônicas e Daniel oferecem muitos exemplos). Deus não presta mais atenção aos governantes do que às pessoas comuns e ele os derruba, às vezes usando pessoas comuns do povo, mas isso inclui eventos tão notáveis que é difícil atribuir a queda desses governantes apenas à mera ação humana. Deus não precisa empreender inquéritos ou investigações complexas sobre o que está ocorrendo ou quanto ao que fazer. Ele pode apenas fazer e agir publicamente para que todos vejam. Portanto, quando Deus não age, ninguém pode, legitimamente, perguntar o que está ocorrendo ou desafiá-lo.

Assim, Eliú coloca Jó em uma espécie de vínculo duplo. Sabemos que Deus é bom e soberano, de maneira que o relato de Jó sobre a sua experiência não pode estar correto; e essas verdades quanto ao governo excluem o seu próprio questionamento quanto aos atos divinos. Por definição, esses atos são bons e soberanos e, portanto, não há o que discutir. Essa conclusão estaria perfeita caso você fosse Eliú, mas deixa Jó sem saída quanto à sua consciência sobre o que lhe aconteceu e como a natureza de sua relação com Deus era antes de a calamidade o atingir. Muito menos Jó está sozinho em seu dilema, pois não é apenas a sua experiência individual que não se encaixa com o relato de Eliú sobre a atividade divina no mundo. O discurso de Eliú seria risível caso não fosse tão sério e grave em suas implicações. Claro que é possível assegurar que Deus, às vezes, derruba o mal e age em favor dos fracos. Entretanto, seria necessário manter os olhos firmemente fechados para afirmar que sempre é assim.

Formalmente, os discursos de Eliú diferem daqueles dos três amigos pelo fato de os quatro discursos de Eliú serem apresentados em continuidade, mesmo que o sejam como unidades separadas; ele, na realidade, fala mais extensamente que os demais. Uma característica dos discursos de Eliú é a forma pela qual ele, diretamente, cita ou resume as palavras de Jó. Eliú descreve Jó bebendo o desprezo como água, um modo estranho de indicar que (como poderíamos dizer) sua crítica jocosa quanto ao ensino dos amigos é derramada de sua boca como uma torrente. O seu breve resumo é a alegação de que Jó afirma não haver ganho algum em se viver para agradar a Deus. Isso o assusta, pois Eliú considera que isso remove a base para um viver moral. Igualmente, o priva daquilo que ele acredita ser a chave controladora de como a sua própria vida funciona e o expõe ao risco de parecer um tolo por viver moralmente.

Eliú, na realidade, não acusa Jó de ser ímpio ou infiel, mas o acusa de andar ao lado de tais pessoas, pois as suas declarações as encorajam a prosseguir vivendo de forma ímpia e infiel. É importante que as pessoas creiam que Deus pune a iniquidade, ainda que isso não seja verdade, porque, caso contrário, que motivação elas teriam para viver de modo agradável a Deus? Uma vez mais, há certa ironia na acusação de Eliú, pois o ponto de partida do livro é se Jó vive de modo justo apenas porque isso compensa. Jó realmente falou o que Eliú alega, e a persistência em seu compromisso de viver uma vida de integridade, mesmo que isso não compense, é o que comprova que ele não vive assim apenas porque é compensador. O grande significado do livro é argumentar que o nosso viver será tanto bom quanto autêntico apenas se vivermos com esse compromisso, não pelo lucro que podemos obter. Esse argumento é o que Paulo pressupõe em Romanos 6. Em resposta à pergunta: "Continuaremos pecando para que a graça aumente?", o apóstolo não diz: "Se você adotar essa atitude, descobrirá que a graça não transborda." Antes, ele responde: "Se adotar essa atitude, isso mostra que, até aqui, não compreendeu nada sobre o meu argumento quanto ao propósito de Deus nos redimir." Ambos, Jó e Paulo precisam enfatizar o ponto, porque é contrário ao senso comum aceitar que Deus espera que ajamos com retidão independentemente das nossas circunstâncias, dos nossos sentimentos ou do tratamento que recebemos das pessoas que nos rodeiam.

JÓ **34:31—35:16**
PROVADO ATÉ O LIMITE

³¹"Pois se alguém disser a Deus:
'Se exaltei a mim mesmo, não agirei mais corruptamente.
³²O que eu não posso ver, ensina-me tu mesmo;
se agi mal, não farei isso de novo'.
³³Deve ele recompensar pelo seu modo de pensar,
quando você [o] rejeitou?
Pois você, não eu, deve escolher;
fale o que você sabe.
³⁴Pessoas de entendimento me dizem,
uma pessoa de sabedoria que me ouve:
³⁵'Jó não fala com conhecimento;
suas palavras não têm discernimento.
³⁶Quem dera Jó fosse provado até o limite
em relação a respostas como as de pessoas infiéis.
³⁷Pois ele acrescenta à sua ofensa,
bate palmas em rebelião entre nós
e multiplica suas palavras a Deus.'"

CAPÍTULO 35

¹Eliú falou novamente:
²"Você acha essa uma boa decisão;
dizer: 'Eu sou justo, não Deus.'

JÓ 34:31—35:16 • PROVADO ATÉ O LIMITE

³Se você diz: 'Qual é o uso disso para você?' —
  'Como posso lucrar mais do que cometer uma ofensa?'
⁴Eu mesmo lhe darei algumas palavras em resposta,
  e aos seus amigos com você.
⁵Olhe para os céus e veja;
  contemple os céus que estão acima de você.
⁶Se cometeu uma ofensa, o que você faz a ele,
  e, se as suas rebeliões têm sido muitas, como você
    o afeta?
⁷Se você for justo, o que lhe dará,
  ou o que ele recebe das suas mãos?
⁸A sua infidelidade afeta uma pessoa como você mesmo;
  e a sua justiça afeta um ser humano.

⁹Por causa da multidão de opressões, as pessoas clamam;
  suplicam por socorro por causa do poder dos grandes,
¹⁰mas ninguém diz: 'Onde está Deus, o meu Criador, que dá
  canções à noite,
¹¹que nos ensina mais que às criaturas da terra,
  nos dá mais discernimento que às aves nos céus?'
¹²Ali elas clamam, mas ele não responde,
  por causa da altivez das pessoas infiéis.
¹³Na verdade, Deus não escuta o vazio;
  Shaddai não o contempla.
¹⁴Muito menos quando você diz que não o contempla,
  que o seu caso está diante dele e que espera por ele,
¹⁵e, agora, que a ira dele não prestou atenção a nada,
  e que não deu muita atenção à rebelião.
¹⁶Jó abre a sua boca com trivialidades,
  multiplica palavras sem conhecimento."

Um aspecto dos quarenta e dois anos durante os quais a
minha primeira esposa sofreu com a esclerose múltipla foi
o de ser uma experiência de provação periódica, ou mesmo

de teste contínuo (mas isso também foi jubiloso). À medida que ela passou a se sentir recorrentemente cansada, não conseguiu mais fazer coisas na casa, não pôde mais demonstrar muito interesse em minhas preocupações e ansiedades, passou a andar cada vez mais lentamente, não pôde mais cuidar de suas necessidades pessoais, começou a ter problemas de memória, se irritou cada vez mais comigo, passou a necessitar de ajuda para deitar ou se levantar da cama, não conseguiu mais se alimentar ou mesmo falar — como eu deveria lidar? A minha imagem em relação a isso é que foi semelhante a um treinamento para levantamento de peso. Ao conseguir levantar determinado peso, o resultado era o de não desistir, mas prosseguir treinando. E logo vinha um peso maior, para ver se eu também conseguiria levantá-lo. Às vezes, o meu sentimento era de que estava sendo testado em meu limite, mas isso me fazia crescer.

Eliú fala em pessoas pensando que seria bom para Jó ser "testado até o limite". Isso é exatamente o que está acontecendo a Jó. O primeiro parágrafo (34:31-37) principia com Eliú falando a Jó sobre uma pessoa hipotética, mas o próprio Jó é a pessoa que Eliú tem em mente. O conselho de Eliú é que Jó necessita reconhecer diante de Deus, pelo menos, a possibilidade de ele ser injusto e de mudar os seus caminhos, caso necessário. Ao reconhecer a possibilidade de não ser justo, Jó deve também reconhecer que aceitará as consequências em vez de protestar contra a maneira pela qual Deus o está tratando. Caso seja culpado, certamente não deve esperar poder decidir o que lhe ocorrerá como punição. Além de desafiar Jó a reconhecer isso, Eliú o confronta com o que as demais pessoas (supostamente) dizem: que, na realidade, Jó não possui o discernimento necessário para reconhecer o que está acontecendo entre ele e Deus. É em conexão com isso que elas pensam que Jó necessita ser provado. Jó fala muito como a pessoa infiel, ao questionar se a transgressão recebe a sua recompensa (obviamente, é do interesse dos infiéis questionar essa verdade). As pessoas acreditam que Jó seja um declarado e entusiasta rebelde contra Deus. Eis o motivo pelo qual ele precisa ser testado. A ironia é que o próprio processo de falsa acusação que Jó está sofrendo da parte de Eliú e das (possivelmente imaginárias) pessoas que concordam com Eliú já é resultante de uma provação que leva Jó ao limite.

Eliú prossegue atribuindo palavras ainda mais severas a Jó, como se ele estivesse perguntando a Deus se as ações de Jó fazem alguma diferença, ou se, de acordo com a visão de Jó, não há nenhuma vantagem em se evitar o pecado. É difícil imaginar palavras mais céticas ou desesperançadas. Elas implicam, simplesmente, que inexiste qualquer ponto de contato entre Jó e Deus, pois Jó não faz nenhuma diferença para Deus; este não faz nenhuma diferença para Jó. Humanidade e Deus vivem separados, em mundos hermeticamente selados. Eliú, de modo algum, está em completo desacordo com a visão que ele mesmo atribui a Jó, mas extrai conclusões diferentes. Sim, Deus está nas alturas, e nada do que fazemos pode, de fato, afetar a Deus, mas a nossa fidelidade ou infidelidade afeta outras pessoas. Trata-se de uma profunda e inteligente meia verdade, estranhamente agradável para uma cultura liberal na qual a religião pode não parecer nem aqui nem lá e onde amar o seu próximo e ser socialmente engajado era o que realmente importava.

Um judeu ou um cristão pode responder com gratidão ao fato de sabermos que o nosso relacionamento com Deus é semelhante ao de um pai com seu filho. Embora haja um mundo de diferença entre pai e filho, e o pai tenha toda sorte de interesses e atividades dos quais o filho não compartilha, os pais se importam passionalmente com a vida e as ações de seus filhos, e são profundamente afetados por elas. Essa condição permanece inalterada quando os filhos crescem e se tornam adultos. Assim é com Deus, cuja relação conosco é como a de pais com seus filhos e suas filhas (não dos pais com seus filhos pequenos) — ainda com a espécie de autoridade que os pais têm em relação aos filhos adultos em uma sociedade tradicional. O livro de Jó pode estabelecer o ponto de uma forma distinta. Ele não vê Deus e Jó como pai e filho, ou fala sobre a relação como sendo de amor. No entanto, o livro os vê como senhor e servo, e, ainda que haja um abismo de diferença entre senhores e servos, esse relacionamento é de compromisso e envolvimento mútuos. O que o servo faz importa ao senhor e é de real utilidade para ele. A cena no céu mostrou como o comportamento particular de Jó, de fato, importa para Deus, a ponto de Deus apostar a sua reputação nisso. Embora Eliú esteja certo quanto à conduta de Jó importar consideravelmente a outros seres humanos, ela é importante também para Deus.

Na visão de Eliú, parece equivocado ter elevadas expectativas quanto ao envolvimento divino no mundo. Ele encerra com algumas explicações parciais sobre a falha de Deus em intervir no mundo, quando os oprimidos clamam ao serem submetidos ao poder de pessoas poderosas. Deus não intervém apenas porque as pessoas estão em dor. Às vezes, o problema é que as pessoas clamam, mas não a Deus. Elas não incluem Deus na equação, o Deus que é o Criador delas (mesmo que, agora, não façam diferença para ele), o Deus que lhes dá cânticos para cantar à noite (em outras palavras, que os capacita a cantar em louvor, mesmo quando as circunstâncias são sombrias), e o Deus que lhes concede uma compreensão sobre como a vida funciona.

O Antigo Testamento apresenta alguns exemplos de pessoas clamando, sem, contudo, trazer Deus para o quadro.

Os israelitas no Egito clamaram, mas o texto não diz que eles clamaram a Deus ou faz menção a ele. O povo de Israel no deserto clamou a Moisés, não a Deus. Os judaístas no exílio babilônico se referiram a Deus; eles reclamaram que Deus não deu atenção às necessidades deles, nem à condição na qual viviam. Mas eles também estavam falando *sobre* Deus, não *a* Deus. Em cada caso, Deus responde, mas o ponto defendido por Eliú pode ser válido: as pessoas que não incluem Deus na equação ou que reclamam dele segundo o modelo de Salmos dificilmente podem reclamar caso Deus não lhes responder.

Está Eliú sugerindo que Jó não incluiu Deus na equação? Certamente, Jó, às vezes, apenas lamentou ou se referiu a Deus em lugar de falar com ele, embora tenha dirigido suas palavras a Deus com certa frequência. Todavia, Eliú expressa outro motivo para Deus não responder ao clamor das pessoas, no qual ele considera apanhar Jó. Deus pode não responder ao clamor dos oprimidos quando eles são infiéis. Nem toda pessoa oprimida é uma vítima da iniquidade. Elas também podem ser seus perpetradores. Jó protesta que Deus não dá atenção ao seu caso, independentemente de quanto tempo ele espera, a exemplo de um suplicante que espera o rei agir. Quando a opressão está em derredor, Deus deveria mostrar alguma ira. O comentário de Eliú é que, na verdade, Deus não dá atenção a casos que não têm substância. Jó está falando bobagem.

JÓ **36:1–25**
O DEUS QUE SUSSURRA EM NOSSOS OUVIDOS

[1]Eliú falou novamente:

[2]"Espere por mim um pouco, e explicarei a você,
porque ainda há palavras a serem ditas por Deus.

[3]Trarei o meu conhecimento de longe
e atribuirei fidelidade ao meu Criador.

⁴Porque, na verdade, as minhas palavras não são falsas;
 aquele que está com você é justo no conhecimento.

⁵Eis que Deus é forte, mas ele não rejeita aquele
 que é forte em poder interior.
⁶Ele não deixa o infiel viver,
 mas dá a decisão para os humildes.
⁷Ele não retém seus olhos das pessoas fiéis,
 mas, com reis em um trono,
 ele as assenta para sempre, e elas são exaltadas.
⁸Se pessoas estão presas em correntes,
 aprisionadas nos laços da humildade,
⁹ele declara a elas o que fizeram,
 e seus atos de rebelião, que agiram de forma grandiosa.
¹⁰Ele abre os seus ouvidos à correção
 e diz como elas devem se afastar da iniquidade.
¹¹Se elas ouvirem e servirem,
 completarão os seus dias em boa sorte,
 seus anos em felicidade.
¹²Mas, se não ouvirem, elas atravessarão o Rio;
 expirarão sem conhecimento.
¹³Mas o ímpio de mente acumula ira;
 eles não clamam por socorro quando ele os amarra.
¹⁴Eles morrem na juventude,
 a vida deles através dos santos.
¹⁵Ele livra o humilde em sua humildade
 e abre os ouvidos deles em sua opressão.
¹⁶Na verdade, ele o tira das garras da angústia,
 para um lugar espaçoso no qual não há restrição,
 e o que é posto em sua mesa é cheio de riquezas.

¹⁷Você está cheio de julgamento por causa da pessoa infiel;
 o julgamento e a tomada de decisão o aprisionam.
¹⁸Cuide para que ninguém o atraia com zombaria;
 uma grande quantidade de dinheiro de resgate não deve
 desviá-lo.

JÓ 36:1-25 • O DEUS QUE SUSSURRA EM NOSSOS OUVIDOS

¹⁹A sua riqueza o preparará para que você não esteja em
    aflição,
  e todos os seus poderosos esforços?
²⁰Não anseie pela noite,
  quando as pessoas saem de onde estão.
²¹Cuidado, não se volte para a iniquidade,
  pois você tem escolhido isso em vez da humildade.
²²Eis que Deus é glorioso em seu poder;
  quem é um mestre como ele?
²³Quem prescreveu o seu caminho para ele;
  quem disse: 'Agiste mal'?
²⁴Lembre-se de que você deve exaltar o que ele faz,
  sobre o que as pessoas têm cantado.
²⁵Toda a humanidade tem visto isso;
  um mortal olha de longe."

Ocasionalmente, recebo a visita de um jovem para discutir-mos o que está acontecendo entre ele e Deus. Ele costumava parecer deprimido, mas a depressão se dissipou quando ele compreendeu que sentia atração por outros homens, não por mulheres. Ele se envolveu em inúmeros relacionamentos homossexuais e, então, decidiu que, embora não devesse se sentir culpado quanto à sua orientação, precisava renunciar ao equivalente à promiscuidade em seus relacionamentos. No entanto, manter uma vida celibatária também era difícil e, mais recentemente, ele (como ele mesmo expressou) "caiu" novamente no estilo de vida ao qual havia renunciado. Toda-via, ele tinha a sensação de que Deus o estava "seguindo" aos lugares para os quais ia, e o estava "observando", não num sentido hostil, mas, simplesmente, pelo fato de estar lá. O rapaz sabia que precisava retornar à prática do celibato que abandonara. (Não estou aqui pressupondo uma resposta

JÓ 36:1-25 • O DEUS QUE SUSSURRA EM NOSSOS OUVIDOS

para a questão ética mais ampla quanto aos relacionamentos entre pessoas do mesmo sexo, que envolvam um compromisso e uma aliança; era o envolvimento mais efêmero e passageiro que suscitava a questão ética, como seria no caso de relacionamentos heterossexuais.)

Embora Eliú tenha a rudeza própria de um jovem, ele não está totalmente iludido ao reivindicar oferecer um discernimento que falta aos amigos, e sua conversa sobre Deus nos "seguir" e nos "observar" (para usar as palavras do rapaz com o qual eu converso) quando "caímos" em malfeitos é digna de reflexão. Jó disse que o fato de Deus o ter criado é uma expressão do compromisso, do amor de Deus, mas ele não consegue ver nenhum compromisso ou amor na maneira em que Deus está se relacionando com ele agora. Jó falou sobre como Deus, então, o está observando, e sabe que ainda está sob a observação divina, mas, agora, parece uma espécie de vigilância negativa.

Eliú sabe da verdade expressa em 2Pedro 3, de que Deus não quer que ninguém pereça, mas deseja que todos cheguem ao arrependimento. Essa declaração tornou-se uma bola de futebol chutada entre calvinistas e arminianos, o que é uma vergonha, pois ela expressa uma verdade que nos encoraja, sejamos ou não pessoas que necessitam de algum arrependimento no momento. Eliú sabe que Deus nos observa à semelhança de um pai ou de uma mãe que estão mais interessados em nos ver distantes de estilos de vida errados do que em nos castigar, ainda que não se furte a isso, caso seja necessário. De igual sorte, Deus é como um senhor interessado em ver se estamos realizando o trabalho que ele deseja que seja feito, um soberano que está interessado em nossa lealdade e em nosso compromisso, ou como um professor interessado em ver os seus alunos anotando o que ele diz.

JÓ 36:1-25 • O DEUS QUE SUSSURRA EM NOSSOS OUVIDOS

Eliú não está preocupado, aqui, com pessoas escandalosamente perversas, pessoas que ele menciona como os ímpios que não clamam a Deus quando o problema os atinge, que estão acumulando a ira divina para si mesmos. A sua preocupação é com aqueles que pertencem às fileiras dos fiéis, mas que caem em algum delito particular. Ele os cita como os humildes — são pessoas comuns sem nenhum poder. Os que são humildes nesse sentido objetivo podem não ser humildes no sentido de mansos, embora isso possa ocorrer. Similarmente, as pessoas em posição de poder podem não ser orgulhosas, mas é difícil conciliar poder e mansidão.

Portanto, pessoas fiéis podem agir com soberba, e Deus pode, desse modo, necessitar derrubá-las dessa exaltação, mas ele não simplesmente as destrói. Deus "abre os seus ouvidos" para atraí-las de volta ao "ouvir e servir", a atitude de submissão a Deus (e a outras pessoas?) que está envolvida em uma humildade que significa mansidão de atitude, não apenas ausência de poder na sociedade.

Há dois aspectos quanto ao aprendizado dos alunos: o professor falar e o aluno ouvir. A interface entre esses dois aspectos é um mistério. Como professor, digo a mesma coisa para um grande número de estudantes; alguns compreendem, e outros não. Meu maior desafio é levá-los a abrir os seus ouvidos. Apenas falar com clareza pode não bastar para alcançar esse objetivo. No último fim de semana, meus ouvidos se fecharam por causa do excesso de cera, como ocorre de tempos em tempos. Até conseguir amolecer a cera e extraí-la, as pessoas falavam claramente, mas eu não conseguia ouvi-las. O ponto defendido por Eliú é que Deus não se restringe a apenas falar claramente. Expressando nos termos de Jeremias 31, não é suficiente apenas inscrever com total clareza em tábuas de pedra o ensino de Deus quanto a cultuar somente **Yahweh**, não fazer imagens e guardar o sábado. Esse ensino precisa ser escrito na mente das pessoas. Quando isso acontece, agimos com base nele. O grande mistério é como escrevê-lo em nossa mente. Eliú declara que Deus conhece esse desafio e o cumpre. Talvez Deus, simplesmente, se aproxime do ouvido das pessoas para que elas não percam as suas palavras, do mesmo modo que eu preciso que as pessoas falem mais perto de mim quando a minha audição é prejudicada pelo excesso de cera. As pessoas, então, ouvem a correção de Deus. Em outras passagens a palavra para "correção" sugere uma ação que castiga (como em nosso eufemismo "instituição correcional"), mas, aqui, o termo é explicado pela segunda linha do versículo, na qual Deus diz que elas devem se afastar da iniquidade (a exemplo do que ocorre no fim do poema, no capítulo 28).

Eliú prossegue aplicando o seu discernimento a Jó. Deus o tem tirado das garras da angústia. O verbo, aqui, é sugestivo; ele é, com frequência, traduzido por "atrair" ou "seduzir". Isso nos convida a imaginar Deus sussurrando no ouvido de uma pessoa: "Vamos, você sabe que o que está fazendo não é certo nem é sábio. Pare com isso!" A expressão para "angústia", igualmente, significa "estreito" ou "estreiteza", e Eliú trabalha com essa imagem. Deus deseja que estejamos em um lugar amplo e espaçoso, não em um lugar restrito. A imagem sugere uma vida boa, e isso conecta-se com a ideia de luxo, expressa na imagem de uma mesa cheia de riquezas, isto é, de boa comida. Por esse sussurrar, Deus abre caminho para livrar os humildes em sua humildade. A alternativa para o local amplo é a travessia prematura do rio, é jamais aprender as lições necessárias sobre a vida. As pessoas morrem na juventude mediante os santos (uma expressão, de fato, estranha, talvez referente aos agentes sobrenaturais por meio dos quais Deus age).

Eliú vê Jó na posição de alguém sob a ação cuidadosa e pastoral de Deus, para afastá-lo de sua transgressão incomum. Eis por que Jó está experimentando o pleno juízo por causa de pessoas infiéis, o motivo de ele ser a vítima da tomada de decisão divina. Jó corre o perigo de zombar de pessoas como Eliú, capazes de interpretar a sua posição, e ele não deve pensar que a sua riqueza pode, de algum modo, comprar a saída da situação em que se encontra, nem deve ceder à tentação de se unir aos malfeitores em seus atos sob a cobertura da noite ("Se estou sendo tratado como um malfeitor, então devo agir como um"). Embora a descrição iluminadora de Eliú sobre como Deus exerce o cuidado pastoral seja irrelevante para Jó, na medida em que Deus não está em posição de precisar afastar Jó da transgressão, os seus comentários sobre essa tentação estão alinhados com o que sabemos do início da história.

JÓ **36:26—37:24**
O ASSOMBROSO CRIADOR

[26]"Eis que Deus é grande, e não podemos saber —
  do número dos seus anos não há como descobrir.
[27]Pois ele atrai as gotas de água
  que destilam como chuva em seu meio,
[28]à qual os céus derramam,
  distribuem sobre a humanidade como um chuveiro.
[29]Além disso, quem pode compreender o estender das nuvens,
  os trovões de seu abrigo?
[30]Eis que ele estende o seu relâmpago sobre elas;
  revela as raízes do mar.
[31]Pois por essas coisas ele governa os povos,
  dá alimento em abundância.
[32]Ele cobre as mãos com relâmpagos
  e os ordena contra a sua marca.
[33]Seu trovão fala dele,
  de sua paixão raivosa contra a injustiça.

CAPÍTULO 37

¹Na verdade, diante disso o meu coração treme
  e salta de seu lugar.
²Ouçam, ouçam a fúria de sua voz,
  o estrondo que sai da sua boca.
³Abaixo de todas as nuvens, ele os solta,
  e seu relâmpago sobre os cantos da terra.
⁴Depois disso, sua voz ruge;
  ele troveja com sua majestosa voz.
  Ele não os segura quando sua voz se faz ouvir;
⁵Deus troveja com sua voz em maravilhas.
  Ele faz coisas grandiosas que não podemos saber,
⁶quando ele diz à neve: 'Caia sobre a terra.'
  O aguaceiro da chuva é o seu poderoso aguaceiro das
    chuvas.
⁷Ele coloca um selo na mão de cada pessoa
  para que todos possam reconhecer o que ele faz,
⁸e a fera entre em seu covil,
  se assente em sua toca.
⁹A tempestade sai da câmara, e o frio
  dos ventos fortes.
¹⁰Pelo sopro de Deus, ele dá o gelo,
  e a expansão da água é algo congelado.
¹¹Ele também carrega as nuvens com umidade,
  espalha os relâmpagos da nuvem de tempestade
¹²e as faz girar por suas direções,
  para que [as nuvens] façam tudo o que ele lhes ordena
  sobre a face do mundo terreno.
¹³Seja para um castigo, seja para a sua terra,
  seja por compromisso — ele os faz acontecer.

¹⁴Dê ouvidos a isso, Jó;
  pare e considere as maravilhas de Deus.
¹⁵Você sabe como Deus coloca as coisas sobre elas,
  como brilha o relâmpago de sua nuvem de tempestade?

JÓ 36:26—37:24 • O ASSOMBROSO CRIADOR

¹⁶Sabe sobre o equilíbrio das nuvens,
  as maravilhas daquele que é perfeito em conhecimento?
¹⁷Você cujas roupas se tornam quentes
  quando a terra está calma por causa do vento sul?
¹⁸Poderia espalhar os céus com ele,
  duros como um espelho de metal fundido?
¹⁹Faça conhecido a nós o que devemos dizer a ele;
  não podemos expressar isso por causa das trevas.
²⁰Ele deve ser informado para que eu possa falar;
  alguém disse que ele deve ser informado?
²¹Mas, agora, as pessoas não podem olhar para a luz
  quando ela brilha nos céus.
  Após o vento passar e os clarear,
²²o ouro vem do norte
  (sobre Deus, que é magnífico em esplendor).
²³O Todo-poderoso: não o alcançamos,
  grande em poder e tomada de decisão.
²⁴Por isso, as pessoas o reverenciam;
  nenhum dos sábios de mente o veem."

A janela junto à minha escrivaninha fornece uma vista para o nosso pátio, pela qual posso ver gerânios começando a florescer, gaios azuis vindo se banhar na fonte, e esquilos tentando lembrar onde esconderam as suas nozes. Um pé de manjericão fica sobre uma mesa e providencia as folhas para preparar mais molho pesto, quando usamos todo o lote anterior. Há dois ou três potes de marias-sem-vergonha de diferentes cores, com sua incrível tolerância à sombra e à negligência. Nesta tarde, o sol alcançará o nosso lado do prédio e, próximo ao entardecer, a sua luz brilhará por entre os galhos das árvores, fazendo cintilar as folhas que estão, cada dia, mais grossas. Isso basta para fazer uma criatura urbana como eu vibrar de alegria pela maravilha da criação.

Minha admiração pela criação está mais relacionada ao romantismo do século XIX do que pela maravilha da criação presente na Bíblia. O mesmo sentimento de assombro em Eliú é comparável com as maravilhas que aparecem nos Salmos. O que impressiona Eliú, e também os salmistas, no tocante à criação não é a tranquilidade de um riacho ou a delicada beleza de um floco de neve, mas a assombrosa energia e magnitude presentes nela. Esses fatos sobre a criação é que norteiam a observação de abertura, expressa por Eliú, sobre a grandeza divina. Eliú não é específico quanto ao que não sabemos — talvez seja a magnitude da grandeza de Deus, ou a menção seguinte sobre o número de anos de Deus. Eliú não implica que Deus possui um número finito de anos. Antes, o seu ponto é que Deus, o Criador, obviamente, tem estado por perto muito tempo antes de todas as coisas serem criadas, de maneira que a assombrosa imponência da criação gera em nós uma consciência da grandiosidade de Deus. Ao tentarem provar a existência divina, às vezes as pessoas argumentam quanto à natureza da criação — alguém deve ter trazido o mundo à existência. A evidência de que a criação foi projetada implica a existência de um projetista. Eliú não está tentando provar que Deus existe; em uma sociedade tradicional, essa tentativa seria considerada estranha; as pessoas sabiam sobre a existência de Deus. A preocupação de Eliú é fazer as pessoas extraírem as conclusões corretas, com base no que elas sabem.

É típico do Antigo Testamento considerar a chuva e a tempestade como os fatos da natureza que mais impressionam as pessoas. Eliú segue para indicar dois motivos, nenhum deles tão relevante para um morador de Londres ou Seattle quanto o são para os que vivem no Oriente Médio ou na Califórnia. Um deles é que a chuva é sobremaneira importante para o crescimento de alimentos e, portanto, crucial para a sobrevivência humana, mas que não pode ser considerada como garantida. O outro é que, quando a chuva cai, com frequência vem sob a forma de tempestades assustadoramente poderosas e violentas, acompanhadas de trovões e relâmpagos em abundância. Nas enigmáticas palavras do versículo 13, a chuva pode ser para exercer castigo ou pode ser uma expressão do **compromisso** de Deus com o mundo.

O interessante ponto de partida de Eliú, no entanto, é que ele, obviamente, conhece como o suprimento de água ocorre em círculos. O Antigo Testamento, com frequência, retrata o suprimento de água da terra como reservatórios situados atrás da abóbada celeste, que evitam que as águas inundem toda a terra, ou como armazenadas em tanques subterrâneos que emergem em fontes. Mas os autores do Antigo Testamento também retrataram que a água evapora dos oceanos e dos lagos e retorna à terra sob a forma de chuva, e reconhecem que Deus é quem opera esse ciclo. Eclesiastes comenta sobre os mesmos fenômenos e os adota como um sinal da deprimente verdade de que tudo na vida humana e no mundo opera em círculos; todavia, Eliú está impactado por esse processo na natureza.

Ele, igualmente, sublinha o envolvimento divino na tempestade. Deus enche as mãos de relâmpagos e, então, os comissiona cada qual para o seu alvo, a exemplo de um soldado com um lançador de foguetes. A tempestade é o meio divino de exercer o seu governo no mundo; ela expressa a ira passional contra a iniquidade. O efeito da neve e da chuva sobre a humanidade é o de selar ou encerrar todos no interior de suas casas, bem como manter os animais em suas tocas. (Em Londres ou Seattle, se você decidir ficar em casa toda vez que chove, jamais sairá dela; mas, na Califórnia, jogos de futebol são cancelados caso esteja chovendo, e as pessoas não vão à igreja porque têm medo de dirigir com a pista molhada.)

De um modo estranho, isso significa que as pessoas reconhecem Deus. O calor inclemente do sol de verão, quando o vento quente sopra do deserto e o céu fica tão duro quanto o ferro, tem o mesmo efeito; ele também mantém as pessoas em casa.

O ponto de Eliú torna-se explícito quando ele pergunta a Jó o que, então, devemos dizer a Deus. Isso não significa a impossibilidade de conhecer ou de nos relacionarmos com Deus, mas que não podemos fazer o que Jó tem feito. O fato de estarmos em trevas quanto aos motivos pelos quais as coisas funcionam (ou não funcionam) em nossa vida, não significa que podemos pressionar Deus por respostas e esperar recebê-las. A criação mostra que Deus é grandioso demais para podermos lhe dizer como governar o mundo; e isso nos lembra que dificilmente podemos nos apresentar diante de Deus para fazer tais perguntas e oferecer conselhos. Se nem mesmo somos capazes de olhar diretamente para o sol, muito menos podemos mirar os olhos de Deus. Pessoas sábias focam na reverência e submissão a Deus em vez de esperar vê-lo.

A surpresa quanto ao argumento de Eliú é o fato de ele ser próximo ao que Deus apresentará nos dois capítulos seguintes. Do mesmo modo que se considera que a terceira rodada de discursos entre Jó e seus amigos foi submetida a alguma interrupção, imagina-se, com frequência, que os discursos de Eliú constituem uma adição posterior ao livro em relação aos discursos de Jó e dos três amigos. Uma vez mais, não estou convencido de que isso tenha ocorrido (embora não me incomode, caso seja um fato). O principal motivo para chegar a essa conclusão é a maneira pela qual os discursos de Eliú antecipam o de Deus e a forma com que Deus repreende os três amigos originais, mas não Eliú. Contudo, a antecipação de Eliú em relação ao discurso divino seria um motivo para Deus não o repreender. Eles agem como uma propaganda positiva para o discurso de Deus. Eliú nos leva a pensar da maneira de Deus, ou, pelo menos, introduz a ideia de refletir sob a perspectiva divina.

JÓ **38:1–15**
O DEUS QUE ORDENA O AMANHECER

¹*Yahweh* respondeu a Jó do meio da tempestade:
²"Quem é este que obscurece o propósito por meio de
palavras sem conhecimento?
³Cinja a sua armadura como um homem,
para que eu possa lhe perguntar e você possa tornar
conhecido a mim.

⁴Onde você estava quando eu fundei a terra? —
diga, se tiver entendimento.
⁵Quem estabeleceu as suas dimensões, já que você sabe,
ou quem estendeu uma linha sobre ela?
⁶Sobre o que estão fundadas as suas bases,
ou quem lançou a sua pedra angular,
⁷quando as estrelas da manhã ressoaram juntas
e todos os seres divinos gritaram?

⁸Ou [quem] encerrou o mar com portas;
quando ele jorrou do ventre, saiu,
⁹quando fiz da nuvem a sua vestidura,
da nuvem de tempestade o seu cobertor,
¹⁰decretei meu limite para ele,
estabeleci uma barra e portas,
¹¹disse: 'Você pode vir até aqui, mas não ir além;
aqui [o limite] é colocado para o inchaço das suas ondas?'

¹²Desde que os seus dias chegaram, você ordenou a manhã,
tornou conhecido ao amanhecer o seu lugar,
¹³para agarrar a terra pelos cantos,
de modo que as pessoas infiéis fossem sacudidas para fora
dela?

JÓ 38:1-15 • O DEUS QUE ORDENA O AMANHECER

> [14]Ela se modela como barro [pressionado por] um sinete
> para que [as suas características] se destaquem como uma
> vestimenta.
> [15]Das pessoas infiéis retém a luz,
> e seu braço altivo quebra."

Com base no cálculo de algumas pessoas, o mundo deve acabar hoje, enquanto escrevo estas palavras. Caso esteja lendo este livro, ele não acabou, ou, alternativamente, você e eu fomos deixados para trás. Tenha plena confiança de que não terminará, embora o fundamento da minha confiança seja distinto do pressuposto pela divertida reportagem sobre essa expectativa. O Dia do Senhor irá chegar algum dia, e Jesus irá aparecer, mas os cálculos que identificam hoje como esse dia são falsos. Se eu fosse Deus e ocorresse de hoje ser o dia final, estaria tentado a mudar a data para colocar os mortais em seus devidos lugares. Alternativamente, se hoje não fosse o derradeiro dia, estaria tentado a alterá-lo para hoje (ou, pelo menos, para determinar um terremoto, de preferência, em algum lugar inofensivo), para colocar as pessoas céticas e jocosas em seus devidos lugares.

Deus é aquele que dá ordens à manhã e diz à alvorada quando deve irromper, aquele que fundou a terra em primeiro lugar, e Deus será aquele que agirá para transformá-la. Igualmente, Deus é aquele que lida com a criação de modo a responder à infidelidade, à zombaria e à estupidez da humanidade. A própria experiência de Jó o fez questionar essa ideia e criticar a maneira pela qual o propósito de Deus opera no mundo. Deus declara que Jó não sabe do que ele está falando e retorna o desafio a Jó para debater a questão.

Falar do meio da tempestade seria suficientemente assombroso, mas, de um modo estranho, também seria tranquilizador, em parte por ser característico de Deus falar dessa maneira no Antigo Testamento (p. ex., a Ezequiel). Não há dúvidas de que é Deus quem fala quando a voz vem assim. Além disso, aquele que fala é *Yahweh*, como Deus se fez conhecido a Israel, outro lembrete de que, embora a história de Jó esteja dramaticamente situada em Edom e não faça referência a outros eventos distintivos do envolvimento de Deus com Israel como o êxodo ou a **aliança**, o genuíno e único Deus, a quem Israel conhecia, é o Deus sob discussão no livro. As pessoas que escreveram e leram o livro eram membros do povo de *Yahweh*, que agonizam quanto à natureza do relacionamento de Deus com eles e vice-versa. Ainda, embora a título de argumentação o livro aborde, principalmente, essas questões sem falar sobre aquelas características distintas da relação de Deus com Israel, restringindo-se ao modo pelo qual todos podem ver que a vida funciona, o surgimento de Deus mostra como, no fim, o livro reconhece os limites do que pode ser dito a partir dessa base. A aparição de Deus é uma ideia presente na **Torá** e nos Profetas, não nos livros focados numa sabedoria mais empírica, mas, definitivamente, o livro de Jó não pode seguir sem ela.

Portanto, Deus aparece e responde a Jó, mas o conteúdo da resposta divina em nada se parece com o esperado. Na verdade, observamos em relação ao discurso final de Eliú que ele diz a mesma sorte de coisas que Eliú havia dito (e, igualmente, os três amigos). Ele indica a Jó a natureza da criação e infere que devemos aceitar a nossa ignorância sobre muitos aspectos da obra divina no mundo. O discurso de Deus vai muito além, ao explicar a importância desse ponto, mas continua trabalhando dentro da estrutura que todos podem ver. Em outros contextos, confrontado pela questão sobre o motivo de coisas ruins acontecerem a pessoas boas, um israelita poderia ter

JÓ 38:1-15 • O DEUS QUE ORDENA O AMANHECER

respondido: "Eu não sei, mas o que *Yahweh* fez com Israel no
êxodo, o que ele tem feito com Israel desde então, e a forma
pela qual *Yahweh* respondeu às orações pela saúde da minha
mãe, quando ela estava doente, capacitam-me a prosseguir
confiando em *Yahweh*, ainda que coisas ruins aconteçam a
pessoas boas" (do mesmo modo que os cristãos seguem confiando em Deus por causa do significado do que Deus fez em
Cristo; e o que Deus tem feito pela igreja nos capacita a fazer
o mesmo). No entanto, suponha que, por algum motivo, esse
recurso não esteja disponível ou não funcione — imagine que
o êxodo pareça ter ocorrido muito tempo atrás. Talvez olhar
para a criação tenha o mesmo efeito, embora a sua mensagem
seja mais complexa do que Jó poderia esperar.

Deus aponta para o fato óbvio de que Jó não estava presente no processo da criação e observa a maneira pela qual
realizou esse projeto de construção. Deus agiu como um
homem construindo uma casa; talvez a ideia é de que Deus
estivesse construindo uma casa para viver nela, o que nos
faz pensar no templo, mas também no cosmos como um todo
para ser a morada divina. Sendo o construtor da casa, Deus
garante que este lar tenha fundações sólidas. Igualmente,
Deus fala de modo metafórico. Jó implicou que o mundo não
está seguramente alicerçado; expressando nos termos usados
pelo salmo 11, é como se as fundações morais da vida humana
estivessem destruídas. No salmo citado, as fundações estão
sendo destruídas pelos ímpios; em Jó, é como se Deus não
tivesse dado à vida humana uma fundação adequada. Deus,
aqui, alega ter feito isso no princípio e observa como as próprias estrelas e os seres divinos reconheceram a maravilha da
obra criadora de Deus. Os seres divinos são os membros do
gabinete celestial, aos quais fomos apresentados no capítulo
1. As estrelas, igualmente, são as entidades por meio das quais

os propósitos de Deus são alcançados no mundo. A implicação é que as estrelas e os seres celestiais estão felizes o suficiente com a evidência de que Deus pode formular um propósito e implementá-lo de forma a dar à vida humana uma fundação segura. Jó possui mais discernimento que eles?

Ainda, o processo de criação envolveu estabelecer um limite para o poder de forças dinâmicas e perigosas na criação. O mar é um símbolo comum no Antigo Testamento para essas forças; o seu tumultuoso poder fornece uma ilustração vívida e as personifica. O poder assustador de um *tsunami* nos serve como exemplo. De tempos em tempos, o poder dinâmico do mar sai do controle; mas, em princípio, Deus estabeleceu limites para assegurar que isso não ocorra. Igualmente, Deus fala sobre o poder dinâmico das águas que caem do céu, o perigo de aguaceiros e inundações. Da mesma forma, Deus certificou-se de que esse poder fosse mantido sob controle, retendo-as entre o céu e as nuvens, além de, em geral, negar a possibilidade de haver inundação no mundo.

Por fim, o processo de criação envolveu estabelecer o ritmo do dia e da noite. Em seu livro *Ortodoxia* (São Paulo: Mundo Cristão, 2000, cap. 4), G. K. Chesterton questionou, caso o sol não se levantasse a cada manhã por conta própria: "É possível que Deus, todas as manhãs, diga ao sol: 'Faça de novo'; e todas as noites, à lua: 'Faça de novo.'" Deus afirma que, de fato, é assim; ele dá ordens ao amanhecer. No presente contexto, então, o ponto de Deus é que há uma relação entre a luz do amanhecer diário e a exposição de malfeitores no mundo. A noite é o período natural para as transgressões, contudo de manhã as dobras nas montanhas se tornam visíveis como os vincos de uma roupa, e os malfeitores são sacudidos de seus esconderijos como aranhas ou como os farelos são sacudidos das vestes. Assim, com o amanhecer, os infiéis perdem a luz que mais apreciam (i.e., o que as demais pessoas chamam de trevas) e não podem mais exercer o seu poder violento para a prática do mal.

O que Deus está fazendo aqui é pregar um sermão sobre a criação de forma a aplicar a sua importância à pergunta em questão quanto a Deus estar realizando, adequadamente, o seu propósito no mundo. O relato de Deus sobre a criação lembra a descrição em Gênesis 1, no tocante a falar sobre a formação do mundo, das estrelas, das águas sendo contidas pelo céu, da separação entre o mar e a terra, além do ciclo entre dia e noite. No entanto, em cada ponto, a exemplo de um bom pregador, Deus não descreve meramente como algo aconteceu, mas também extrai as suas implicações para a audiência — no caso, formada por um único indivíduo, e pessoas, como nós, que acompanhamos a conversação.

JÓ **38:16-38**
SOBRE ACEITAR A PRÓPRIA IGNORÂNCIA

[16]"Você foi às fontes do mar
ou andou pela extensão das profundezas?
[17]Os portões da morte se abriram para você,
ou pode ver os portões da sombra mortal?
[18]Você compreendeu as expansões da terra? —
Diga, se você sabe de tudo.
[19]Onde está o caminho para o local de habitação da luz, e as
trevas —
onde é o seu lugar,

[20]para que você a leve ao seu território
e compreenda as veredas para o seu lar?
[21]Você sabe, pois estava nascendo, então,
e o número de seus anos são muitos.

[22]Você foi aos armazéns de neve,
ou pode ver os armazéns de granizo,

JÓ 38:16-38 • SOBRE ACEITAR A PRÓPRIA IGNORÂNCIA

²³que reservei para o tempo de dificuldade,
   para o dia de encontro de pessoas em batalha?
²⁴Onde está o caminho pelo qual a luz se dispersa,
   ou onde o vento leste é espalhado sobre a terra?
²⁵Quem cortou um canal para a torrente
   e um caminho para o raio do trovão,
²⁶para chover sobre a terra sem pessoas,
   sobre o deserto sem ninguém nele,
²⁷para satisfazer a sede do deserto devastador
   e fazer uma plantação de grama florescer?

²⁸A chuva tem um pai,
   ou quem gerou as gotas de orvalho?
²⁹De qual ventre o gelo saiu —
   a geada dos céus, quem a gerou,
³⁰quando as águas endurecem como pedra
   e a superfície do abismo se congela?
³¹Você pode amarrar os laços das Plêiades
   ou afrouxar as cordas do Órion?
³²Pode fazer sair as constelações a seu tempo
   ou guiar a Ursa com os seus filhotes?
³³Você conhece as leis dos céus,
   ou pode estabelecer a sua autoridade sobre a terra?
³⁴Você pode elevar a sua voz para a nuvem
   para que uma inundação de águas o possa cobrir?
³⁵Pode enviar relâmpagos de modo que vão
   e lhe digam: 'Aqui estamos!'?
³⁶Quem colocou discernimento na íbis
   ou quem deu entendimento ao galo?
³⁷Quem pode prestar contas do firmamento por meio de
   sabedoria
   e inclinar os odres de água nos céus,
³⁸quando o pó se dispersa em uma massa
   e torrões são feitos para ficarem juntos?"

JÓ 38:16-38 • SOBRE ACEITAR A PRÓPRIA IGNORÂNCIA

Em meu seminário na Inglaterra, certa ocasião, produzimos uma versão dramática da história de Jó; eu elaborei o roteiro, e uma de minhas colegas foi a diretora. Ela queria que Deus surgisse no palco, durante os diálogos entre Jó e seus amigos, estendendo silenciosamente o seu abraço a Jó, a fim de expressar a sua presença e o seu cuidado com ele, enquanto Jó atravessava a sua provação. Mas não concordei com ela, pois não há sinal disso no livro. Creio que isso interferiria no objetivo do livro em mais de um sentido. Inúmeras pessoas que passam pela mesma categoria de experiência de Jó não têm nenhuma percepção da presença e da preocupação de Deus. Além disso, o adversário teria motivos para reclamar que Deus havia comprometido o teste. O ponto era ver se Jó permaneceria fiel caso as bênçãos divinas desaparecessem. A provação dependia da severidade absoluta do que ocorria a Jó. Deus *estava* ausente, e era necessário que Jó experimentasse a ausência divina. Deus precisava ser duro.

Essa dureza prossegue quando Deus, por fim, fala a Jó. Não há expressão de simpatia com o sofrimento de Jó. Ao contrário, Deus o coloca em seu devido lugar, e o faz com sarcasmo: "Pois sim, você compreenderá tudo sobre a criação, não é mesmo, Jó, porque tem estado por aí há tanto tempo!" O primeiro parágrafo na transcrição anterior chama a atenção de Jó para o fato de ele nada conhecer sobre as profundezas ou as dimensões do mundo criado, os seus limites e o que está por trás dele. Ele, portanto, desconhece tudo sobre o reino da morte e das trevas que existe além do reino da vida e da luz. Esses são os tópicos sobre os quais Jó tem falado com frequência. O livro de Jó apresenta a palavra "trevas" mais vezes que qualquer outro livro do Antigo Testamento, ligando-a, especialmente, à morte. Quando o ser humano morre, o colocam em uma tumba, fecham a entrada com uma rocha e

JÓ 38:16-38 • SOBRE ACEITAR A PRÓPRIA IGNORÂNCIA

ali ele permanece nas trevas. De fato, é um local de "sombra mortal". Essa expressão representa um termo hebraico, outro que surge mais vezes em Jó do que em qualquer outro livro. Parece uma combinação das palavras "sombra" e "trevas"; essa seria a provável conotação transmitida às pessoas. Jó tem se pronunciado como se soubesse sobre a morte e tivesse consciência de que ela seria preferível à sua vida atual, mas ele, realmente, não sabe do que está falando. Jó conhece o que acontece ao corpo humano na tumba, mas há outro sentido no qual morrer significa ir para o reino da morte e da sombra mortal, alguma outra dimensão na qual estamos nos domínios da morte. Jó ainda não atravessou os seus portões para verificar como as coisas são ali. Então, o que ele sabe sobre o tema e o que tem pontificado sobre ele?

Segundo, Deus é o Senhor da neve, do granizo, da tempestade, da chuva, da geada e do gelo. São recursos que Deus mantém sob controle e os direciona. Esses eventos não ocorrem aleatoriamente. Deus chama a atenção de Jó para dois aspectos da maneira proposital em que ele usa esses recursos. Um está relacionado a eventos históricos, como as batalhas, que, às vezes, são decididas pelas condições climáticas (Josué 10 nos dá um exemplo, quando Deus fez cair do céu grandes pedras de granizo sobre um exército). O outro é que a chuva, ocasionalmente, cai sobre regiões desérticas nas quais não há habitantes, áreas caracterizadas por um "deserto devastador"; Deus escolhe uma sentença, usada por Jó no capítulo 30, em seus comentários depreciativos sobre pessoas com as quais ele não deveria ser comparado. A queda da chuva em regiões consideradas inúteis gera grande produção de grama que não serve a ninguém.

Deus, pela primeira vez, apresenta um ponto que será recorrente. O mundo não é organizado para servir apenas à

JÓ 38:16-38 • SOBRE ACEITAR A PRÓPRIA IGNORÂNCIA

humanidade. Uma vez mais, é possível fazer uma comparação com Gênesis 1, capítulo no qual Deus criou a humanidade somente na última tarde daquela semana de trabalho. O mundo não existe para o benefício dos seres humanos. Como revelado em Gênesis 2, a humanidade foi criada para cuidar do jardim divino. Em Jó 38, a chuva não cai em padrões designados a beneficiar a vida humana, mas adequados ao mundo de Deus. Uma pressuposição da atitude de Jó é de que o mundo gira em torno dele e de sua felicidade; um tema da resposta de Deus implica que ele está completamente equivocado.

O terceiro parágrafo fala das estrelas e dos planetas. Igualmente, eles aparecem em outras descrições sobre a criação, presentes no Antigo Testamento, mas, especialmente, no contexto da crença de outros povos de que as estrelas e os planetas determinavam o que ocorria na terra. Na cultura e na religião do Oriente Médio, eles são muito importantes, e há uma meia verdade nessa crença sobre eles (Gênesis 1 e Isaías 40 sugerem): eles estão sob o controle de **Yahweh** e são meios de implementar a vontade divina no mundo. Em seu nível mais básico, eles governam as estações e dizem às pessoas quando celebrar os festivais. Jó não é capaz de controlá-los e, portanto, de controlar o que acontece no mundo: *Yahweh* é capaz e o faz.

Yahweh retorna ao fato de que, similarmente, Jó é incapaz de controlar as chuvas. Seria um recurso monumental ter esse controle. As pessoas poderiam, então, ter a certeza de obter a chuva quando necessitassem dela; primeiro, para amolecer o solo, solidificado pelo calor do verão, e que precisa ser preparado antes do ciclo de aragem e de plantio ser iniciado, e, então, para regar as plantações, quando estiverem em crescimento ativo. O controle sobre a chuva permitiria às pessoas pôr fim ao ciclo vicioso da seca,

JÓ 38:16-38 • SOBRE ACEITAR A PRÓPRIA IGNORÂNCIA

da quebra de produção agrícola e da fome. Mas esse controle não é possível, pois não é a forma com que Deus organizou o mundo. O ponto sobre a referência à íbis e ao galo é que eles, às vezes, parecem capazes de anunciar a chegada da chuva — de modo mais consistente, o galo sabe quando o amanhecer está próximo. Essas aves possuem mais entendimento que os seres humanos. Não estar no controle do que ocorre no mundo ou não ser capaz de compreender o que acontece aqui aprofunda a frustração do ser humano.

Jó tem experimentado o sofrimento vindo sobre ele de modo aparentemente aleatório. Seus amigos negaram que seja aleatório. De certa forma, ele é o culpado pelo que lhe está acontecendo. Em breve, Deus deixará explícito que os seus amigos estão errados em afirmar que Jó é responsável pela tragédia que o atingiu, mas Deus observa que nada disso é meramente aleatório, nem mesmo o que ocorre na natureza. Deus está no controle de tudo o que acontece. Jó está errado em presumir que possui o direito ou a oportunidade de conhecer o fundamento sobre o qual Deus age. Uma das deliciosas ironias do livro é que, bem no início, ele dá uma explicação perfeitamente boa para os acontecimentos trágicos na vida de Jó (bem, você pode ou não considerar que seja uma boa explicação, mas, pelo menos, é uma explicação), que Deus poderia ter revelado a ele nesse momento. Pode-se imaginar o diálogo; em vez de atacar Jó, Deus poderia ter dito: "Está certo, Jó, eu lhe direi o que está acontecendo...", e Jó poderia (ou não) dizer: "Bem, eu entendo; está certo, então." Todavia, Deus não faz isso. Um significado para esse fato é que Jó precisa viver com a sua experiência da mesma forma que nós, e o desafio que o livro lança em nossa direção é viver da maneira que Deus desafia a Jó — com submissão a Deus, mesmo quando não entendemos os motivos do agir divino.

JÓ 38:39—39:30

OS MISTÉRIOS DA NATUREZA

³⁹"Você pode caçar a presa para o leão
e satisfazer o apetite dos grandes leões,
⁴⁰quando eles se agacham em tocas,
ficam à espreita em um matagal?
⁴¹Quem prepara a provisão para o corvo
quando seus filhotes clamam por socorro a Deus
e vagueiam sem comida?

CAPÍTULO 39

¹Conhece a temporada para as cabras montesas darem à luz,
vigia a corça entrando em trabalho de parto?
²Você conta os meses que elas completam,
ou sabe a estação do parto delas?
³Elas se agacham para poder entregar os seus filhos;
desconsideram as suas dores.
⁴Seus filhotes se tornam fortes, crescem no aberto;
partem e não retornam a elas.

⁵Quem deixa o jumento selvagem ir livre;
quem afrouxou as cordas da mula selvagem,
⁶que fez da estepe o seu lar;
sua habitação, a terra salgada?
⁷Ele despreza o som da cidade;
não ouve os gritos de um condutor.
⁸Perpassa as montanhas como sua pastagem
e procura por qualquer coisa verde.

⁹Está o boi selvagem disposto a lhe servir;
irá ele se alojar junto ao seu comedouro?
¹⁰Você pode manter o boi selvagem com um arreio ao sulco;
ou ele cultivará os vales atrás de você?
¹¹Pode confiar nele porque a sua força é grande
e deixará o seu trabalho para ele?

JÓ 38:39—39:30 • OS MISTÉRIOS DA NATUREZA

¹²Pode confiar nele para trazer de volta a sua semente
  e reuni-la à sua eira?

¹³A asa da avestruz se regozija
  (é a asa e a plumagem de uma cegonha?),
¹⁴pois ela deixa os seus ovos na terra,
  os deixa aquecer no pó,
¹⁵e tira da mente que um pé possa esmagá-los
  ou uma criatura selvagem pisoteá-los.
¹⁶Ela é dura com a sua descendência, como se não fossem
    dela,
  sem medo de o seu trabalho ser em vão,
¹⁷porque Deus a fez esquecer o discernimento,
  não distribuiu nenhum entendimento a ela.
¹⁸Na hora em que bate alto as asas,
  ela desdenha do cavalo e de seu cavaleiro.

¹⁹Você dá ao cavalo a sua força;
  veste o seu pescoço com uma crina,
²⁰o faz saltar como um gafanhoto? —
  a majestade de seu bufo é um terror.
²¹Ele bate as patas com força;
  ele se regozija com o poder, enquanto sai ao encontro das
    armas.
²²Ele desdenha o temor, não fica com medo,
  não dá as costas à espada.
²³Sobre ele chacoalha uma aljava,
  uma lança flamejante e uma cimitarra.
²⁴Com tremor e entusiasmo, ele marca a terra,
  e não consegue ficar parado quando há o som da trombeta.
²⁵Ao soar da trombeta, diz: 'Eia',
  e de longe sente o cheiro da batalha,
    o trovejar dos oficiais e o grito.

²⁶É por seu entendimento que o falcão alça voo,
  estende as suas asas para o sul?

JÓ 38:39—39:30 • OS MISTÉRIOS DA NATUREZA

27É por sua palavra que a águia se eleva
e constrói o seu ninho no alto,
28habita no penhasco e se aloja
na escarpa do penhasco, uma fortaleza?
29De onde olha cuidadosamente por comida;
de longe os seus olhos observam.
30Assim, seus filhotes bebem sangue;
onde os mortos estão, lá está ela."

Com frequência, o primeiro som que ouço pela manhã é o grasnar de um grupo de papagaios que vagueiam por nossa cidade, os descendentes (assim diz a lenda urbana) de aves de estimação que escaparam de suas gaiolas ou foram soltas por seus donos. Quando me assento diante da minha escrivaninha, vejo esquilos à procura de nozes e, possivelmente, gaios azuis se banhando em uma fonte. Se saio para uma caminhada nos arredores, posso ver dois patos selvagens que aparecem aqui, vindos de um lago não muito distante. À noite, uma espécie de gambá, ocasionalmente, passeia por nosso pátio. Antes de dormir, algumas noites atrás, matei uma viúva-negra no armário. A qualquer hora, ao entrar na cozinha, tenho a impressão de que fomos invadidos por um exército de formigas. Considero a nossa cidade uma confirmação de que a nossa área urbana pertence à humanidade, mas os antepassados da maioria dessas criaturas já estavam aqui antes dos indígenas, que dirá dos europeus.

O discurso de **Yahweh** a Jó segue lembrando que ele, como ser humano, não é o centro do mundo animado. Este existe por seu próprio direito. Deus é o único que pode prover aos leões e aos corvos. Embora os seres humanos, em uma cultura tradicional, saibam tudo sobre cabras e ovelhas domesticadas, é Deus quem vigia o nascimento e o crescimento das cabras selvagens e das corças. Ele é quem providencia um lar na estepe para o jumento e o boi selvagens. Em que pese a importância dos jumentos e bois domesticados para os seres humanos, os que ainda vivem indomados são inúteis, pois não se tornam subservientes à necessidade humana, mas ainda permanecem como importantes membros do mundo animado, e Deus provê para eles. A avestruz é uma criatura ainda mais estranha; trata-se de uma ave, mas suas asas não lhe possibilitam voar adequadamente, embora possa correr a velocidades extraordinariamente elevadas. Ela deposita os ovos, mas (de acordo com a lenda) não cuida muito bem deles para que a sua postura se torne frutífera. Parece ser uma criatura pouco inteligente, embora Deus a tenha feito assim, com suas características exóticas. O cavalo é um animal a ser tratado com seriedade. Nos tempos do Antigo Testamento, não era um animal domesticado no sentido regular, contudo o seu uso era mais associado a batalhas; os reis é que possuíam manadas de cavalos. O falcão e a águia possuem mais recursos e inteligência que a avestruz; do mesmo modo que Deus está por trás das peculiaridades da avestruz, o mesmo ocorre em relação a essas aves predadoras.

Uma explicação do retrato feito por Deus sobre essas criaturas é que elas tanto fazem sentido quanto não fazem. O leão precisa se esforçar muito para encontrar comida; ainda mais explicitamente, o corvo, cujos filhotes choram por sustento. Para os animais selvagens, o parto pode ser muito doloroso, a exemplo de outras criaturas, e assim é o processo de alimentação — eles são alimentados, crescem e vão embora para nunca mais voltar (estamos falando sobre a síndrome do ninho vazio). O jumento selvagem precisa ir cada vez mais longe à procura de pastagens. A avestruz discorre sobre a maternidade de um modo mais pungente. Além de precisarem procurar por comida, o falcão e a águia têm em comum o fato de buscarem refúgio nos penhascos. Todavia, Deus está envolvido na vida de todas as criaturas, ainda que, para Jó, isso não faça o menor sentido. Portanto, talvez Deus esteja envolvido no cuidado a Jó; é possível que Deus responda quando Jó clama, ainda que a resposta não seja imediata; talvez Deus observe Jó enquanto ele atravessa a sua dor; ou esteja envolvido em situações sem sentido para o homem; ou esteja no controle de realidades gigantescas às quais Jó não pode controlar; ainda, Deus pode providenciar proteção para seres que, de outra forma, estariam sob uma desesperadora vulnerabilidade.

Deus não desenha essas inferências a Jó e, portanto, não cai na armadilha de fornecer respostas prontas, a exemplo dos amigos. Jó acha que deseja respostas, mas, na prática, as respostas dadas pelas pessoas aos sofredores, normalmente, falham em satisfazer o sofredor da mesma forma que satisfazem o consolador. Para ser sincero, o objetivo das respostas é satisfazer o consolador, porque o consolador não se sente confortável sem elas. Na maior parte do tempo, o que necessitamos (não o que achamos que precisamos) é a capacidade de viver com as questões. Em certo nível, isso é o que Deus deseja de Jó, que ele seja capaz de viver confiante em Deus, mesmo quando não tem as respostas que deseja ouvir.

As respostas úteis a nós são, com frequência, aquelas às quais nós mesmos chegamos; outra implicação para Deus não revelar as inferências é que elas beneficiarão Jó apenas se ele chegar a elas sozinho. Nesse sentido, o livro de Jó traça um paralelo com o livro de Jonas, que termina com uma pergunta. O ouvinte da história deve responder a ela e, então, refletir sobre as suas implicações. O livro de Jó, uma vez mais, opera de maneira similar às futuras parábolas de Jesus. Quando Jesus termina de contar uma história, pode-se imaginar a audiência coçando a cabeça e perguntando: "O que foi isso?"

Às vezes, os Evangelhos nos contam que essa era a reação dos discípulos. Esse modo de comunicar evita deixar a mensagem mastigada demais para os que não estão dispostos ou preparados para recebê-la.

O próprio ponto de Jesus em Marcos 4 é que contar parábolas é um ato de juízo sobre as pessoas: ele fala dessa forma para que elas não compreendam. A pressuposição é a de que os ouvintes não querem compreender, e o ato indireto de juízo é parar de compartilhar as suas boas-novas com eles. Aqui, Deus seguirá em sua reprimenda a Jó. Será que Deus está, deliberadamente, confundindo Jó com o relato sobre a criação? Claro que os ouvintes de Jesus são livres para provar que ele está errado, mas, se eles forem incapazes de resistir à reflexão das histórias de Cristo em sua mente e, então, a compreenderem, se voltarem e crerem — Jesus terá alcançado o seu real propósito. O mesmo se aplicará a Deus em relação a Jó.

JÓ **40:1–24**
QUANDO O SILÊNCIO NÃO É SUFICIENTE

¹*Yahweh* respondeu a Jó:

²"A pessoa que contende com Shaddai o corrige? —
  Aquele que reprova a Deus deve responder."

³Jó respondeu a Deus:

⁴"Não, sou de pouca importância, o que poderia responder —
  colocarei a mão à minha boca.
⁵Falei uma vez, e não responderei —
  duas vezes, e não farei isso novamente."

⁶*Yahweh* respondeu a Jó do meio da tempestade:

⁷"Cinja a sua armadura como um homem,
  para que eu possa lhe perguntar e você possa me informar.
⁸Você realmente anularia a minha tomada de decisão,
  diria que eu sou injusto, para que possa ser justo?

9Você tem um braço como o de Deus
   e pode trovejar com uma voz como a dele?

10Você se adornará com eminência e grandeza,
   se vestirá em esplendor e majestade,
11espalhará a sua fúria raivosa,
   verá cada pessoa eminente e a rebaixará,
12verá cada pessoa eminente e a fará se curvar,
   derrubará os infiéis onde eles estiverem,
13os enterrará no pó, todos juntos,
   ocultará seus rostos no lugar escondido? —
14E eu também confessarei a você
   que a sua mão direita pode lhe trazer libertação.

15Eis, agora, o Beemote,
   que criei junto com você, que come grama como gado.
16Eis, agora, que a sua força está em seus lombos,
   o seu poder nos músculos de suas entranhas.
17Sua cauda balança como um cedro;
   os tendões de suas coxas são entrelaçados.
18Seus ossos são como tubos de bronze;
   seus membros são como uma barra de ferro.
19Ele é o primeiro dos caminhos de Deus;
   seu Criador pode se aproximar com sua espada.
20Pois as montanhas lhes trazem produtos,
   e todos os animais selvagens brincam ali.
21Ele se deita debaixo dos lotos,
   na cobertura dos juncos e no pântano.
22Os lotos o protegem como sua sombra;
   os salgueiros do ribeiro o cercam.
23Eis que, quando o rio jorra, ele não se apressa;
   ele está confiante de que o Jordão irrompe à sua palavra.
24Pode alguém tomá-lo por seus olhos
   ou perfurar o seu nariz com armadilhas?"

Dos anos durante os quais a minha primeira esposa sofreu com a esclerose múltipla, ainda retenho memórias de quando, por duas ou três vezes, tentei confrontar Deus quanto a isso. Angustiado pela maneira com que a enfermidade a afetava, numa dessas ocasiões recordo-me de ter dito: "Eu não confio em você com respeito a Ann", e de sentir Deus respondendo: "Caso estivesse em meu lugar, confiaria em você a respeito de Ann?" (Resposta: Muito provavelmente, não!) Em outra ocasião, lembro-me de haver protestado pela forma com que a enfermidade estava dificultando, cada vez mais, o relacionamento de Ann com Deus; então, senti Deus dizendo: "Como Ann e eu nos relacionamos deve ficar entre mim e ela; portanto, cale-se."

De uma forma muito mais assustadora, Jó também descobriu que a grandiosa, mas solene, coisa sobre confrontar Deus é a possibilidade de ele responder e adotar uma posição tão confrontadora quanto a nossa. O nosso relacionamento com Deus não é tão distinto das nossas relações humanas (surpresa!). Podemos estar confiantes quanto ao modo de olharmos para determinada situação, mas, então, descobrimos a outra pessoa com uma visão totalmente diferente e colocando o nosso modo de pensar em um contexto mais amplo. Isso não significa que estávamos cabalmente errados; antes, que não estávamos tão certos quanto imaginávamos. E, quanto mais próximo for o nosso relacionamento com a outra pessoa, tanto mais contrária a resposta pode ser. Em outras palavras, a poderosa natureza da resposta de Deus a Jó não constitui um sinal de superficialidade, mas de maturidade no relacionamento, que nos é revelada logo no início do livro.

As palavras inaugurais de **Yahweh** formam a conclusão ao questionamento de Jó ao longo dos dois últimos capítulos, e essas mesmas palavras, apropriadamente, assumem a forma de uma questão. Jó tem contendido com *Yahweh*, como se este fosse outro ser humano, isto é, corrigindo-o. A coletânea de perguntas, expostas por *Yahweh*, implicitamente, forma a resposta de *Yahweh* ao caso apresentado e à tentativa de correção. Portanto, Jó deve responder a elas. De volta ao capítulo 9, Jó comentou que seria impossível contender com Deus; simplesmente, não haveria resposta. Não se pode agir duramente com Deus e sair inteiro. Embora Jó, desde então, tenha falado mais em contenda, isso tem sido em termos de Deus contender com ele, não o contrário. No entanto, discutir com Deus, tentar colocá-lo sob julgamento, é tudo o que Jó tem feito, e, agora, Deus o chama para debater o assunto. Igualmente, qualquer conversa sobre correção diz respeito à correção de Jó por Deus (ou dos amigos por parte de Jó), não a correção de Deus por Jó. Claro que a direção apropriada da correção é do professor ou pai para o aluno ou filho, não o contrário. Contudo, Deus pode, razoavelmente, sugerir que Jó o tem corrigido, ao fazer declarações sobre como Deus governa o mundo, e sobre as alegações de Deus quanto ao funcionamento do mundo. O questionamento divino tem sido a resposta à confrontação e à correção por parte de Jó, e, agora, Deus é que deseja algumas respostas.

A reação de Jó é não responder, mas fazer o que disse que faria lá no capítulo 9: ainda que fosse justo, ele não responderia a Deus, mas pediria por graça e por misericórdia. Da mesma forma, no capítulo 13, Jó disse que, se Deus contendesse com ele, permaneceria em silêncio. Assim, aqui, a sua resposta a Deus é apenas ceder e desistir da oportunidade de responder aos desafios de Deus, com a alegação de possuir pouca ou nenhuma importância. Alguém poderia supor que o estratagema funcionaria bem, mas também no capítulo 13 Jó declarou que responderia, caso Deus o convocasse;

na verdade, Deus o convoca nessa proposição. Igualmente, é característico das relações humanas que, ao tentarmos sair de um argumento meramente dizendo: "Sim, você está certo", essa admissão pode não aliviar a pressão da discussão. Jó descobre que a voz, vinda da tempestade, continua a falar. Gosto de imaginar Jó pensando que a sua submissão colocará um ponto final naquele confronto indesejado, agora que Deus o colocou em seu devido lugar, e seu coração congelando ao ouvir que Deus retoma o discurso.

Ao falar sobre pedir por graça, no capítulo 9, Jó descreveu Deus como "aquele que toma as decisões em relação a mim". Aqui, Deus não está certo de que a submissão de Jó é mais do que um mero reconhecimento do poder de fogo superior de Deus como debatedor. Certamente, Jó não questionou se o poder de decisão de Deus é uma realidade; ele, frequentemente, expressa o seu reconhecimento disso. Mas Jó tem questionado a maneira pela qual Deus exerce essa autoridade. Uma vez mais, foi no capítulo 9 que Jó se disse aberto ao desafio de Deus nessa conexão. Lá, reconheceu que ninguém pode forçar Deus a um encontro para discutir as decisões divinas. Ainda, expressou a suspeita de que, mesmo se pudesse conseguir um encontro com Deus, de alguma forma terminaria se declarando culpado, mesmo sendo inocente. No capítulo 19, Jó reclamou que ninguém tomava decisão em resposta aos seus pedidos por socorro; por implicação, Deus é que estava falhando no exercício de sua autoridade. No capítulo 22, Jó sugeriu que a tomada de decisão de Deus era aleatória. Faz sentido Deus sugerir que Jó deseja anular a decisão divina em relação a ele, além de outras conexões; ao que parece, Jó imagina que poderia fazer melhor do que o próprio Deus.

A reação de Deus não é questionar se Jó possui discernimento moral para tomar decisões melhores que ele, mas questionar se Jó possui a capacidade de implementá-las. Com efeito, Deus diz: "Continue, então, Jó." A questão é se Jó possui um braço como o de Deus para empunhar uma arma contra os infiéis, se ele é capaz de rugir como Deus, enquanto se lança à batalha contra os ímpios. As pessoas que precisam ser derrubadas são as que estão no poder, em posições de eminência e majestade; Jó possui a majestade para se levantar contra elas? Possui a capacidade para direcionar a sua ira como Deus tem? A história, até aqui, observou que a ira exercida por seres humanos é, normalmente, negativa, mas também que o exercício da ira por Deus é uma questão distinta; trata-se de uma importante fonte de energia para fazer a coisa certa. Será que Jó possui o suficiente dessa categoria de ira ao ser confrontado pelos infiéis?

A indicação do Beemote a Jó personifica o ponto. A palavra *behemoth* constitui uma versão aprimorada de um termo hebraico para um animal e, aparentemente, sugere um animal gigante. Se fôssemos identificá-lo como um animal atual, seria o hipopótamo, mas o seu significado é a personificação ou símbolo de uma força imensa. Obviamente, Jó não pode ter a expectativa de domar ou controlar uma criatura assim, mas ela é uma das criaturas que Deus fez, como criou Jó. Na verdade, Deus revela que é a primeira das criaturas de Deus. Quer isso signifique que ela foi criada primeiro, cronologicamente falando, quer que é uma criatura imponente, ela está sob o controle divino. Deus empunha a espada, e a criatura faz o que ele diz.

JÓ **41:1–34**
O LEVIATÃ

[1]"Você consegue puxar o Leviatã com um anzol
ou amarrar a sua língua com uma corda?
[2]Consegue colocar um cordão em seu nariz
ou perfurar a sua mandíbula com um gancho?

³Ele fará muitas orações por graça a você;
lhe dirá palavras suaves?
⁴Selará uma aliança com você
para que seja tomado como um servo vitalício?
⁵Você brincará com ele como um pássaro
ou irá colocá-lo na coleira para as suas meninas?
⁶Os comerciantes negociarão por ele;
o dividirão entre os vendedores?
⁷Você consegue encher o seu couro de arpões
ou a sua cabeça com lanças de pesca?
⁸Ponha a mão sobre ele;
lembre-se da batalha; não fará isso de novo.
⁹Eis que a esperança em relação a ele é ilusória —
não se é oprimido apenas com a sua visão?
¹⁰Ninguém é tão feroz para despertá-lo;
então, quem se levanta diante de mim?
¹¹Quem me confronta para que eu pague?
— Debaixo de todo o céu,
as coisas são minhas.

¹²Não silenciarei sobre os seus membros
ou a sua poderosa palavra ou a graça de sua compostura.
¹³Quem arrancou a superfície de sua vestimenta;
quem pode vir com uma rédea dupla para ele?
¹⁴Quem pode abrir as portas de seu rosto? —
Seus dentes ao redor são um terror.
¹⁵Sua fileira de escudos é o seu orgulho,
fechadas com um selo apertado.
¹⁶Um toca o outro;
nem o ar pode ficar entre eles.
¹⁷Grudam-se um no outro;
agarram-se e não podem ser separados um do outro.
¹⁸Seus borrifos resplandecem a luz;
seus olhos são como as pálpebras da alvorada.
¹⁹Tochas saem de sua boca;
fagulhas de fogo escapam.

JÓ 41:1-34 • O LEVIATÃ

²⁰Fumaça sai de suas narinas,
   como um pote aquecido ou juncos [ardentes].
²¹Sua respiração acende carvões;
   chamas saem de sua boca.
²²Em seu pescoço se aloja a força;
   diante dele salta o desespero.
²³As dobras de sua carne grudam-se
   são fundidas nele, não se movem.
²⁴Sua mente é fundida como pedra,
   fundida como a pedra inferior do moinho.
²⁵Ao levantar-se, os seres divinos se apavoram;
   ao seu golpe, eles falham.
²⁶A espada que o alcança não prevalece —
   lança, dardo ou flecha.
²⁷Ele trata o ferro como palha,
   e o bronze como madeira podre.
²⁸A flecha não o afugenta,
   as pedras das fundas se transformam em palha para ele.
²⁹Bastões são como palha;
   ele desdenha do brandir de uma cimitarra.
³⁰Suas partes inferiores são cacos de vaso afiados;
   ele estende um trilho de debulhar na lama.
³¹Ele faz as profundezas ferverem como uma panela;
   faz o mar como um pote de unguento.
³²Atrás de si, ele ilumina um caminho;
   como se o abismo fosse cabelo branco.
³³Não há ninguém na terra para governá-lo,
   criado sem medo.
³⁴Ele vê tudo majestoso;
   ele é o rei sobre todas as criaturas nobres."

A minha esposa tem certo receio de monstros e pode, ocasionalmente, assustar-se com uma sombra que pode ser de alguma criatura estranha. Todavia, em nossa lua de mel, ela estava ansiosa para ir à Escócia, de onde os seus ancestrais vieram, apesar de a Escócia também ser o lar do monstro do lago Ness. Diz-se que, em 1933, ano da descoberta da legendária criatura marinha, o secretário de Estado da Escócia ordenou à polícia que evitasse ataques a ele. No entanto, relatos sobre essa criatura remontam ao século VI, quando um homem foi supostamente atacado e morto pelo monstro. Então, a criatura ameaçou atacar um dos seguidores de São Columbano; o monge fez o sinal da cruz e ordenou ao monstro que parasse — o que ele fez. Trata-se de uma típica história contada sobre os santos, que ilustra a forma pela qual criaturas estranhas, especialmente as marinhas, têm sido símbolos de um poder ameaçador e assustador desde os primórdios.

No mundo do Oriente Médio, o Leviatã é uma delas. Embora, nas histórias do Oriente Médio, haja criaturas que nos fazem lembrar do Beemote, não existe uma criatura que tenha um nome similar. No entanto, uma criatura mítica com um nome similar a Leviatã aparece em uma narrativa dos cananeus. Ambas são figuras que simbolizam um poder negativo extraordinário e amedrontador. O relato sobre o Leviatã o torna parecido ao crocodilo, do mesmo modo que o relato sobre Beemote faz lembrar o hipopótamo; contudo, igualá-los seria uma simplificação excessiva. Em vez disso, os eruditos do Oriente Médio, nos tempos antigos, imaginaram as mais poderosas, aterrorizantes e incontroláveis criaturas possíveis e convidaram as pessoas a retratarem o poder que encorajava a desordem e o tumulto no mundo como uma versão aprimorada dessas criaturas. Eles, então, afirmaram que esses poderes não estavam, na verdade, fora de controle; mas o poder delas estava sob a contenção divina.

Em outras passagens do Antigo Testamento, o Leviatã aparece no salmo 74, no qual **Yahweh** é aquele que esmaga as cabeças do Leviatã. O salmista fala de uma forma que poderia levar as pessoas a pensarem tanto na criação quanto na libertação de Israel junto ao mar Vermelho, ocasiões nas quais Deus quebrou a espinha de poderes resistentes. Em contraste, Isaías 27 apresenta a promessa de que Deus irá matar o Leviatã "naquele dia", o dia em que Deus consumará o seu propósito. Isso está de acordo com o que Jó 3 já falou de pessoas que estão prontas a despertar o Leviatã. Em adição, Jó 9 faz referência a Raabe, outra forma de conceituar a mesma realidade. Por outro lado, o salmo 104 descreve Deus criando o Leviatã para com ele brincar no oceano. Parte do que está acontecendo, quando o Antigo Testamento se refere ao Leviatã, é que ele declara: "Sabe que os cananeus dizem que um de seus deuses derrotou o Leviatã? Bem, eu lhe contarei quem realmente fez isso e quando."

Essas variadas referências ao Leviatã nos ajudam a compreender o retrato complexo que precisamos formar em nossa mente quanto à soberania de Deus sobre o mal. Deus derrubou o Diabo na criação (como veio a existir o mal com o qual Deus teve de lidar, então não é uma questão que a Bíblia responde) e ao libertar Israel do Egito, que se torna uma espécie de personificação do Leviatã. Por esse motivo, há um sentido no qual não necessitamos considerar a sua natureza ameaçadora tão seriamente; podemos sorrir para ela. Todavia, a experiência mostra que Deus não derrotou o Maligno de forma a torná-lo totalmente incapaz de afirmar-se; ele pode ser contido, mas não eliminado. Daí a promessa de que Deus, um dia, irá completar a sua sujeição. (Estranhamente, podemos pensar, o retrato do adversário na abertura do livro de Jó não corresponde ao retrato de Satanás, presente nos textos judaicos posteriores e no Novo Testamento. No entanto, a descrição do Leviatã está muito mais próxima disso. Em

outras palavras, o Leviatã, no Antigo Testamento, corresponde a Satanás, no Novo Testamento.)

O desafio de Deus a Jó ocupa um lugar coerente dentro
desse esboço. Pode-se dizer que o Maligno é como uma criatura poderosa que Deus mantém presa a uma coleira. O seu
poder está contido, mas não eliminado. Uma vez mais, por
que Deus teria colocado uma coleira no Maligno em vez de
destruí-lo não é uma questão com a qual a Bíblia lida, embora
nos seja possível arriscar algumas respostas. Quando uma
catástrofe é causada pela irresponsabilidade humana, por
que Deus não a evita? Talvez parte da explicação seja a de
que isso destruiria a realidade da responsabilidade humana.
Observamos, em nosso comentário sobre o capítulo 12, que
Deus não criou o mundo como um lugar no qual, simplesmente, relaxamos e nos regozijamos, mas amadurecemos ao
aceitarmos a responsabilidade pelas nossas ações. A obrigação
de lidar com o mal (evitando-o) cumpre uma função similar.
Mas a Bíblia não afirma esse ponto (é a espécie de teoria que
Eliú poderia ter exposto); um dos objetivos do livro de Jó é
discutir as questões suscitadas por vivermos em um mundo
no qual não temos resposta para a pergunta: "Por que coisas
ruins acontecem a pessoas boas?"

Sabemos porque elas ocorreram a Jó, mas o livro pressupõe
que a sua história não é a história de todos, o que pode estar
ligado ao fato de Deus jamais revelar a Jó o pano de fundo e
o propósito por trás de sua experiência. Embora esse conhecimento pudesse ser útil a Jó, revelá-lo em nada nos benefi-
ciaria. Dar-nos discernimento sobre como viver sem saber
por que as coisas nos acontecem é muito mais útil. A chave é
reconhecer que Deus é fiel e que podemos viver em confiança
e submissão a ele, mesmo quando não sabemos o motivo e o
propósito das coisas ruins em nossa vida. O capítulo sobre o

Leviatã desempenha o papel de orientar Jó (e, portanto, nós) nessa direção. Ele chama a nossa atenção para o temível poder e ameaça dessa personificação e nos convida a reconhecer que: (a) não podemos controlá-lo e (b) Deus pode e o faz. Esses dois atos são motivos suficientes para a confiança e a submissão.

Portanto, os dois discursos confrontadores de *Yahweh*, direcionados a Jó, buscam estabelecer dois pontos. Eles indicam que Jó não é o centro do universo; este não gira em torno dele. Ainda, argumentam que *Yahweh* não realiza um trabalho ruim no controle das forças que resistem ao seu propósito no mundo, e que o próprio Jó dificilmente faria melhor. *Yahweh*, então, deixa para Jó refletir sobre as implicações com respeito ao seu sofrimento.

JÓ **42:1-17**
E TODOS VIVERAM FELIZES PARA SEMPRE

¹Jó respondeu a *Yahweh*:

²"Reconheço que podes fazer qualquer coisa;
    nenhum plano pode ser impraticável a ti.

³'Quem é esse que escurece o meu propósito sem
        conhecimento?' —
    assim, falei de coisas que não compreendia,
    de maravilhas além de mim que não conhecia.

⁴'Ouça-me, e eu mesmo falarei;
    Perguntarei, e você pode tornar conhecido a mim.'

⁵Tenho escutado a ti com o ouvir de um ouvido,
    e, agora, os meus olhos te viram.

⁶Por isso, me rejeito
    e me arrependo do pó e das cinzas."

⁷Após *Yahweh* falar essas palavras a Jó, *Yahweh* disse a Elifaz, o temanita: "Minha ira se acendeu contra você e seus dois amigos, porque não me falaram o que era certo, como Jó, o meu servo. ⁸Assim, agora, tomem sete touros e sete carneiros,

vão a Jó, o meu servo, e sacrifiquem uma oferta queimada para vocês. Jó, o meu servo, pode suplicar por vocês, porque mostrarei favor a ele para não trazer desgraça sobre vocês, pois não falaram a mim o que era certo, como Jó, o meu servo." *Elifaz, o temanita, Bildade, o suíta, e Zofar, o naamatita, foram e fizeram como *Yahweh* lhes dissera.

Yahweh mostrou favor a Jó. **10***Yahweh* restaurou as riquezas de Jó quando ele suplicou em nome dos seus amigos. *Yahweh* acrescentou tudo o que Jó tinha em dobro. **11**Todos os seus irmãos e irmãs e seus conhecidos vieram e comeram uma refeição com ele em sua casa. Eles o consolaram e o confortaram por todos os problemas que *Yahweh* lhe havia trazido, e cada um deles lhe deu uma peça de prata e um anel de ouro. **12***Yahweh* abençoou a última parte da vida de Jó mais do que a anterior. Ele teve catorze mil ovelhas, seis mil camelos, mil juntas de bois e mil jumentos. **13**Teve sete filhos e três filhas — **14**ele deu o nome de Jemima, à primeira, de Quézia, à segunda, e de Quéren-Hapuque, à terceira. **15**Não se podia encontrar, em nenhum lugar do país, mulheres de uma beleza igual às filhas de Jó. O pai lhes deu propriedades juntamente com os seus irmãos. **16**Depois disso, Jó viveu cento e quarenta anos e viu os seus filhos e os seus netos, por quatro gerações. **17**Jó morreu velho e cheio de anos.

Frequentemente, pergunto às pessoas se elas desejariam ter o fim do livro de Jó. A maioria responde que não porque o consideram irrealista, pois conhecem muitas pessoas que não tiveram um final feliz em sua história da forma que Jó teve. Minha própria reação opera a lógica na direção contrária. A minha primeira esposa foi acometida pela esclerose múltipla e faleceu como resultado de sua enfermidade, e não me perturbo ao pensar que a sua história, simplesmente, terminou daquela maneira. Sinto-me feliz pela certeza de saber que toda a sua pessoa será renovada no dia da ressurreição e também estou feliz pela história de Jó terminar com a sua restauração. O próprio fato de tantas pessoas não terem um final feliz em sua história de vida é o motivo pelo qual uma história com um término feliz é importante — não porque estejamos evitando a dureza de um final infeliz e nos enganando, mas porque Deus é, de fato, aquele que leva as histórias a um final feliz. Os israelitas não sabiam que os seus familiares, mortos sem terem um epílogo feliz, iriam experimentar essa felicidade no dia da ressurreição, o que torna a declaração de fé em Deus quanto a finais felizes, presente na história, ainda mais notável.

Evidentemente, o segundo discurso de aceitação de Jó satisfaz **Yahweh** de uma forma que o primeiro não conseguiu. O primeiro falhou por ser, na realidade, um discurso condescendente; reconhecer que a outra parte venceu não implica o reconhecimento de que a parte contrária mereceu vencer. De fato, Jó simplesmente reconheceu que Deus era maior, que possuía um poder de fogo superior. Aqui, ele usa as próprias palavras de Deus quanto à sua falta de discernimento para discorrer sobre as questões que têm expressado e reconhece que Deus está certo. Jó aceita que a verdade é aquela dita por Deus: Deus pode fazer o que desejar e pode implementar os planos que faz.

Embora Jó diga que viu e ouviu Deus, a história não diz isso. Em outras passagens do Antigo Testamento, o relato de Deus aparecendo em uma nuvem é, regularmente, uma forma de indicar que Deus realmente está presente, falando e agindo, mas o faz de um modo que as pessoas não o veem. Observamos em nosso comentário sobre a promessa de Eliú em Jó 33, de que a visão de Deus nos cegaria. Deus falar do meio da tempestade tem um significado similar, isto é, que Jó ouviu Deus com seus ouvidos, mas também que, metaforicamente, viu a Deus, como Eliú prometera. "Vejo você no tribunal", diz a sentença, e esse foi o desejo de Jó (p. ex., "eu sei que o meu Restaurador vive", na passagem do capítulo 19). Na verdade, Deus atendeu à sua súplica ou ao seu desafio, mas a declaração que ele faz é muito diferente daquela que Jó estava procurando. No entanto, ela resultou na retirada do caso por Jó.

Talvez, então, seja o seu próprio caso que Jó rejeita e, portanto, se arrepende da fraqueza da sua natureza humana e a considera pó e cinzas. A *ACF* o apresenta se arrependendo "no" pó e cinzas, mas a expressão, normalmente, denota se arrepender "do" pó e "das" cinzas. Além disso, embora a história relate Jó assentado "em meio a cinzas", foram os seus amigos que jogaram terra em sua própria cabeça, não Jó. Quando a expressão "pó e cinzas" aparece no Antigo Testamento, trata-se de uma descrição da fraqueza e da mortalidade humanas. O pó ou a terra é como começamos, e terminamos como cinzas. Jó está, portanto, usando a expressão em relação ao próprio arrependimento quanto às suas pretensões de, como um mero mortal, tentar refletir sobre questões que ele mesmo suscitava.

Comparado a Deus, falta discernimento a Jó; no entanto, o aparecimento de Deus lhe propiciou o reconhecimento de algumas verdades sobre o Criador. Embora Jó tenha, implicitamente, superestimado a sua própria capacidade de comandar o mundo ou de compreender as questões envolvidas nesse comando, ele aceitou as suas limitações. Em comparação com os três amigos, portanto, Jó é um homem de entendimento — um fato irônico, considerando quão cheios de si os amigos têm agido. Elifaz e os demais falaram com firmeza sobre as pessoas que acendiam a ira de Deus, sem, no entanto, perceberem que eles mesmos corriam o risco de agir como essas pessoas que inflamam a ira divina. Deus não faz nenhum comentário sobre Eliú, que era tão cheio de si quanto os demais amigos, mas que, todavia, levantou pontos que parcialmente anteciparam os argumentos divinos. Igualmente, não há nenhuma cena de volta ao gabinete celestial que mostre Deus dizendo ao adversário: "Eu lhe disse." Contudo, não há dúvidas quanto a Jó ter sido aprovado em seu teste.

Deus instrui uma nova reversão de posições entre Jó e seus amigos. Seria sensato imaginar que os amigos é que iriam orar por nós caso estivéssemos na situação de Jó. Talvez os amigos de Jó tenham feito isso ao levantarem a voz, prantearem, rasgarem os seus casacos e jogarem terra ao ar e a deixarem cair sobre a própria cabeça. Para pessoas como Jó, essas ações seriam um acompanhamento apropriado às orações que seguem o modelo das orações presentes no livro de Salmos. No entanto, o relato jamais afirma que eles oraram, ainda que tenham, implicitamente, visto Jó como objeto da ira divina. Eles é que são, agora, alvos da ira de Deus. Claramente, Deus os instrui sobre o que fazer caso queiram sair da mira da ira divina — pois a restauração da relação entre Deus e eles requer um movimento de ambas as partes. Apenas perdoá-los não alcançaria essa restauração. Se pedirem a Jó para que faça uma oferta e ore em favor deles, então a relação pode ser restaurada. Trata-se de uma oferta generosa também, pois, embora o Antigo Testamento permita ofertas de pequena escala por pessoas que não podem oferecer mais, os três amigos são pessoas ricas. Claro que Deus poderia lhes dizer para levarem as suas próprias ofertas e fazerem as suas próprias orações, mas obrigá-los a envolver Jó constitui uma expressão mais forte de reconhecimento pelo erro cometido e da retidão do amigo. Igualmente, evita que Jó guarde algum ressentimento pelo tratamento recebido deles. A resolução de questões em nossa vida, com frequência, é incompleta se as resolvermos apenas entre nós e Deus; é necessário garantir que as relações com as demais pessoas envolvidas sejam restauradas também. E não há nada como orar por alguém para assegurar que a sua atitude em relação a ela esteja em ordem. Assim, há uma ligação entre a disposição de Jó de orar por seus amigos e a própria restauração da vida de Jó, o que somente ocorre após essa oração. De acordo com essa ideia é que Jesus afirma que seremos perdoados apenas se perdoarmos os outros, não o contrário.

A natureza e a magnitude da restauração de Jó podem fazer levantar uma sobrancelha ou duas, levar alguém a questionar o que a esposa de Jó achou de gerar mais dez filhos. Reconhecidamente, a história pode bem sugerir (como observamos em relação a Jó 31) que um homem da posição de Jó provavelmente tinha mais de uma esposa, embora isso possa tornar a leitura da história um pouco desconfortável para os ocidentais. Devemos também ter consciência de que dez novos filhos não cancelam a perda dos primeiros dez. Considerando que o final da história objetiva enfatizar a maravilhosa restauração de Jó por Deus, é possível permitir a hipérbole característica do Oriente Médio e aceitar os detalhes sem uma rigorosa literalidade. Por outro lado, a informação contracultural sobre Jó ter dado propriedades às suas filhas significa que o livro (quase) termina com um testemunho final sobre o extraordinário homem que Jó era, capaz de afrouxar as normas sociais e demonstrar amor e compromisso às filhas de sua vida restaurada.

Com uma ironia final, nesse livro repleto delas, a cena derradeira da história confirma que o ensino tradicional expressado pelos amigos e por Jó (e, subsequentemente, por Jesus) está certo. Aqueles que honram a Deus são honrados por ele. A submissão ao Senhor é sabedoria; desviar-se do mal é entendimento. Todavia, de algum modo, isso não dispensa as questões que o restante da história suscita. O livro abordou variadas formas possíveis de olhar para o sofrimento humano, nenhuma delas aplicável em todos os casos, mas todas elas são, às vezes, aplicáveis. Isso começa com a possibilidade de o sofrimento ser um teste para revelar se o compromisso da pessoa com Deus é genuíno; tanto o Antigo quanto o Novo Testamentos confirmam que esse teste ou essa provação é uma realidade na vida de Israel e da igreja. O sofrimento é designado a justificar a natureza de nosso relacionamento com Deus. O livro apresentou a percepção de Eliú de que, quando estamos sofrendo, Deus nos alcança em amor e preocupação para nos atrair a ele. Também incorporou os apelos de *Yahweh* para aceitarmos os limites da nossa compreensão e do nosso poder e confiarmos em Deus mesmo quando não conseguimos enxergar o que ele está fazendo em nossa vida. Ainda, implicou o reconhecimento de que, mesmo quando há uma resposta sobre o motivo de seu sofrimento, é possível que você jamais chegue a conhecê-lo.

O livro, igualmente, apresentou as súplicas e protestos inflamados de Jó, semelhantes aos que encontramos no livro de Salmos, mas aparecem aqui em uma escala colossal, sugerindo que, embora Jó acabe se submetendo a Deus em reconhecimento à sabedoria superior do Criador, sua atitude é aquela que Deus prefere, em detrimento da ação dos amigos. Pouco tempo atrás, um casal conhecido teve um filho que faleceu alguns dias após nascer. O culto memorial envolveu uma série de versículos do livro de Jó, que expressavam dor e protesto, submissão e esperança. Um dos presentes afirmou que passaria a frequentar a igreja, pois não conhecia outra igreja na qual esses sentimentos e perguntas pudessem ser verbalizados.

Todas essas percepções a respeito do sofrimento e sobre como responder a ele precisam fazer parte da nossa consciência, não apenas quando algo terrível acontece, mas antes que aconteça, para que se tornem recursos disponíveis quando a calamidade vier. Caso contrário, será muito tarde para descobrir que atitude devemos ter diante do sofrimento. Antes, a experiência revelará como já pensamos.

Nesse sentido, tenho dúvidas quanto ao livro ter como público-alvo os que sofrem, embora possa ser de grande utilidade saber que outras pessoas sentiram o que eles agora estão sentindo. Portanto, ao conhecer Jó, sua esposa, qualquer um dos seus dez primeiros filhos ou os servos no céu, e lhes perguntar o que eles pensaram sobre tudo o que lhes aconteceu, é possível que respondam que, na época, acharam muito injusto, mas, agora, por saberem que inúmeras pessoas têm sido beneficiadas por sua história ao longo de quase três mil anos, eles não se importam de terem sofrido dessa maneira, especialmente por terem a inesperada ressurreição para uma nova vida.

Certamente, o livro não é designado a nos ajudar na elaboração de respostas para quem está sofrendo. Na verdade, não há nele nenhuma sugestão de que alguém tivesse algo a falar para Jó. Por outro lado, o livro não reflete muito sobre o que lhe disseram e também não sugere haver outras coisas que poderiam ser ditas. Talvez isso signifique que devemos nos manter calados. Não estou bem certo se o silêncio dos amigos foi um bom silêncio, mas existe algo como um bom silêncio, especialmente se for o de um ouvinte e de uma testemunha, um silêncio capaz de encorajar o sofredor a verbalizar a mágoa, os questionamentos e os protestos que jorram de seu coração e, então, não apenas aplicar um curativo na ferida.

⌐GLOSSÁRIO⌐

Abadom. Uma das palavras do Antigo Testamento para o lugar no qual as pessoas mortas estão, a exemplo de **Sheol**. A palavra comum é similar a um termo hebraico com o significado de "perecer", o que pode não ser uma mera coincidência. Na verdade, o verbo pode sugerir "destruir" de modo a possibilitar uma ligação com o fato de a morte significar a decomposição do nosso corpo. No entanto, os textos não fazem nada disso; a palavra é apenas um nome.

Aliança. A palavra hebraica *berit* abrange alianças, tratados e contratos, mas todas essas são formas pelas quais as pessoas estabelecem um compromisso formal sobre algo. Tenho, porém, utilizado o termo "aliança" para expressar todas as três. Onde há um sistema legal ao qual as pessoas podem apelar, os contratos pressupõem um sistema para resolver disputas e ministrar justiça que pode ser utilizado caso uma das partes não cumpra com os seus compromissos. Em contraste, um relacionamento de aliança não pressupõe uma estrutura legal executável dessa espécie, mas a aliança envolve algum procedimento formal que confirme a seriedade do compromisso solene que as partes assumem uma com a outra. Desse modo, o Antigo Testamento frequentemente fala sobre *selar* uma aliança; textualmente, *cortá-la* (o pano de fundo reside no tipo de procedimento formal descrito em Gênesis 15 e Jeremias 34:18-20, embora esse tipo de procedimento dificilmente fosse exigido toda vez que alguém assumia um compromisso de aliança). Às vezes, as pessoas selam alianças *para* outras pessoas e, às vezes, *com* outras pessoas. A primeira implica algo mais unilateral; a outra envolve algo mais recíproco.

Compromisso. O termo corresponde à palavra hebraica *hesed*, que as traduções expressam de modos distintos: amor inabalável, benignidade, bondade ou fidelidade. Trata-se do equivalente, no

Antigo Testamento, à palavra para amor no Novo Testamento, isto é, *agapē*. O Antigo Testamento utiliza a palavra "compromisso" em referência a um ato extraordinário por meio do qual uma pessoa se dedica a alguém, numa atitude de generosidade, lealdade ou graça, quando não há um relacionamento prévio entre as partes e, portanto, nenhum motivo para isso. Desse modo, em Josué 2 Raabe fala, apropriadamente, de sua proteção aos espias israelitas como um ato de compromisso. Pode também referir-se a um ato extraordinário similar que ocorre quando há uma relação prévia, na qual uma das partes decepciona a outra e, assim, não tem o direito de esperar qualquer fidelidade da outra parte. Caso a parte ofendida continue sendo fiel, trata-se de uma demonstração desse compromisso. Em resposta a Raabe, os espias israelitas declaram que irão se relacionar com ela dessa maneira. No Novo Testamento, a palavra traduzida por amor, *agapē*, é equivalente a *hesed*.

Shaddai. Shaddai é um nome para Deus que aparece, com frequência, no livro de Jó. Não sabemos se o nome tinha um significado particular. O termo lembra palavras com o significado de montanha, peito e destruição. O Antigo Testamento, ocasionalmente, sugere que Shaddai seja o Destruidor, mas, de modo geral, não implica que a palavra tenha um significado específico. A sua profusa aparição no livro de Jó reflete o sentido de ser mais apropriado nos lábios dos israelitas do que o nome *Yahweh*. A tradução convencional por "Todo-poderoso" deriva de uma antiga tradição grega do Antigo Testamento, a Septuaginta.

Sheol. O termo hebraico mais frequente para o lugar ao qual vamos quando morremos (veja também **Abadom** e os comentários em Jó 11). No Novo Testamento, esse lugar recebe o nome de Hades. Não se trata de um lugar de punição ou de sofrimento, mas somente um local de descanso para todos, uma espécie de análogo imaterial da sepultura como local de descanso para o nosso corpo.

Torá. A palavra hebraica para os cinco primeiros livros da Bíblia. Eles, em geral, são referidos como a "Lei", mas esse termo propicia uma impressão equivocada. No próprio livro de Gênesis, não há nada como "lei", bem como Êxodo e Deuteronômio não são livros "jurídicos". A palavra *torah*, em si, significa "ensino", o que fornece uma impressão mais correta da natureza da Torá.

Yahweh. Na maioria das traduções bíblicas, a palavra "Senhor" aparece em letras maiúsculas ou em versalete, como ocorre, às vezes, com a palavra "Deus". Na realidade, ambas representam o nome de Deus, *Yahweh*. Nos tempos do Antigo Testamento, os israelitas deixaram de usar o nome *Yahweh* e começaram a usar "o Senhor". Há dois motivos possíveis. Os israelitas queriam que outros povos reconhecessem que *Yahweh* era o único e verdadeiro Deus, mas esse nome de pronúncia estranha poderia dar a impressão de que *Yahweh* fosse apenas o deus tribal de Israel. Um termo como "o Senhor" era mais facilmente reconhecível. Além disso, eles não queriam incorrer na quebra da advertência presente nos Dez Mandamentos sobre usar o nome de *Yahweh* em vão. Traduções em outros idiomas, então, seguiram o exemplo e substituíram o nome de *Yahweh* por "o Senhor". O lado negativo é que isso obscurece o fato de Deus querer ser conhecido por esse nome. Por esse motivo, o texto utiliza *Yahweh*, com frequência, não algum outro nome (assim chamado) deus ou senhor. Essa prática dá a impressão de Deus ser muito mais "senhoril" e patriarcal do que ele o é na realidade. (A forma "Jeova" não e uma palavra real, mas uma mescla das consoantes de *Yahweh* e das vogais da palavra *Adonai* [Senhor, em hebraico], com o intuito de lembrar as pessoas que na leitura da Escritura elas deveriam dizer "o Senhor", não o nome real.)

⌐ SOBRE O AUTOR ⌐

John Goldingay é pastor, erudito e tradutor do Antigo Testamento. Ele é professor emérito David Allan Hubbard de Antigo Testamento no prestigiado Seminário Teológico Fuller em Pasadena, Califórnia. É um dos acadêmicos de Antigo Testamento mais respeitados do mundo com diversos livros e comentários bíblicos publicados. O autor possui o livro *Teologia bíblica* publicado pela Thomas Nelson Brasil.

Livros da série de comentários

O ANTIGO TESTAMENTO PARA TODOS

JÁ DISPONÍVEIS pela **Thomas Nelson Brasil**

Pentateuco para todos: Gênesis 1—16 • Parte 1
Pentateuco para todos: Gênesis 17—50 • Parte 2
Pentateuco para todos: Êxodo e Levítico
Pentateuco para todos: Números e Deuteronômio
Históricos para todos: Josué, Juízes e Rute
Históricos para todos: 1 e 2Samuel
Históricos para todos: 1 e 2Reis
Históricos para todos: 1 e 2Crônicas
Históricos para todos: Esdras, Neemias e Ester
Poéticos para todos: Jó
Poéticos para todos: Salmos 1—72 • Parte 1
Poéticos para todos: Salmos 73—150 • Parte 2
Poéticos para todos: Provérbios, Eclesiastes e Cântico dos Cânticos

O NOVO TESTAMENTO PARA TODOS

Mateus para todos: Mateus 1—15 • Parte 1
Mateus para todos: Mateus 16—28 • Parte 2
Marcos para todos
Lucas para todos
João para todos: João 1—10 • Parte 1
João para todos: João 11—21 • Parte 2
Atos para todos: Atos 1—12 • Parte 1
Atos para todos: Atos 13—28 • Parte 2
Paulo para todos: Romanos 1—8 • Parte 1
Paulo para todos: Romanos 9—16 • Parte 2
Paulo para todos: 1Coríntios
Paulo para todos: 2Coríntios
Paulo para todos: Gálatas e Tessalonicenses
Paulo para todos: Cartas da prisão
Paulo para todos: Cartas pastorais
Hebreus para todos
Cartas para todos: Cartas cristãs primitivas
Apocalipse para todos